DIE ZEIT

Das Junior-Lexikon

IN SECHS BÄNDEN

W0394329

DIE ZEIT

Das Junior-Lexikon

IN SECHS BÄNDEN

4 Lek-Par

Herausgegeben von
Zeitverlag Gerd Bucerius GmbH & Co. KG, Hamburg
und Wissen Media Verlag GmbH, Gütersloh

Herausgeberin und Redaktionsleiterin ZEIT:
Dr. Susanne Gaschke
Redaktionsleiterin Wissen Media Verlag:
Dr. Beate Varnhorn

Projektleiterin Wissen Media Verlag: Katja Baier

Redaktion ZEIT: Christian Staas
Redaktion Wissen Media Verlag:
Christian Adams, Petra Bischof, Anke Braun, Antonia Hansmeier, Dr. Manfred Hoffmeister, Dr. Ulrike Hönsch, Christina Langner, Tanja Loos, Heike Linnemannstöns, Hans-Georg Michel, Ursula Rzepka, Peter Wassen-Lamberty

Layout und Einbandgestaltung: Kay Lübke
Datenaufbereitung und Satz:
Dirk Bischoff, Jo. Pelle Küker-Bünermann
Karten- und Grafikredaktion: Dr. Matthias Herkt
Bildredaktion: Ursula Franz, Anka Hartenstein, Sonja Rudowicz, Svenja Schumann, Thekla Sielemann
Herstellung: Joachim Weintz

Druck und Bindung:
MOHN Media Mohndruck GmbH, Gütersloh
Printed in Germany

DIE ZEIT

© 2007 Zeitverlag Gerd Bucerius GmbH & Co. KG, Hamburg und Wissen Media Verlag GmbH, Gütersloh

ISBN Gesamtwerk: 978-3-577-07640-1
ISBN Band 1: 978-3-577-07644-9

Markenzeichen, Gebrauchs- und Geschmacksmuster sowie Patente sind in diesem Werk, wie in allen Nachschlagewerken üblich, nicht als solche gekennzeichnet. Es wird empfohlen, vor Benutzung von bestimmten Zeichen für Waren oder von besonders gestalteten Arbeitsgerätschaften bzw. Gebrauchsgegenständen sowie von Erfindungen beim Deutschen Patent- und Markenamt in München anzufragen, ob ein Schutz besteht.

Das Werk und seine Teile sind urheberrechtlich geschützt. Jede Nutzung in anderen als den gesetzlich zugelassenen Fällen bedarf der vorherigen schriftlichen Einwilligung des Verlages. Hinweis zu § 52 a UrhG: Weder das Werk noch seine Teile dürfen ohne eine solche Einwilligung eingescannt und in ein Netzwerk eingestellt werden. Dies gilt auch für Intranets von Schulen und sonstigen Bildungseinrichtungen.

Alle Rechte vorbehalten

Vorwort

Eine ganze Weile war es Mode, darüber zu klagen, wie schnell unser Wissen angeblich »veraltet«. Damit war gemeint, dass sich die Welt so schnell verändert, dass die Menschen kaum noch alles mitbekommen, wahrnehmen und begreifen können, was um sie herum geschieht. Ein bisschen klang dieses Gerede vom veraltenden Wissen auch immer so, als müsse man sich gar nicht mehr bemühen, irgendetwas genau zu wissen – es konnte sich ja morgen schon geändert haben. Wenn es tatsächlich so wäre, dann wären das schlechte Zeiten für Lexika, für Bücher, die davon leben, dass ihr Inhalt sich viele Jahre hält.

Wir ahnen jedoch aus unseren Alltagserfahrungen, dass es sich so nicht verhält: Es gibt massenhaft Dinge, die im Großen und Ganzen so bleiben, wie sie sind, und über die man durchaus genau Bescheid wissen kann. Manchmal sogar muss. Und nicht immer »veraltet« eine bestehende Erkenntnis, wenn eine Neue hinzukommt. Meist wird es dann einfach noch mehr, was man wissen sollte.

Richtig ist allerdings, dass es schwer sein kann zu entscheiden, welche Informationen wichtig und richtig sind: Von allen Seiten senden, funken, blinken Medien – Zeitungen, Fernsehsender, Rundfunk, das Internet – uns interessante Dinge entgegen. Was können wir in unserer begrenzten Zeit lesen und verstehen? Was stimmt, was stimmt nicht?

Ein Lexikon ist in Zeiten der Informationsüberflutung eine große Hilfe. Nicht, weil es alles Wissen der Welt enthielte – das kann selbst das beste Nachschlagewerk nicht. Aber es kann etwas anderes: Es kann Informationen, die viele Menschen gut gebrauchen können, prüfen, sortieren und – begrenzen. Und so wird das alte, als »langsam« beschimpfte Medium Buch plötzlich zur Abkürzung: Bevor ich mich durch endlose, ungeordnete und vielleicht sogar widersprüchliche Datenmengen wühle, sagt mir das Lexikon schnell das Wichtigste über Abgeordnete, Belichtungsmesser oder Chromosomen, über Wildkatzen, Yin und Yang oder auch die Zehn Gebote. Und natürlich zu vielen anderen Themen. Herausgeber und Redaktion stehen dafür gerade, dass die Informationen stimmen und dass man sie verwenden kann – für den Vortrag ebenso wie für eine Hausaufgabe. Wir haben den »normalen« Inhalt eines Nachschlagewerks – 10 000 Stichworte, erklärt und bebildert – um 60 Beiträge von ZEIT-Autoren ergänzt, die noch mehr bieten: Sie machen Zusammenhänge sichtbar, sie beantworten Fragen, die über die nackten Tatsachen hinausgehen. Wie kommt das Fischstäbchen auf meinen Teller? Warum hat Deutschland keinen König? Wann fingen die Menschen an, Musik immer und überall hören zu wollen? Was geschieht eigentlich in einem Computer?

Die Redaktion hofft, dass diese Beiträge interessant und vergnüglich zu lesen sind – und dass sie das leisten, was die ZEIT auch als Zeitung für Erwachsene tun möchte: Orientierung geben. Hintergründe ausleuchten. Erklären, wie es sich wirklich verhält. Solche Texte für junge Leser zu schreiben, war für die Autoren eine Herausforderung: Es ist nämlich sehr viel schwerer, Auskunft zu geben, wenn man sich nicht auf das herausreden kann, was der Leser vermeintlich sowieso schon weiß. Aber es hat uns großen Spaß gemacht. Und den wünschen wir allen Lesern unseres ZEIT Junior-Lexikons, auch und gerade denen, die älter als 14 Jahre sind.

Susanne Gaschke
Herausgeberin ZEIT Junior-Lexikon

Wie benutzt man dieses Lexikon?

Stichwort

Die Stichwörter sind fett gedruckt und alphabetisch geordnet. Die Umlaute ä, ö, ü werden behandelt wie die Buchstaben a, o, u (z. B. folgt Flöte auf Flossen); ß wird wie ss eingeordnet. Buchstaben mit Akzenten (z.B. á, é, í) werden wie solche ohne Akzente behandelt.

Manchmal sind für ein und dasselbe Stichwort unterschiedliche Schreibweisen möglich. Wir haben für dieses Lexikon die Form gewählt, die am gebräuchlichsten ist. Andere Schreibweisen, wie auch Synonyme, stehen in schräger Schrift hinter dem Hauptstichwort (z. B. **Coffein** [das], *Koffein* ...). In Zweifelsfällen wird das Auffinden eines Stichworts durch Verweise erleichtert. Findet man ein Stichwort unter C nicht, könnte es z. B. auch unter K oder Z zu finden sein oder umgekehrt (z. B. **Koffein** → Coffein). Das Gleiche gilt für V und W, F und Ph (z. B. **Photographie** → Fotografie), J und Y (z. B. **Joga** → Yoga). Bei gleich lautenden Stichwörtern mit verschiedenen Bedeutungen werden die Erläuterungen aneinander gereiht und mit Ziffern versehen: **1.** ... **2.** ...

Besonders wichtige Begriffe und interessante Themen werden in deutlich hervorgehobenen Übersichtsartikeln und in ZEIT-Beiträgen behandelt.

Angaben zum Stichwort

Hinter dem Stichwort stehen in eckigen Klammern [ ] folgende Angaben:

1. die Aussprache, falls diese von der deutschen Schreibweise abweicht;
2. bei Hauptwörtern das grammatikalische Geschlecht (der, die, das). Ist ein Begriff im Plural gebräuchlicher, steht Pl. in der eckigen Klammer;
3. die sprachliche Herkunft bei Lehn- und Fremdwörtern. Sie ist nur dann angegeben, wenn sie zur Erläuterung des Begriffs beiträgt, und steht in abgekürzter Form in der eckigen Klammer:

arab.	= arabisch
chin.	= chinesisch
engl.	= englisch
franz.	= französisch
griech.	= griechisch
hebr.	= hebräisch
ital.	= italienisch
lat.	= lateinisch
niederländ.	= niederländisch
österreich.	= österreichisch
russ.	= russisch
schweiz.	= schweizerisch
span.	= spanisch

Zeichen

*	geboren
†	gestorben
→	Verweis
%	Prozent
®	registered

Lautschrift

Für die Lautschrift werden – zusätzlich zu den bekannten deutschen Buchstaben – folgende Zeichen der internationalen Lautschrift verwendet:

Vokale und Diphthonge (Doppelvokale)

ː	der vorausgegangene Vokal wird lang gesprochen
ˈ	Betonung der nachfolgenden Silbe
a	kurzes a (wie in *kann*)
aː	langes a (wie in *Magen*)
æ	sehr offenes kurzes ä (wie in engl. *match*)
ʌ	kurzes dumpfes a (wie in *Butler*)
ã	nasaliertes a (wie in *Montblanc* [ː mɔ̃ːblã])
ai	Diphthong (wie in *Mai, Brei*)
au	Diphthong (wie in *Baum*)
e	halb langes geschlossenes e (wie in *gebt*)
eː	langes geschlossenes e (wie in *Beere*)
ə	kurzes dumpfes e (wie in *Masse, Linie*)
əː	langes dumpfes e (wie in *Churchill* [ː tʃəːtʃil])
ɛ	kurzes offenes e (wie in *Fest, Gänse*)
ɛː	langes offenes e (wie in *ordinär*)
ɛi	Diphthong (wie in *Rio de Janeiro* [ˈriu di ʒaˈ nɛiru])
ɛ̃	nasaliertes e (wie in franz. *jardin* [ʒarˈdɛ̃])
i	kurzes i (wie in *bin, sind*)
iː	langes i (wie in *Bibel, Lied*)
ɔ	kurzes offenes o (wie in *Ross*)
ɔː	langes offenes o (wie in engl. *Wallstreet* [ˈwɔːlstriːt])
ɔ̃	nasaliertes o (wie in *Montblanc* [ˈmɔ̃ˈblã])
ɔi	Diphthong (wie in *heute*)
ɔu	Diphthong (wie in engl. *Bowling* [ˈbɔuliŋ])
o	halb langes geschlossenes o (wie in *Obst*)
oː	langes geschlossenes o (wie in *Moos*)
œ	kurzes offenes ö (wie in *Köln*)
ø	halb langes geschlossenes ö (wie in *Fischöl*)
øː	langes geschlossenes ö (wie in *nervös*)
œ̃	nasaliertes ö (wie in franz. *Verdun* [vɛrˈdœ̃])
u	kurzes u (wie in *kurz*)
uː	langes u (wie in *Gruß*)
y	kurzes ü (wie in *schützen*; franz. *Tartuffe* [tarˈtyf])
yˈ	langes ü (wie in *führen, lyrisch*)

Konsonanten

ç	ch (wie in *ich*)
x	ch (wie in *machen*; span. *Junta* [ˈxunta])
ŋ	ng (wie in *Klang, Bank*)
s	stimmloses s (wie in *essen, weiß*)
z	stimmhaftes s (wie in *Saal, Waise*)
ʃ	stimmloser sch-Laut (wie in *schaffen*; engl. *Shakespeare* [ˈʃɛikspiə])
ʒ	stimmhafter sch-Laut (wie in *Journal* [ʒurˈnaːl], *Etage* [eˈtaːʒə])
θ	stimmloser Lispellaut (wie in engl. *Commonwealth* [ˈkɔmənwɛlθ])
ð	stimmhafter Lispellaut (wie in engl. *father* [ˈfaːðə])

Abkürzungsverzeichnis

bzw.	beziehungsweise
ca.	circa
cm	Zentimeter
Jh.	Jahrhundert
kg	Kilogramm
km	Kilometer
m	Meter
Mio.	Millionen
Mrd.	Milliarden
n. Chr.	nach Christus
nm	Nanometer
Pl.	Plural
Sg.	Singular
St.	Sankt, Saint
t	Tonne
u. a.	unter anderem; und andere(s)
u. Ä.	und Ähnliches
u. a. m.	und anderes mehr
ü. M.	über dem Meeresspiegel
usw.	und so weiter
v. a.	vor allem
v. Chr.	vor Christus
z. B.	zum Beispiel
z. T.	zum Teil

ZEIT-Beiträge

Band 1: A – Detail

Band 2: Deutsche Demokratische Republik – Hamster

Band 3: Handball – Leiter

Band 4: Lektoren – Parzival

Band 5: Pascal – Soziologie

Band 6: Spacelab – Z

L

(Fortsetzung)

Lektoren [Pl., lat., »Leser«], **1.** Lehrbeauftragte an Hochschulen, die meist Übungen oder Sprachkurse abhalten. **2.** Verlagsmitarbeiter, die Manuskripte prüfen, bis zur Drucklegung bearbeiten und in Zusammenarbeit mit Autoren und Herausgebern Werks- und Programmkonzeptionen entwerfen. **3.** Laien, die einen Gottesdienst mitgestalten.

Lektüre [die], das Lesen eines Textes und auch der Lesestoff selbst.

Wer war … Wladimir Iljitsch Lenin

Wladimir Iljitsch Lenin (eigentlich *Uljanow*, *1870, †1924) war ein russischer Revolutionär und Politiker. Er begründete die Sowjetunion und entwickelte eigenständig das Gedankengut von *Marx* und *Engels* weiter. Seine Lehre wird als Leninismus bezeichnet.

Lenin studierte Jura und bekannte sich früh zum Marxismus. Weil er die Zarenherrschaft bekämpfte, wurde er 1897–1900 nach Sibirien verbannt. Anschließend ging er ins Exil nach London, München und Genf. Lenin entwickelte den Plan einer straff organisierten Partei von Berufsrevolutionären. Diese Vorstellungen spalteten 1903 die russische Sozialdemokratie in die gemäßigten Menschewiki (Minderheitler) und die radikalen Bolschewiki (Mehrheitler) unter Lenins Führung. Nach Teilnahme an der russischen Revolution 1905 ging er erneut ins Exil. 1908–1912 und 1914–1917 lebte er in der Schweiz. Nach der russischen Februarrevolution 1917 reiste er mit Hilfe der deutschen Heeresleitung nach Russland. Nach einem ersten Fehlschlag gelangte er in der Oktoberrevolution 1917 an die Spitze der Revolutionsregierung. Die nun folgenden Lebensjahre waren ausgefüllt mit der rücksichtslosen Durchsetzung der bolschewistischen Macht in Russland, das unter Lenins Führung zur Sowjetunion wurde. In seinem politischen Testament warnte er davor, J. *Stalin* in seiner Stellung als Generalsekretär der Kommunistischen Partei zu belassen. Lenin starb nach mehreren Schlaganfällen, die seit 1922 seine Handlungsfähigkeit herabsetzten. Stalin ließ den einbalsamierten Leichnam in einem eigenen Mausoleum auf dem Roten Platz in Moskau beisetzen.

Wladimir Iljitsch Lenin, Führer der russischen Oktoberrevolution

Leningrad → St. Petersburg.

Leninismus [der] → Lenin.

Lennon, John, *1940, †1980; britischer Popmusiker und Komponist. Lennon prägte durch seinen Stil die Musik der *Beatles,* nach deren Auflösung er eine Solokarriere machte. Er wurde im Alter von 40 Jahren in New York ermordet.

Lenz, Siegfried, *1926; deutscher Schriftsteller. Er befasst sich in seinen Werken mit Problemen der Kriegs- und Nachkriegszeit sowie mit der Vereinsamung des modernen Menschen. Seinen ersten großen Erfolg hatte er mit ostpreußischen Geschichten (»So zärtlich war Suleyken«). Später trat er auch als Dramatiker und Hörspielautor hervor.

Wer war … Leonardo da Vinci

Der italienischer Maler, Bildhauer, Architekt, Kunsttheoretiker, Naturforscher und Erfinder Leonardo da Vinci (* 1452, † 1519) war durch seine Bildung und Vielseitigkeit ein Universalgenie und einer der bedeutendsten Künstler und Forscher der Renaissance. Er wurde in Florenz ausgebildet, wo er auch längere Zeit lebte. In der bildenden Kunst schuf er Werke, die das Schönheitsideal der italienischen Hochrenaissance verkörperten: Seine Bilder zeichnen sich durch eine meisterhafte Körper- und Raumaufteilung aus, die Oberfläche ist weichgezeichnet, die Lichteffekte sind fein abgestuft und die Gesichter zart modelliert. Dies findet sich besonders ausgeprägt in den berühmten Werken wie der »Madonna in der Felsengrotte« (ab 1483), im »Abendmahl« (1495–1497) sowie in der »Mona Lisa« (1503–1506). Als Architekt schuf Leonardo zahlreiche herausragende Entwürfe von Kirchen und anderen Bauten, die jedoch meist unverwirklicht blieben. Als Forscher leitete er die neuzeitliche Beschäftigung mit den Naturwissenschaften ein. So befasste er sich in seinen wissenschaftlichen Studien u.a. mit Anatomie, Biologie, Mechanik und Optik. Außerdem hinterließ er eine Vielzahl von technischen Entwürfen (z.B. einer Taucherglocke oder eines Fallschirms) und leistete einen großen Beitrag zur Entwicklung der Kartografie und Geografie. Nach mehrjährigen Aufenthalten in Mailand und Rom folgte Leonardo da Vinci 1517 einer Einladung König *Franz I.* nach Frankreich, wo er im Landschlösschen Cloux bei Amboise die letzten beiden Jahre seines Lebens verbrachte.

Die »Mona Lisa« ist das Bildnis der Lisa del Giocondo, der Ehefrau eines Florentiner Seidenhändlers.

Leopard [der], *Panther,* eine Großkatze, die in Afrika und Südasien bis zur Mongolei beheimatet ist. Das Fell hat eine gelbe Grundfarbe mit dunklen Punkten, der Leopard wird bis 1,50 m lang.

Leopard: Die Leopardin bringt nach einer Tragzeit von drei Monaten 1 bis 4 Junge zur Welt.

Lepra [die], *Aussatz,* eine Infektionskrankheit, die durch Bakterien verbreitet wird. Leprakranke sind durch Geschwüre und Knoten entstellt und oft durch den Abfall von Gliedmaßen verstümmelt. Die Krankheit ist besonders in den Tropen (Afrika und Asien) verbreitet.

Lerchen [Pl.], bei uns heimische Singvögel. Die Bodenbrüter haben ein erdfarbenes Gefieder und sind meist Zugvögel.

lesbische Liebe [die], die weibliche Form der Homosexualität. Sie ist nach der griechischen Insel *Lesbos* benannt, wo angeblich im Altertum die Frauen Anhängerinnen der lesbischen Liebe waren.

Lese [die], Traubenernte in Weinanbaugebieten.

Lese- und Rechtschreibschwäche [die] → Legasthenie.

Lesotho: In den Dörfern finden sich vielfach die traditionellen Rundhütten.

Ländersteckbrief
Lesotho

Fläche:	30 355 km²
Einwohner:	1,8 Millionen = 59 je km²
Hauptstadt:	Maseru
Religion:	Christentum
Amtssprache:	SeSotho, Englisch
Währung:	1 Loti = 100 Lisente

Lesotho, Staat in Südafrika.

Lesotho ist eine Enklave der Republik Südafrika und besteht vorwiegend aus einer mit Grasländern bedeckten Hochebene, die im Norden und Osten von den *Drakensbergen* (3482 m hoch) begrenzt wird. Die Temperaturen sind relativ niedrig mit großen täglichen und jährlichen Schwankungen; sommerliche Niederschläge. – Die Bevölkerung gehört zum Bantuvolk der Basuto. 74% sind Christen. – Exportiert werden Bekleidung, Wolle, Mohair, lebendes Vieh und Häute. Die Landwirtschaft kann den Nahrungsmittelbedarf der Bevölkerung nicht decken. Rund 18% der männlichen Bevölkerung arbeiten in der Republik Südafrika. Die Industrialisierung Lesothos steht noch am Anfang. Die reichlich vorhandenen Wasserkräfte werden zur Energiegewinnung genutzt.

Geschichte: 1868 entstand das britische Protektorat *Basutoland*. 1966 wurde Basutoland als Lesotho unabhängige Monarchie innerhalb des Commonwealth. Staatsoberhaupt ist König *Letsi III.*, Premierminister B. P. *Mosisili*.

Lessing, Doris, *1919; englische Schriftstellerin. Sie wuchs im heutigen Simbabwe auf und ging später nach England. Ihre Bücher beschäftigen sich besonders mit Problemen von Minderheiten (Rassenkonflikt) und Emanzipationsfragen, z. B.: »Das goldene Notizbuch«, »Martha Quest«, »Das fünfte Kind«. Lessing erhielt 2007 den Nobelpreis für Literatur.

Wer war …
Gotthold Ephraim Lessing

Der deutsche Schriftsteller Gotthold Ephraim Lessing (* 1729, † 1781) wurde mit seinen dichterischen und literaturtheoretischen Werken zum herausragenden Vertreter der deutschsprachigen Aufklärung. Lessing rief die moderne deutsche Literatur- und Theaterkritik ins Leben, so mit der »Hamburgischen Dramaturgie« (1767/1768), einer Sammlung von Theaterkritiken, in denen er eine Reform des deutschsprachigen Theaters anstrebte. Mit seinen Dramen »Miss Sara Sampson« (1755) und »Emilia Galotti« (1772) begründete er die Gattung des bürgerlichen Trauerspiels, mit »Minna von Barnhelm« schuf er ein Musterstück der deutschen Komödie. In seinem Drama »Nathan der Weise« (1779) und in seinen moralisch-philosophischen Schriften (u. a. »Die Erziehung des Menschengeschlechts«, 1780) trat Lessing entschieden für Vernunft, religiöse Toleranz und Gleichberechtigung ein.

Eines der bekanntesten Porträts von Gotthold Ephraim Lessing schuf der Dresdner Hofmaler Anton Graff im Jahr 1771.

Lethargie [die], eine krankhafte Schläfrigkeit, Teilnahmslosigkeit.

Ländersteckbrief
Lettland

Fläche:	64 589 km²
Einwohner:	2,3 Millionen = 36 je km²
Hauptstadt:	Riga
Religion:	evangelisch-lutherische, römisch-katholische und russisch-orthodoxe Kirche
Amtssprache:	Lettisch
Währung:	1 Lats = 100 Santims

Lettland, Staat in Osteuropa.

Landesnatur: Lettland ist ein eiszeitlich geformtes, im Moränenbereich sehr hügeliges Land. Die Natur kennzeichnen zahlreiche Moore und mehr als 2000 Seen. Weite Wälder, vorwiegend Kiefernwälder, bedecken 40% des Landes. Zwischen den Kurländischen Höhen im Westen und den Livländischen Höhen im Osten liegt das breite Tal der Düna. Die Ostseeküste ist vorwiegend Flachküste mit Sanddünen.

Bevölkerung: 58% der Bewohner sind Letten, größte Minderheit sind Russen (30%), ferner Weißrussen, Ukrainer, Polen und Litauer. 55% sind Lutheraner, 24% Katholiken und 9% Russisch-Orthodoxe.

Wirtschaft: In der Landwirtschaft überwiegt die Viehzucht (Milchvieh, Schweine, Schafe und Geflügel). Anbauprodukte sind Getreide, Zuckerrüben, Flachs, Kartoffeln und Gemüse. Die vielseitige Industrie (Maschinen-, Fahrzeugbau, chemische, elektrotechnische, Holz-, Papier-, Textil- und Nahrungsmittelindustrie) konzentriert sich um Riga, Liepaja und Daugavpils. – Die wichtigsten Seehäfen sind Riga, Liepaja und Ventspils; Riga hat einen internationalen Flughafen.

Geschichte: Im 13. und 14. Jh. wurde Lettland dem Staat des Deutschen Ordens eingegliedert und christianisiert. Im 16. Jh. kam es teils unter polnische, teils unter schwedische Herrschaft. 1721 fiel der nördliche, 1795 der südliche Teil an Russland. Die 1918 gebildete Republik Lettland wurde 1940, nach Einmarsch der Roten Armee, als Sowjetrepublik der UdSSR eingegliedert. Nach deutscher Besetzung (1941–1944) erfolgte eine strikte Russifizierung. Am 4. 5. 1990 proklamierte das lettische Parlament die Wiederherstellung der Souveränität, die die UdSSR 1991 anerkannte. Lettland wurde 2004 Mitglied von NATO und EU. Staatspräsident ist seit 2007 V. *Zatlers*.

Leuchtkäfer [Pl.], etwa 10 mm lange, nachtaktive Käfer mit Leuchtorganen am Hinterleib, die es den nächtlich fliegenden Männchen ermöglichen, die flügellosen, im Gras sitzenden Weibchen aufzufinden. Zu den Leuchtkäfern gehören z.B. die *Glühwürmchen*.

Lettland: Fähre über den Fluss Gauja; mit etwa 452 km ist die Gauja der längste Fluss des Landes.

Genauer betrachtet ...
Leuchtturm

Der Leuchtturm von Pharos war eines der sieben Weltwunder der Antike. Um 280 v. Chr. ließ der ägyptische König *Ptolemaios II. Philadelphos* dieses riesige Navigationsmal auf der Insel Pharos, am Eingang des Hafens Alexandria, bauen. Angaben über die Höhe schwanken zwischen 116 und 272 m. Die zweite Zahl scheint übertrieben. Fest steht, dass auf einem quadratischen Unterbau von 69 m Höhe ein achteckiger Aufsatz von 38 m Höhe stand, auf dem wiederum ein 9 m hoher runder Turmschaft aufragte. An der Spitze des Turms brannte ständig ein Leuchtfeuer. Es wird behauptet, dass das Fundament des Turmes aus glasigem Material bestand. Der Leuchtturm wurde im 15. Jh. durch ein Erdbeben zerstört.

Leuchtstoffe [Pl.], Stoffe wie die Sulfide des Zinks oder der Erdalkalimetalle, die bei Bestrahlung Licht aussenden, und zwar entweder nur für die Zeit der Anstrahlung *(Fluoreszenz)* oder auch noch längere Zeit danach *(Phosphoreszenz)*.

Leuchtturm [der], ein mit einem Leuchtfeuer ausgerüsteter Turm zur Sicherung von Hafeneinfahrten oder gefährlichen Küstenstellen. In der Nacht zeigen die Türme ein Leuchtfeuer zur Ortsbestimmung. Auch → »Genauer betrachtet«.

Leukämie [die], die krankhafte Vermehrung der weißen Blutkörperchen durch Veränderungen im blutbildenden Gewebe des Knochenmarks, der Milz und der Lymphknoten.

Leukozyten [Pl.], weiße Blutkörperchen, → Blut.

Lexikon [das, Pl. Lexika, griech.], ein alphabetisch geordnetes Nachschlagewerk, in dem Begriffe und Namen aus allen Wissensgebieten erklärt werden. Ein besonders umfangreiches Lexikon nennt man *Enzyklopädie.* Zu den Lexika gehören auch die *Wörterbücher,* die die Bedeutung von Wörtern erklären.

Lhasa [tibetisch, »Ort der Götter«], Hauptstadt von Tibet, 121 000 Einwohner. Lhasa war die heilige Stadt des *Lamaismus,* bis 1959 Sitz des *Dalai-Lama.*

Lianen [Pl.], Kletterpflanzen. Lianen kommen vor allem in den tropischen Regenwäldern vor und werden bis zu 200 m lang.

Ländersteckbrief Libanon

Fläche:	10 452 km²
Einwohner:	3,6 Millionen = 346 je km²
Hauptstadt:	Beirut
Religion:	Islam, Christentum
Amtssprache:	Arabisch
Währung:	1 Libanesisches Pfund = 100 Piastres

Libanon, Staat in Vorderasien.

Landesnatur: Hinter der Küstenebene erhebt sich das Gebirge des *Libanon* (3083 m), das durch die fruchtbare *Beqaebene* vom *Antilibanon* (2814 m) getrennt wird. Es herrschen trockenheiße Sommer; die Niederschläge fallen hauptsächlich im Winter, im Gebirge als Schnee.

Bevölkerung: Die Bevölkerung (40% Christen, 60% Muslime) besteht vorwiegend aus Arabern.

Wirtschaft: In der Landwirtschaft wird der Anbau von Zitrusfrüchten, Obst, Gemüse und Bananen auf künstlich bewässertem Boden sowie Milchviehhaltung betrieben. Die Industrie (Nahrungsmittel-, Textil-, Maschinen-, Metall- und chemische Industrie) wird erst allmählich wieder aufgebaut. – Wichtigste Seehäfen sind Beirut und Tripoli; internationaler Flughafen Beirut.

Geschichte: 1516–1920 gehörte das Gebiet zum Osmanischen Reich. Danach wurde es gemeinsam mit Syrien französisches Mandatsgebiet. Die Franzosen lösten Libanon von Syrien und gaben ihm 1926 eine eigene Verwaltung. 1941 wurde Libanon nominell unabhängig, 1944 das Mandat aufgehoben. Das Land geriet in den Sog des Nahostkonflikts. Seit 1975/1976 entwickelte sich ein Bürgerkrieg zwischen christlichen Milizen einerseits und linken Muslimen und Palästinensern andererseits. 1976 besetzten syrische Truppen das Land. 1982–1985 gingen israelische Truppen gegen PLO-Stellungen militärisch vor. 1985 wurden die israelischen Truppen wieder abgezogen (bis auf eine »Sicherheitszone« im Süden). Die Kämpfe zwischen den Bürgerkriegsparteien (darunter *Amal* und *Hizbollah*) flammten immer wieder auf. Erst durch den militärischen Einsatz Syriens endeten 1990 die Auseinandersetzungen. Die syrische Rolle als Ordnungsmacht wurde 1991 vertraglich festgeschrieben. Danach begann der Wiederaufbau des durch den Bürgerkrieg schwer geschädigten Landes. 1998 wurde General E. *Lahoud* Staatspräsident. 2000 gab Israel die »Sicherheitszone« im Süden auf. 2005 fiel der frühere Ministerpräsident R. *Al Hariri* einem Attentat

Libellen: Die oft farbig schillernden Insekten sind erdgeschichtlich sehr alte Lebewesen.

zum Opfer. Es kam zu antisyrischen Protesten. Im April 2005 zogen die syrischen Truppen aus Libanon ab. Nach Parlamentswahlen wurde F. *Siniora* neuer Ministerpräsident. Im Juli und August 2006 führte Israel einen Feldzug gegen die Hizbollah im Libanon *(Libanonkrieg)*.

Libellen [Pl.], Insekten, die mit rund 3700 Arten auf der ganzen Erde vorkommen. Die räuberischen Tiere werden bis 15 cm lang und sind oft sehr farbenprächtig.

liberal, freiheitlich gesinnt, vorurteilslos.

Liberalismus [der], eine Auffassung von Staat, Gesellschaft und Wirtschaft, die für den Einzelnen größtmögliche Freiheit im persönlichen, politischen und wirtschaftlichen Bereich fordert. Der Liberalismus entwickelte sich im Zeitalter der Aufklärung und geriet in der zweiten Hälfte des 19. Jh. zunehmend in starken Gegensatz zum Sozialismus und Kommunismus. Zu den politischen Forderungen des Liberalismus gehören z. B. die Anerkennung der Menschenrechte, die freie Meinungsäußerung sowie das Prinzip der Gewaltenteilung. Im wirtschaftlichen Bereich steht der Liberalismus für einen freien Wettbewerb ohne staatliche Lenkung. In Deutschland steht besonders die FDP (Freie Demokratische Partei) in der Tradition des Liberalismus.

Ländersteckbrief
Liberia

Fläche:	111 369 km^2
Einwohner:	3,4 Millionen = 30 je km^2
Hauptstadt:	Monrovia
Religion:	Christentum, Naturreligionen, Islam
Amtssprache:	Englisch
Währung:	1 Liberianischer Dollar = 100 Cents

Liberia, Staat in Westafrika.

Die Küste ist aufgrund der vorgelagerten Sandbänke, der Lagunen und Mangrovesümpfe schlecht zugänglich. Hinter einer feuchttropischen Küstenebene steigt das Land zum 1000 m hohen, trockeneren Bergland der Oberguineaschwelle an. – Die Bevölkerung (70% Anhänger traditioneller Religionen, 20% Muslime, 10% Christen) besteht aus 16 verschiedenen Stämmen

(Kpelle, Bassa, Kru u. a.). – Hauptexportgüter sind Naturkautschuk (rund 53% des Ausfuhrwerts) und Holz (46%). Die Industrie ist noch wenig entwickelt. – Der wichtigste Seehafen ist Monrovia. Offiziell besitzt Liberia eine der größten Handelsflotten der Erde (größtenteils Billigflagge).

Geschichte: Liberia wurde 1822 als Siedlung freigelassener amerikanischer Sklaven gegründet. 1847 wurde es unabhängige Republik mit einer Verfassung nach amerikanischem Vorbild. Seit dem Militärputsch von 1980 regierte S. *Doe*. Er wurde nach einem Bürgerkrieg 1990 ermordet. Nach langjährigen inneren Wirren gewann 1997 C. *Taylor* die Präsidentschaftswahlen. In der Folgezeit entwickelte sich ein neuerlicher Bürgerkrieg, so dass Taylor 2003 ins Exil gehen musste. UN-Friedenstruppen bemühten sich um eine Stabilisierung der Lage. 2006 wurde E. *Johnson-Sirleaf* Präsidentin.

Liberia: Geschäftiges Treiben auf der Hauptstraße im Zentrum der Hauptstadt Monrovia

Libeskind, Daniel, * 1946; US-amerikanischer Architekt. Er gehört zu den international anerkanntesten Architekten und ist v. a im Museumsbau tätig: z. B. das Felix-Nussbaum-Museum in Osnabrück und das Jüdische Museum in Berlin.

Libretto [das, ital., »kleines Buch«], ein Textbuch zu einer Oper, Operette oder einem Singspiel.

Libreville [librə'viːl], Hauptstadt und größter Hafen von Gabun, 573 000 Einwohner.

Ländersteckbrief
Libyen

Fläche:	1 759 540 km²
Einwohner:	6,0 Millionen = 3 je km²
Hauptstadt:	Tripolis
Religion:	Islam
Amtssprache:	Arabisch
Währung:	1 Libyscher Dinar = 1000 Dirhams

Libyen, Staat in Nordafrika.

Landesnatur: Bis auf einen schmalen Küstenstreifen mit Mittelmeerklima wird das ganze Land von Wüsten verschiedener Art (Sand-, Geröll-, Kies- und Lehmwüste) mit nur wenigen Oasen bestimmt und eingenommen.

Bevölkerung: Die Bevölkerung besteht aus rund 35% Arabern, 25% Berbern, 30% arabisch-berberischen Mischlingen, 6% arabisch-türkischen Mischlingen. Der Islam ist Staatsreligion.

Wirtschaft: Hauptexportgüter sind Erdöl und Erdgas (über 90% des Ausfuhrwerts). An der Küste und in den Oasen werden Dattelpalmen, Ölbäume, Tabak, Wein u. a. angebaut. Viehzucht wird nomadisch betrieben. Die Industrie verarbeitet Agrarprodukte und liefert Chemikalien, Textilien und Maschinen. – Haupthäfen sind Tripolis und Bengasi.

Geschichte: Im Altertum war *Libya* die Bezeichnung für ganz Nordafrika westlich von Ägypten. Das heutige Libyen wurde im 1. Jh. v. Chr. römisch. Im 7. Jh. begann die arabische Herrschaft, die im 16. Jh. vom Osmanischen Reich beendet wurde. 1911/1912 besetzten die Italiener das Land, das im Zweiten Weltkrieg von britischen Truppen erobert wurde. 1951 wurde Libyen unabhängiges Königreich. 1969 stürzte Oberst M. A. *Ghadafi* die Monarchie, der einen Islamisierungskurs verfolgte und eine panarabische Politik betrieb. Die Verwicklung in Aktionen des internationalen Terrorismus führte zu Spannungen mit dem Westen. 2003 gab Libyen den Verzicht auf Massenvernichtungswaffen bekannt. 2004 unterzeichnete es das Zusatzprotokoll des Atomwaffensperrvertrages. Die Freilassung von fünf bulgarischen Krankenschwestern und eines Arztes 2007, die in Libyen zum Tode verurteilt worden waren, entspannte das Verhältnis zur westlichen Welt weiter.

Licht [das], der sichtbare Teil der elektromagnetischen Strahlung, der sich mit einer Geschwindigkeit von etwa 300 000 km pro Sekunde (→ Lichtgeschwindigkeit) geradlinig ausbreitet. Das weiße Licht (Sonnenlicht) setzt sich aus Lichtwellen verschiedener Wellenlänge zusammen. Durch ein Prisma kann das weiße Licht in seine verschiedenen farbigen Bestandteile (Spektralfarben) zerlegt werden. Auch → Optik.

Lichtwellenleiter: Mehrere tausend Glasfasern befinden sich in einem Lichtleitkabel.

Lichtenberg, Georg Christoph, * 1742, † 1799; deutscher Schriftsteller und Physiker. Als vielseitiger Gelehrter und mit seiner kritischen, scharfsinnigen Denkweise wurde er zum bedeutenden Vertreter der deutschsprachigen Aufklärung. Er wurde besonders durch seine *Aphorismen* bekannt.

Lichtenstein, Roy, * 1923, † 1997; US-amerikanischer Maler. Lichtenstein war ein Hauptvertreter der amerikanischen Pop-Art. In seinen Gemälden übernahm er die Bilderwelt der *Comicstrips.*

Lichtgeschwindigkeit [die], Geschwindigkeit, mit der sich das Licht fortbewegt. Mit 299 792,458 km in der Sekunde erreicht die Lichtgeschwindigkeit die größtmögliche Geschwindigkeit, mit der sich etwas fortbewegen kann. So braucht das Licht hin und zurück zum Mond nur 2,56 Sekunden und ein *Lichtjahr* – die Strecke, die das Licht innerhalb eines Jahres zurücklegt – entspricht mehr als 9 Billionen Kilometer.

Lichtjahr [das] → Lichtgeschwindigkeit.

Lichtwellenleiter [der], ein optisches System, mit dem auch auf gekrümmtem Weg Licht fortgeleitet und Bilder übertragen werden können. Ein Lichtwellenleiter ist ein sehr dünner und biegsamer Faden, der im Innern aus Glas mit hohem Brechungsindex besteht und außen von einem lichtbrechenden Mantel umgeben ist. Dieser Mantel trennt die einzelnen Fasern dadurch voneinander, dass das Licht innerhalb eines Lichtwellenleiters total reflektiert wird. Es kann kein Licht von einer Faser zur benachbarten übergehen. Ein Lichtleitkabel besteht aus mehreren Tausend Glasfasern. Lichtwellenleiter haben eine besondere Bedeutung in der Nachrichtentechnik (Telefon, Kabelfernsehen). Hier ersetzen sie Kabel aus dem immer knapper werdenden Kupfer. Die Informationen werden durch die Veränderung der Lichtintensität übertragen. Mit Lichtwellenleitern können rund 100 000 Telefongespräche oder 20 Fernsehprogramme pro Faser übertragen werden.

Liebe [die], ein Begriff, mit dem eine Vielfalt von Gefühlen der Zuneigung beschrieben wird. Liebe zielt darauf, mit dem geliebten Objekt zusammen zu sein. Die *personenbezogene Liebe* bezieht sich auf Eltern, Freunde u. a. oder sie richtet sich auf einen Partner und schließt dann auch → Sexualität ein. Es gibt auch die *objektbezogene Liebe,* z. B. zur Natur, zur Freiheit u. a. Siehe auch ZEIT-Beitrag → »Liebe: Was man von Herzen will«, Seite 22–25.

Liebermann, Max, * 1847, † 1935; deutscher Maler und Grafiker. Liebermann war ein Hauptmeister des deutschen *Impressionismus.* Er malte besonders Bildnisse, Selbstporträts und Landschaften.

Liebknecht, Karl, * 1871, † 1919; deutscher Politiker. Liebknecht gehörte zum linken Flügel der SPD, aus der er 1916 austrat. 1917 trat er zusammen mit Rosa *Luxemburg* an die Spitze des Spartakusbundes, der eine »freie sozialistische Republik« gründen wollte. Nach dem Spartakusaufstand wurde er zusammen mit R. Luxemburg ermordet.

Max Liebermann, Terrasse im Restaurant Jacob in Nienstedten an der Elbe; Öl auf Leinwand 1902/1903

Ländersteckbrief
Liechtenstein

Fläche:	160 km²
Einwohner:	35 000 = 219 je km²
Hauptstadt:	Vaduz
Religion:	römisch-katholische Kirche
Amtssprache:	Deutsch
Währung:	1 Schweizer Franken = 100 Rappen

Liechtenstein, Staat in Mitteleuropa.

Das in den Alpen gelegene Fürstentum zwischen Schweiz und Österreich wird im Westen vom Alpenrhein, im Osten und Süden von Ketten des Rätikon (bis 2599 m) begrenzt. In der Landwirtschaft werden v. a. Getreide, Obst und Wein angebaut. Die wichtigsten Industrieprodukte des Landes sind Maschinen und Apparate, Chemikalien, Nahrungsmittel, Holz-erzeugnisse, Lederwaren sowie Keramik. Von großer Bedeutung ist der Tourismus. Liechtenstein ist formeller Sitz vieler Auslandsfirmen (»Steuerparadies«).

Geschichte: Aus den Herrschaften Vaduz und Schellenberg entstand 1719 das reichsunmittelbare Fürstentum Liechtenstein. Es gehörte 1806–1814 zum Rheinbund, 1815–1866 zum Deutschen Bund und wurde danach selbstständig, seit den 1920er Jahren in Post-, Wirtschafts- und Zolleinheit mit der Schweiz.

Staatsoberhaupt ist seit 1989 Fürst *Hans-Adam II.* Die Führung der Amtsgeschäfte ging 2004 auf Erbprinz *Alois* über.

Liga [die], **1.** in der Politik der Zusammenschluss von mehreren Staaten oder Personen, die ein gemeinsames Ziel verfolgen. **2.** im Sport die Bezeichnung für mehrere Mannschaften, die zu einer Klasse zusammengefasst werden.

Lilienthal, Otto, * 1848, † 1896; deutscher Flugpionier. Er führte 1891 mit einem von ihm gebauten Flugapparat den ersten Gleitflug durch. Lilienthal starb bei einem Absturz.

Lima, Hauptstadt von Peru, 7,9 Mio. Einwohner. Lima ist das kulturelle Zentrum des Landes sowie wichtigstes Industrie- und Handelszentrum Perus. Die Stadt wurde 1535 von F. *Pizarro* gegründet.

Limerick, englisches Gedicht mit 5 Versen und grotesk-komischem Inhalt.

Limes [der, lat., »Grenze«], ursprünglich ein römischer Grenzweg, später befestigte Verteidigungslinie an den Grenzen des römischen Herrschaftsbereichs. Am bekanntesten ist der 382 km lange *obergermanische Limes,* der als Grenze gegen die Germanen angelegt wurde. Er begann unterhalb von Rheinbrohl am Rhein, führte über den Westerwald und Taunus zum Main und dort über den Odenwald zum Neckar bis Lorch. An ihn schloss sich der 166 km lange *rätische Limes* an, der bis zur Donau führte und bei Kehlheim endete. Der um 90 n. Chr. begonnene Limes hielt fast zwei Jahrhunderte den Germanen stand.

Wer war … Abraham Lincoln

Der US-amerikanische Politiker (Republikanische Partei) Abraham Lincoln (* 1809, † 1865 [ermordet]) war der 16. Präsident der USA (1861–1865). Lincoln führte die Nordstaaten der USA im amerikanischen Bürgerkrieg zum Sieg über die Südstaaten und bewahrte damit die nationale Einheit und das politische System des Landes. Seine berühmte Rede auf dem Schlachtfeld von Gettysburg *(Gettysburg Address)* vom 19. 11. 1863 ging mit ihrem Bekenntnis zur Freiheit und Gleichheit in das Bildungsgut der USA ein.

Der aus ärmlichen Verhältnissen stammende Lincoln ließ sich 1837 als Anwalt nieder und war 1847–1849 Abgeordneter des Repräsentantenhauses. 1856 schloss er sich der neu gegründeten Republikanischen Partei an und wurde 1860 als ihr Kandidat zum Präsidenten der USA gewählt. Die Südstaaten traten nach der Wahl des gemäßigten Gegners der Sklaverei aus der Union aus, es kam zum Sezessionskrieg. In einer Rede am 22. 9. 1862 proklamierte Lincoln die Sklavenbefreiung. 1864 wurde er als Präsident wiedergewählt. Mit einem von ihm vorgelegten Programm des Wiederaufbaus *(Rekonstruktion)* suchte er die schnelle Überwindung der nationalen Spaltung und die Wiedereingliederung des Südens in die Union. Wenige Tage nach der endgültigen Kapitulation der Armee des Südens starb Lincoln an den Folgen eines Pistolenattentats, das der Südstaatensympathisant J. W. *Booth* verübt hatte.

Abraham Lincoln

Im Rosenblätterregen: Wer heiratet, schließt einen Pakt der Liebe

Liebe

Was man von Herzen will

Von Heike Faller

Liebe: Du hast dieses Wort bestimmt schon hunderttausendmal gehört, aber je öfter du es hörst, desto verwirrender findest du es vielleicht. Denn mit der Liebe ist es ein bisschen wie mit einer Parfümwolke: Sie lässt sich nicht einfach fassen, sie taucht in den merkwürdigsten Situationen auf – und sie duftet immer ein bisschen anders.

Wenn Ronja Räubertochter in Astrid Lindgrens Roman über einen schwindelerregend tiefen Graben springt, um Birk Borkasohn zu retten, dann tut sie das aus Liebe. Wenn die beiden sich mit ihren Eltern zerstreiten und von zu Hause fortlaufen, um beieinander sein zu können, hat das mit Liebe zu tun. Und wenn am Ende Ronja und Birk ihre Eltern wieder in die Arme schließen und die Eltern ihre Kinder, ist es die Liebe, die sie miteinander versöhnt.

Liebe überwindet Grenzen

Auch auf manchen Fotos kann man die Liebe geradezu sehen: »Was haben wir uns da geliebt«, seufzt deine Mutter vielleicht, wenn sie alte Bilder betrachtet, auf denen sie mit deinem Vater zu sehen ist. Vielleicht trägt dein Vater deine Mutter gerade übermütig auf dem Arm oder deine Mutter strahlt auf eine Weise, die sie sehr jung aussehen lässt. Du ahnst: Es war Liebe, die damals in der Luft lag und die deine Eltern so beschwipst gemacht hat. Und später sind sie dann zusammengezogen und haben Kinder bekommen, und das alles – weil sie sich lieben. Umgekehrt passiert es allerdings auch, dass Paare wieder auseinandergehen, wenn die Liebe verschwindet.

Kaum ein Hit, der nicht die Liebe besingt

So viel steht also auf jeden Fall fest: Die Liebe wird in unserer Welt als etwas sehr Wichtiges erachtet. So wichtig ist sie, dass selbst die schlimmsten Unrechtsstaaten, die ihren Bürgern normalerweise verbieten, das Land zu verlassen, manchmal Ausreisegenehmigungen erteilen, wenn einer ihrer Bürger sich in jemanden aus einem anderen Land verliebt hat und diesen Menschen heiraten will. Oder andersherum: Frauen oder Männer aus einem armen Land dürfen nicht einfach so in Deutschland einreisen, weil sie etwa eine dringende Herzoperation brauchen. Wenn sie aber hierzulande heiraten wollen – wir gehen mal davon aus, weil sie verliebt sind! –, dürften sie herkommen. Die Liebe wird also sogar für wichtiger erachtet als Krankheiten oder der Tod.

Kein Wunder, dass im Radio und im Fernsehen ständig von Liebe geredet und gesungen wird. *Nur die Liebe zählt* heißt eine Fernsehshow, die Leute zusammenbringt, die sich einmal geliebt und sich aufgrund unglücklicher Zufälle aus den Augen verloren haben. Und es gibt wahrscheinlich selten einen Hit, in dem das Wort *love* nicht vorkommt. Dass das Wort im Deutschen Liebe heißt, wissen die meisten Kinder, lange bevor sie Englisch in der Schule lernen. Denn, um bei dem Vergleich mit dem Parfüm zu bleiben: Es duftet überall auf der Welt nach Liebe. Aber woraus besteht sie nun eigentlich?

Darüber machen sich die Menschen seit Ewigkeiten Gedanken. Manche unterscheiden zwischen freundschaftlicher Liebe und romantischer Liebe, bei der man den anderen auch unbedingt küssen und berühren möchte – man kann diese Form von Liebe oft auf Parkbänken im Sommer beobachten. Außerdem gibt es die elterliche Liebe zu den eigenen Kindern, wobei Eltern ihre Kinder auch dann lieben, wenn die Dinge tun, die

Bis ins hohe Alter: Ein Ehepaar feiert Goldene Hochzeit

ihren Eltern überhaupt nicht gefallen. Deshalb heißt sie auch bedingungslose Liebe – im Gegensatz zur romantischen Liebe, die manchmal aufhört, wenn der andere Dinge tut, die einem nicht gefallen. Für religiöse Menschen gibt es auch noch die Liebe zu Gott und die Liebe von Gott zu den Menschen. Auf diese Weise kann man die verschiedenen Formen der Liebe benennen oder einteilen. Aber was sie eigentlich *ist,* weiß man deshalb noch lange nicht.

Eltern, Freundinnen und Zwergmalteserhündchen

Eines jedenfalls haben all diese Formen der Liebe gemeinsam: Es geht dabei fast immer um ein Gefühl zu einem Menschen oder anderen Lebewesen. Man kann sagen, dass die Liebe eine Steigerungsform von mögen ist. Sehr, sehr gern mögen. Und zwar so gern, dass man bereit ist, das Glück des Menschen, den man liebt, so wichtig zu finden wie das eigene Glück. Das ist vielleicht das, was alle Formen der Liebe gemeinsam haben, egal, ob es sich dabei um die Liebe zu seinen Eltern handelt, zu einem Mitschüler, einer Freundin oder zu einem Zwergmalteserhündchen. Normalerweise achten wir, wenn wir durchs Leben gehen, erst einmal darauf, dass es uns selbst gut geht. Wir wollen natürlich auch, dass es allen anderen gut geht, und meistens ist ja zum Glück auch beides möglich. Aber es gibt eben Situationen, in denen die eigenen Wünsche und die Wünsche eines anderen Menschen nicht so einfach unter einen Hut zu bekommen sind. Wenn man jemanden liebt, stellt

Egal, was passiert: Die Liebe zwischen Eltern und Kindern ist bedingungslos

Romantische Liebe: Ein schönes, warmes Gefühl im Bauch

man in solchen Momenten manchmal die eigenen Wünsche zurück hinter die Wünsche des anderen – und zwar nicht aus Zwang oder Höflichkeit, sondern weil man es wirklich von Herzen so will. Eben weil man diese andere Person sehr, sehr gern mag – nämlich genauso gern wie sich selbst.

Liebe verleiht Superkräfte

Deshalb heißt es oft, dass man nur lieben könne, wenn man sich selbst liebe. Und deshalb heißt auch das fünfte Gebot der Christen: Liebe deinen Nächsten wie dich selbst. Die Liebe macht deshalb also nicht nur großzügig, sondern sie macht auch stark. Es ist ziemlich schwer, aus Höflichkeit auf ein Stück Schokoladenkuchen zu verzichten – und es ist ziemlich einfach, dies aus Liebe zu tun. Es ist sehr, sehr anstrengend, seinen kranken Ehepartner zu pflegen, weil man glaubt, dass die Familie das von einem erwartet – und es ist sehr viel leichter, wenn man es aus Liebe tut. Es kann sogar Spaß machen. Die Liebe versetzt Berge, heißt es oft. Weil sie uns Superkräfte verleiht. Und wahrscheinlich liegt genau darin der Grund, weshalb die Liebe sowohl von den schrecklichsten Diktatoren als auch von den frömmsten Heiligen für so wichtig gehalten wird: Sie gibt uns die Fähigkeit, unsere Grenzen zu überwinden – für einen anderen. Und das ist ein Wunder, das im Leben nicht so oft passiert.

Nur: Woran merkt man, dass man jemanden liebt? Die meisten Leute sagen, sie merken es an einem schönen, warmen Gefühl im Bauch oder in der Brust. Wenn man sich nicht ganz sicher ist und zufällig einen Gehirnforscher kennt, könnte man diesen auch bitten, das Blut auf bestimmte Stoffe zu untersuchen, die das Gehirn produziert, wenn man jemanden liebt. Aber eigentlich muss man die Liebe nicht messen, die meisten Leute spüren sie ganz von allein.

Lindbergh ['lindbəːg], Charles, * 1902, † 1974; US-amerikanischer Flieger. Als erster Mensch überflog er 1927 im Alleinflug den Atlantik von New York nach Paris in 33,5 Stunden. Auch → »Genauer betrachtet«.

Genauer betrachtet …
Charles Lindbergh

Mit ein paar Sandwiches, einer Tafel Schokolade und einer Thermosflasche Wasser war Lindbergh mit seinem einmotorigen Eindecker »Spirit of St. Louis« in Long Island (New York) gestartet. Er hatte 5800 km mit einer Durchschnittsgeschwindigkeit von 173 km/h zurückgelegt und mit den letzten Tropfen Benzin Paris erreicht. Ein Schneesturm hätte ihn auf offener See fast zur Umkehr gezwungen. Die Tragflächen vereisten. Er fror. Bis auf 3 m über das aufgewühlte Meer drückte er die Maschine herab. Um ein Haar wäre er ebenso spurlos verschwunden wie zwei Franzosen wenige Wochen vor ihm. Nach Beendigung seiner fliegerischen Pioniertat, feierte die Welt einen neuen Helden.

Charles Lindbergh vor der »Spirit of St. Louis«

Linde [die], Laubbaum mit unsymmetrischen Blättern und duftenden Blüten. Bei uns sind *Sommerlinde* und *Winterlinde* heimisch. Aus den Blüten wird Tee zubereitet, das weiche Holz eignet sich zum Schnitzen. Die *Zimmerlinde* ist eine exotische Lindenart.

Lindgren, Astrid, * 1907, † 2002; schwedische Schriftstellerin. Die Kinderbuchautorin wurde mit »Pippi Langstrumpf« weltberühmt. Außerdem schrieb sie: »Meisterdetektiv Blomquist«, »Wir Kinder aus Bullerbü«, »Rasmus und der Landstreicher«, »Ferien auf Saltkrokan«.

Link, Kurzwort für → Hyperlink.

Linkspartei, *Die Linkspartei. PDS*, eine deutsche Partei, → Partei des Demokratischen Sozialismus; → Die Linke.

Linné, Carl von (seit 1757), * 1707, † 1778; schwedischer Naturforscher. Er war der bedeutendste naturwissenschaftliche Systematiker seiner Zeit. Er entwickelte eine Benennungsmethode, mit der er für jedes Lebewesen lateinische Gattungs- und Artnamen als international verständliche Bezeichnungen einführte.

Linse [die], ein Teil des Auges, das zum Sammeln der Lichtstrahlen dient. Nach genau demselben Prinzip funktionieren auch optische Linsen. Siehe auch → Optik.

Linz, Landeshauptstadt von Oberösterreich, an der Donau, 184 000 Einwohner.

Liquidation [die], **1.** Geschäftsaufgabe, Geschäftsauflösung. **2.** Rechnung eines Arztes oder eines Rechtsanwalts an seinen Patienten bzw. seinen Klienten.

Lira [die, Pl. Lire, ital.], bis 2002 Währungseinheit in Italien (1 Lira = 100 Centesimi) und heute noch in Malta: 1 Lira = 100 Cents sowie in der Türkei: 1 Neue türkische Lira = 100 Neue Kurus.

Lissabon, Hauptstadt von Portugal, an der Mündung des Tejo in den Atlantik, 557 000 Einwohner. Die Stadt wurde 1755 durch ein Erdbeben stark zerstört. Heute ist sie der größte Hafen und Handelsplatz sowie Kulturzentrum des Landes.

Liszt, Franz von, * 1811, † 1886; österreichisch-ungarischer Komponist und Klaviervirtuose. Der stark von der französischen Romantik beeinflusste Musiker war der gefeiertste Klaviervirtuose seiner Zeit. Er schuf v.a. Klavierkompositionen, Orchesterwerke, Kirchenmusik sowie sinfonische Dichtungen.

Litanei [die], im Gottesdienst ein Wechselgesang zwischen Vorbeter und Gemeinde. Die Gemeinde antwortet in gleich bleibenden Gebetsformeln, z. B. mit »Herr, erbarme dich«.

Ländersteckbrief
Litauen

Fläche:	65 300 km²
Einwohner:	3,4 Millionen = 52 je km²
Hauptstadt:	Vilnius
Religion:	römisch-katholische Kirche
Amtssprache:	Litauisch
Währung:	1 Litas = 100 Centas

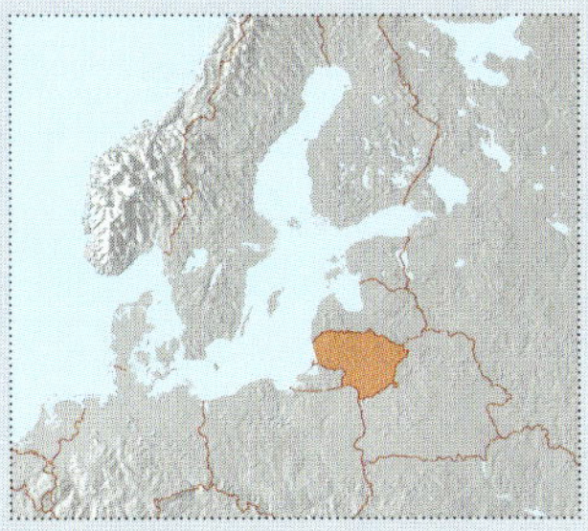

Litauen, Staat in Osteuropa.

Landesnatur: Die südlichste der drei baltischen Republiken ist ein eiszeitlich geformtes Land mit vielen Seen, Sümpfen, Mooren und lichten Wäldern, an der Flachküste Sanddünen. Der größte Fluss ist die Memel, die mit einem Delta ins Kurische Haff der Ostsee mündet.

Bevölkerung: Die Bewohner bekennen sich überwiegend zum römisch-katholischen Glauben. 83,5% sind Litauer, 6,3% Russen, 6,7% Polen, ferner Weißrussen und Ukrainer.

Wirtschaft: 17% der Erwerbstätigen sind in der Landwirtschaft beschäftigt. Es werden Getreide, Zuckerrüben, Flachs, Kartoffeln und Gemüse angebaut, außerdem Milch- und Fleischerzeugung sowie Fischfang betrieben. Die Industrie umfasst Nahrungsmittel-, Textil-, Metall-, Maschinen-, Baustoff- und chemische Industrie. An Bodenschätzen gibt es Bernstein, Torf und Baustoffe. – Bedeutender Seehafen ist Memel; internationaler Flughafen in Vilnius.

Geschichte: Unter den litauischen Großfürsten *Gedymin* und *Olgerd* entstand im 14. Jh. ein Großreich, das von der Ostsee bis zum Schwarzen Meer reichte. 1386 vereinigte sich Litauen in Personalunion mit Polen, der durch die *Lubliner Union* 1569 die staatliche Vereinigung folgte. Im Zuge der Polnischen Teilungen fiel der größte Teil Litauens 1795 an Russland. Die seit 1918 bestehende unabhängige Republik Litauen wurde 1940 von der UdSSR besetzt. Nach der deutschen Besetzung 1941–1945 folgte die Wiederherstellung der Litauischen Sozialistischen Sowjetrepublik (SSR). 1990 erklärte Litauen seine staatliche Unabhängigkeit, die 1991 von der Moskauer Zentralregierung anerkannt wurde. 2004 trat Litauen der EU und der NATO bei. Staatspräsident ist V. *Adamkus*.

Liter [der oder das], Abkürzung l, ein Hohlmaß: 1 l = 1 dm³ = 1000 cm³.

Literatur [die, lat., »Buchstabenschrift«], im weitesten Sinne der gesamte Bestand von Schriften jeder Art; im engeren Sinne nur die Belletristik (schöngeistige Literatur und Unterhaltungsliteratur) ohne die wissenschaftliche Literatur (= Fach- und Gebrauchsliteratur). Die Literatur kann nach verschiedenen Gesichtspunkten gegliedert werden, beispielsweise formal nach Gattungen (Epik, Lyrik, Dramatik) und Untergattungen (Roman, Novelle, Kurzgeschichte), sprachlich nach Völkern (National-, Weltliteratur), zeitlich nach Epochen (Romantik, Klassik, Naturalismus), inhaltlich nach Themen, Motiven und Stoffen (Abenteuer-, Kriminal-, Liebesroman), wertmäßig (Unterhaltungs-, Trivial-, Gebrauchsliteratur) oder auf den Leserkreis bezogen (Erwachsenen-, Kinder- und Jugendliteratur). Siehe auch ZEIT-Beitrag → »Literatur: Die Welt in Büchern«, Seite 30–33.

Lithium [das], ein chemisches Element mit dem Zeichen Li. Lithium ist ein leichtes, schnell anlaufendes Metall, das nur in gebundener Form mit Natrium- oder Kaliumsalzen vorkommt. Es wird in der Kerntechnik verwendet.

Lithographie [die], *Litografie, Steindruck,* ein Flachdruckverfahren, bei dem eine geschliffene Kalksteinplatte als Druckplatte dient. Mit einem Fettstift wird eine Zeichnung auf die Steinplatte aufgebracht. Die nicht mit Fett bedeckten Flächen werden geätzt, so dass die Zeichnung erhaben stehen bleibt

Livingstone: Auf der Suche nach der Quelle des Nils in den späten 1860er Jahren wurde David Livingstone schwer krank. Er erholte sich nicht wieder und starb in Sambia.

und gedruckt werden kann. Eine moderne Weiterentwicklung der Lithographie ist der Offsetdruck.

Liturgie [die], die Gesamtheit der gottesdienstlichen Handlungen in den christlichen Kirchen.

Liverpool ['livəpu:l], eine Hafenstadt im Nordwesten Englands, 439 000 Einwohner. Ein wichtiges Industriezentrum in Großbritannien.

Livingstone [-stən], David, * 1813, † 1873; englischer Missionar und Afrikaforscher. Er entdeckte u. a. die Victoriafälle, mehrere zentralafrikanische Seen und erforschte den Lauf des Sambesi.

Lizenz [die], eine oft amtliche Erlaubnis, Genehmigung, z. B. die Genehmigung zur Ausübung eines Gewerbes oder Erlaubnis zur Benutzung eines Patents.

Lizenzspieler [der], ein Fußballspieler, der vom zuständigen Fachverband eine Genehmigung *(Lizenz)* erhalten hat, in der obersten Spielklasse für einen Verein zu spielen, und dafür eine bestimmte Geldsumme bezieht. Lizenzspieler sind in der Regel Berufssportler.

Lkw [der], *LKW,* Abkürzung für Lastkraftwagen.

Lkw-Gebühr, *Lkw-Maut,* strecken- oder zeitbezogene Gebühr für die Benutzung von Autobahnen. 2005 wurde in Deutschland die satellitengestützte, streckenbezogene LKW-Maut eingeführt. Die Gebühr wird entweder durch das automatische Mauterhebungssystem oder an Terminals entrichtet.

Lobby [die, engl., »Vorhalle«], ursprünglich die Wandelhalle des britischen Unterhauses als Treffpunkt der Abgeordneten. Auch eine Interessengruppe, die Parlamentarier und Behörden in ihrem Sinne zu beeinflussen sucht.

Locarno, ein schweizerisches Seebad im Tessin, am Lago Maggiore, 13 800 Einwohner.

Lochner, Stefan, * um 1400, † 1451, deutscher Maler. Er ist einer der bedeutendsten Maler des 15. Jh. und schuf Andachts- und Marienbilder.

Locke [lɔk], John, * 1632, † 1704; englischer Philosoph. In seinen philosophischen Schriften geht er davon aus, dass die Erfahrung die einzige Erkenntnisquelle ist. Als Vertreter der Aufklärung setzt er sich für die Gleichheit aller Menschen vor dem Gesetz ein sowie für eine Staatsgewalt, die vom Volke ausgeht.

Logarithmen [Pl., Sg. der Logarithmus], Abkürzung log oder lg, ein Begriff der Mathematik. Der Logarithmus ist die Zahl b, mit der man in der Gleichung ab = c die Zahl a *(Basis)* potenzieren muss, um die Zahl c zu erhalten, z. B. ist 3 der Logarithmus von 1000 zur Basis 10, da $10^3 = 1000$. Man kann jede Zahl durch einen Logarithmus zur Basis 10 darstellen. Der Vorteil liegt in den einfachen Rechnungen: z. B. kann die Multiplikation zweier Zahlen durch die Addition ihrer Logarithmen ersetzt werden.

Loire: Wegen der fortschreitenden Versandung ist der Schiffsverkehr nahezu zum Erliegen gekommen.

Loge ['lo:ʒə, die], **1.** eine Zuschauernische in Theatern und Kinos. **2.** die Bezeichnung für Organisation und Versammlungsraum der Freimaurer.

Loggia ['lɔdʒa, die], offene, meist gewölbte Säulenhalle; auch ein ins Haus eingezogener, an den Seiten geschlossener und überdachter Balkon.

Logik [die, griech. logos, »Wort«], die Lehre von der Folgerichtigkeit, von den Gesetzen des richtigen Denkens. Die mathematische Logik steht in engem Zusammenhang mit der Mengenlehre; sie hat wie diese eine eigene Formelsprache für die exakte Formulierung ihrer Denkprozesse entwickelt. Logik ist besonders wichtig in der Informatik für die Programmierung von Computern.

Login, Anmeldung, z. B. an einem Rechner mittels Benutzernamen und Passwort; Gegensatz: *Logout.*

Logistik [die, griech.], die Organisation, Planung und Steuerung der gezielten Bereitstellung und des Einsatzes von Personen und Material; besonders die materielle Versorgung der Truppe mit Waffen, Munition, Verpflegung und Bekleidung.

Logopäden [Pl.], *Sprachheiltherapeuten,* Erzieher von Gehörlosen, Schwerhörigen und Sprachbehinderten zum natürlichen Sprechen und Artikulieren der Worte.

Loire [lwa:r, die], der längste Fluss Frankreichs, 1020 km lang. Die Loire entspringt in den Cevennen und mündet in den Atlantik. Im mittleren Abschnitt liegen die bekannten Loire-Schlösser.

Lokomotive [die], Kurzwort Lok, eine Zugmaschine im Schienenverkehr, bis 1950 vorwiegend mit Dampfmaschinen, seither meist elektrisch oder von Dieselmotoren angetrieben. Wegen der geringen Reibung der Räder auf den Schienen können nur verhältnismäßig schwache Steigungen bewältigt werden. Auch → Eisenbahnen.

Lomé, Hauptstadt von Togo, am Golf von Guinea (Westafrika), 732 000 Einwohner.

London ['lʌndən], die Hauptstadt von Großbritannien und Nordirland, an der Themse, 7,2 Mio. Einwohner. London ist ein Welthandelszentrum, der Sitz der englischen Königin (Buckinghampalast) und der Regierung, mit zahlreichen historischen Bauten.

London ['lʌndən], Jack, eigentlich John *Griffith,* * 1876, † 1916 (Selbstmord); US-amerikanischer Schriftsteller. Sein abenteuerliches Leben als Tramp, Seemann, Goldsucher und Kriegskorrespondent prägte

Fortsetzung → Seite 34

Schreibender Mönch. Miniatur aus der Handschrift »Miracles de Notre Dame«

Literatur

Die Welt in Büchern

Von Iris Radisch

Wie ist es eigentlich dazu gekommen, dass die Menschen Romane schreiben und Gedichte verfassen? Ganz genau weiß das niemand, aber sicher ist: Bevor Romane und Gedichte aufgeschrieben und dadurch für die Nachwelt bewahrt wurden, haben die Menschen sich Geschichten erzählt, haben sie Lieder gesungen und sind fahrende Sänger von Ort zu Ort gezogen, um Verse und Lieder zu verbreiten.

Geschichten, Gedichte und Lieder: Das war Literatur. Das Lesen und Schreiben war damals nur ganz wenigen Gebildeten vorbehalten. Die Geschichten, die man zu hören bekam, gingen von Mund zu Mund, von Ohr zu Ohr. Sie wurden erzählt und wieder erzählt und jedes Mal ein wenig verändert. Dass jemand still mit seinem Buch zu Hause sitzt und liest, das ist eigentlich in der langen Menschheitsgeschichte eine ziemlich moderne Erfindung.

Die Wunder der Geschichte

Der Übergang von der erzählten zur aufgeschriebenen, gar gedruckten Literatur war ein gewaltiger. Das große Erzählen, das der Zeit des Aufschreibens vorangegangen sein muss, hatte damit ein Ende. Die Geschichten wurden gewissermaßen stillgestellt, sie konnten nicht mehr je nach Erzähler verändert und verwandelt werden. Das ist vielleicht ein bisschen schade. Das mündliche Erzählen ist heute, trotz der vielen Hörbücher, die die Leute sich kaufen, beinahe ganz verschwunden. So bedauerlich der Untergang der mündlich erzählten Literatur auch ist: Die schriftliche, erst recht die gedruckte und in Büchern weit verbreitete Literatur darf man als eines der ganz großen Wunder in der Menschheitsgeschichte betrachten.

Gott, Liebe und Tod

Mit der Erfindung des Buchdrucks begann eigentlich erst das wirklich selbstständige, bewusste Leben des Menschen. Jeder, der lesen lernte, hatte plötzlich die Möglichkeit, über den engen Horizont seines Lebens hinauszusehen. Wer lesen konnte, musste sich nicht mehr nur vom Vater, vom Priester, vom Herrscher die Welt erklären lassen. Er konnte selber nachlesen, was andere Menschen über Gott, über die Liebe, über den Tod oder über die Herrschenden zu sagen hatten, konnte verschiedene Meinungen vergleichen und sich – ein sehr hohes Gut, das wir heute leicht unterschätzen – eine eigene Meinung bilden. Und noch eine überwältigende Neuerung kam hinzu: Das Lesen und Aufschreiben steht am Anfang der menschlichen Geschichtsschreibung. Was wüssten wir von unseren Vorfahren, was wüssten wir vom alten Griechenland, vom alten Rom, vom Christentum, vom Judentum und den anderen Religionen ohne die Literatur? Die Bücher und Papierrollen bildeten plötzlich eine Art Brücke zu den Menschen, die vor uns gelebt hatten: Wer liest, ist nicht mehr allein, er hat Vorfahren und Freunde durch viele Jahrhunderte.

Obwohl die Literatur uns erst zu denjenigen gemacht hat, die wir sind, obwohl sie so unglaublich wichtig dafür ist, dass wir über unsere Geschichte Bescheid wissen, fristet sie in unserer Zeit ein Schattendasein. Die Stiftung Lesen (eine Organisation, die sich dafür einsetzt, dass in Deutschland mehr gelesen wird), alarmiert uns Jahr für Jahr mit immer schrecklicheren Zahlen: Nur noch sechs Prozent aller Deutschen greifen abends lieber zum Buch als zur Fernbedienung. Das heißt: 94 Prozent aller Deutschen lesen aus freien Stücken nichts mehr. Jedenfalls keine Bücher. Alle kennen Kerner und kaum einer kennt Kleist (einen bedeutenden deutschen Schriftsteller, der von 1777 bis 1811 lebte und großartige Erzählungen und Theaterstücke schrieb). Keine Frage: Das ist eine Verarmung, eine freiwillige

Magische Bücher: J. K. Rowlings Zauberromane fesseln die Fantasie – auch die der Filmemacher

Verblödung, die niemandem etwas bringt und vielen etwas nimmt. Aber außergewöhnlich ist diese erschreckende Zahl trotzdem nicht. Auch in früheren Jahrhunderten dürfte es nicht viel mehr Leser gegeben haben. Und zu allen Zeiten gab es wahrscheinlich irgendeinen drahtigen Ansager, der die stammesfürstlichen Bekanntmachungen ausschrie und der unter seinen Zeitgenossen mehr Bewunderung und Verehrer fand als Philosophen oder Schriftgelehrte seiner Zeit.

Das Weltwunder Lesen war immer etwas für wenige. Die sogenannte Aufklärung wollte das ändern: Dieser Bewegung gehörten viele Menschen an, die es wagten, Neues zu denken, und die Gleichheit, Freiheit und Brüderlichkeit auch in der Bildung forderten. Die Schulpflicht für alle, der freie Zugang zu Büchern über öffentliche Bibliotheken – all das haben wir ihr zu verdanken. Immerhin ist heute möglich, was vor noch gar nicht so langer Zeit undenkbar war: Dass ein junger Mensch, dem sonst keiner hilft, sich alleine auf den Weg macht, um in der Stadtbibliothek die Welt des Geistes, die Welt der Bücher, auf eigene Faust zu erobern. Doch auch hier sind die Zahlen alarmierend: Die Jugendlichen können immer schlechter lesen, immer mehr junge Leser können sich allenfalls noch auf Kürzesttexte konzentrieren, während die Stunden, die sie durchschnittlich vor dem Fernseher oder am Computer verbringen, ständig zunehmen. All das ist seit Langem bekannt.

Lesen kann man nicht befehlen

Auch die Vorteile des Lesens gegenüber dem TV-Konsum sind untersucht. Immer wieder ist darauf hingewiesen worden, dass das Lesen die Vorstellungskraft und das Sprachvermögen stärkt und anspornt, während das Fernsehen die Vorstellungskraft und das Sprachvermögen schwächt.

Was soll man da machen? Lesen kann man nicht befehlen. Wie soll man jemandem klarmachen, was das Lesen ihm bringt, der das noch nie erfahren hat? Gute Begründungen zu finden ist gar nicht so einfach. Wozu soll man zum Beispiel Thomas Mann lesen, den vielleicht berühmtesten deutschen Schriftsteller? Nur um gebildet zu sein? Nur weil man dann einen Sonnenuntergang auch so schön mit dem griechischen Götterhimmel vergleichen kann, wie seine Figuren das machen? Soll man lesen, weil man dann sein eigenes Leben besser versteht, weil man seine eigenen Probleme in den Romanen und Erzählungen wiederfindet, wie Elke Heidenreich das in ihrer Sendung *Lesen* gerne behauptet? Oder soll man lesen, weil

Der Buchdruck revolutionierte den Umgang der Menschen miteinander

Gute Bücher öffnen uns die Welt. Niemand, der die großen Romane von Leo Tolstoj gelesen hat, lässt sich noch mit dem Geplapper des Quotenfernsehens abspeisen

man dann in unserer multimedialen Zeit bessere Startchancen hat? Das alles mag zwar zum Teil zutreffen, wird aber nicht viele Nichtleser bekehren. Sie leben auch ganz gut ohne Literatur. Und dass man lesen soll, um im allgemeinen Überlebenskampf besser voranzukommen, ist ein Argument, das wenig Freude bereitet.

Eine andere Wirklichkeit

Am besten ist es noch immer, wenn Literatur durch sich selbst überzeugt. Das kann sie auch am besten. Sie ist nämlich eigentlich überhaupt nicht dazu da, um unsere Alltagsprobleme zu lösen oder irgendwelche Berufskarrieren zu befördern. Sie ist etwas ganz Eigenes, man könnte sagen: Sie ist eine Wirklichkeit für sich. Sie ist ein Reich, in dem die Gesetze des Alltags nicht gelten, wo Dinge und Gedanken möglich sind, die in unserer wirklichen Welt nie oder nur selten vorkommen. Nur in guter Literatur werden vergangene Zeiten noch einmal für uns lebendig. Nur in Büchern ist es möglich, sich ganz und gar in einen anderen Menschen hineinzuversetzen. In Büchern können wir staunen und Dinge erfahren, die radikal neu sind und nicht nur immer wieder das bestätigen, was wir ohnehin schon kennen. Gute Bücher erklären und öffnen uns die Welt, wie niemand sonst es vermag. Sie schärfen unseren Sinn für all das viele, das denkbar ist; sie verfeinern unseren Geschmack. Niemand, der beispielsweise die großen Romane und Erzählungen von Leo Tolstoj gelesen hat, wird sich künftig noch mit dem Geplapper des Quotenfernsehens abspeisen lassen. Denn Literatur ist auch eine der großartigsten Möglichkeiten, eine Welt kennenzulernen, in der nicht alle Zeiger auf Geld gestellt sind. Wer liest, der flieht nicht aus der Wirklichkeit. Aber der begreift, welche Wunder und welche Gefahren sie unter der Oberfläche für uns bereit hält.

seine Romane und Geschichten. Zu seinen Hauptwerken gehören: »Der Ruf der Wildnis«, »Lockruf des Goldes«, »Der Seewolf«.

Long Island [lɔŋ 'ailənd], Insel vor er Atlantikküste der USA-Staaten New York und Connecticut, 190 km lang, 3630 km^2; durch den Long-Island-Sund vom Kontinent getrennt; zahlreiche Villen- und Fremdenverkehrsorte; im westlichen Teil die New-Yorker Stadtteile *Brooklyn* und *Queens.*

Lorbeer [der], ein Strauch aus dem Mittelmeergebiet. Seine Blätter sind ein bekanntes Küchengewürz. Ihr Duft beruht auf dem Gehalt an Lorbeeröl, das auch in der Kosmetikindustrie verwendet wird. Der Lorbeer spielte im griechischen wie im römischen Mythos eine Rolle. Die Römer erhoben ihn zum Symbol des Sieges.

Lord [der, engl., »Herr«], allgemeiner Titel der englischen Hochadeligen, die zusammen das Oberhaus des Parlaments *(House of Lords)* bilden; außerdem Bestandteil einiger Amtstitel, z. B. *Lord Mayor* (Oberbürgermeister).

Loreley [die], ein 132 m hoher Felsen bei Sankt Goarshausen am rechten Ufer des Rheins. Die Sage erzählt von einer Nixe namens Loreley, die Rheinschiffer ins Verderben lockte.

Lorenz, Konrad, * 1903, † 1989; österreichischer Verhaltensforscher. Lorenz war der Begründer der Verhaltensforschung und beschäftigte sich besonders mit dem Verhalten der Tiere im Vergleich zum menschlichen Verhalten. Er erhielt 1973 den Nobelpreis für Medizin.

Loriot [lɔri'o], eigentlich *Vicco von Bülow,* * 1923; deutscher Karikaturist, Schriftsteller und Fernsehautor. Er karikiert in seinen Zeichnungen und Texten menschliche Verhaltensweisen und gesellschaftliche Sitten. Er wurde besonders durch seine Fernsehsketche und Kinofilme (z. B. »Ödipussi«, »Papa Ante Portas«) bekannt.

Lortzing, Albert, * 1801, † 1851; deutscher Komponist. Seine heute noch vielgespielten Opern »Zar und Zimmermann«, »Der Wildschütz« oder »Undine« waren wichtig für die Entwicklung der romantischen und komischen Oper in Deutschland.

Los Angeles [lɔs 'ændʒilis], zweitgrößte Stadt in den USA, in Südkalifornien, am Pazifik, 3,8 Mio. Einwohner. Die Stadt ist ein bedeutendes Industriezentrum mit Erdöllagern im Stadtgebiet und einem Überseehafen. Zu den Vorstädten gehört die Filmmetropole Hollywood.

Löß [der], *Löss,* ein gelblicher, fruchtbarer Lehmboden mit hohem Quarzanteil. Es handelt sich dabei um durch Wind abgelagerten Flugstaub, verbreitet besonders im Vorland ehemals vereister Gebiete.

Lösung [die], in der Chemie ein gleichmäßiges Gemisch aus festen, flüssigen oder gasförmigen Stoffen in Flüssigkeiten (Lösungsmitteln).

Lot [das], **1.** in der Mathematik die kürzeste aller Verbindungsstrecken eines Punktes mit Punkten einer Geraden (einer Ebene). Das Lot steht senkrecht auf der Geraden (Ebene). **2.** Vorrichtung zur Ermittlung der Senkrechten, bestehend aus einem Faden, an dem ein mit einer Kegelspitze versehenes Gewicht hängt. Besonders ein Gerät zur Bestimmung der Wassertiefe mit

Löwen: Eine Löwin schmust mit ihrem Jungen.

einer bleibeschwerten *Lotleine* oder zur Messung elektromagnetischer Wellen *(Echolot).*

Löten [das], eine Technik zum Verbinden metallischer Werkstücke durch ein geschmolzenes metallisches Bindungsmittel *(Lot).* Je nach Ausgangsmaterial und gewünschter Festigkeit wird dabei *Weich-* oder *Hartlot* verwendet. Das an die gereinigte Lötstelle gebrachte Lot wird mit dem *Lötkolben* oder einer Gasflamme auf seine Schmelztemperatur erhitzt und fließt in die Lötfuge. Nach dem Erkalten haftet und verbindet das Lot.

Lothringen, eine historische Landschaft im Nordosten Frankreichs, zwischen Maas und Mosel, Hauptort ist *Nancy.* Nach Teilung des Frankenreichs gehörte es abwechselnd zu Deutschland und zu Frankreich. 1871 musste Frankreich einen Teil von Lothringen mit Metz an das Deutsche Reich abtreten (Reichsland Elsass-Lothringen), den es 1918 im Ersten Weltkrieg wiedergewann.

Lotosblume [die], *indische Seerose,* eine Wasserpflanze aus Südasien. Die weißen oder rosafarbenen, duftenden Blüten sitzen auf langen Stielen.

Lotse [der], ein schifffahrts- und ortskundiger Berater des Kapitäns in schwierigen Gewässern, besonders vor Häfen und in Kanälen.

Louvre [lu:vr, der], ursprünglich das Schloss der französischen Könige in Paris, seit der Französischen Revolution (1793) ein öffentliches Museum mit einer berühmten Gemäldegalerie.

Löwen [Pl.], gelbbraune Großkatzen, die in Afrika und (nur an wenigen Orten) in Asien beheimatet sind. Der männliche Löwe trägt eine Mähne. Er wird bis 1 m hoch und 2 m lang. Löwen leben als einzige Katzen in Rudeln in den Steppen und Savannen Afrikas.

LSD [das], Abkürzung für **L**yserg**s**äure**d**iethylamid; ein Rauschgift, das schon in kleinen Mengen Halluzinationen hervorruft sowie Angstzustände oder Wahnvorstellungen auslöst. LSD kann zur Abhängigkeit führen. Auch → Drogen.

Luanda, Hauptstadt und Hafen von Angola, 2,8 Mio. Einwohner.

Lübeck, *Hansestadt Lübeck,* eine Hafen- und Handelsstadt in Schleswig-Holstein, nahe der Travemündung, an der Ostsee, 213 000 Einwohner. Lübeck war vom 13.–15. Jh. Hauptstadt der Hanse.

Lubitsch, Ernst, * 1892, † 1947; deutscher Filmregisseur. Er inszenierte die ersten UFA-Großfilme (»Madame Dubarry«); 1922 ging er in die USA. Bekannt wurde er mit Komödien und Musikfilmen wie z. B. »Ninotschka« oder »Sein oder Nichtsein«.

Lübke, Heinrich, * 1894, † 1972; deutscher Politiker (CDU). Lübke war 1959–1969 Bundespräsident.

Luchse [Pl.], bis 1,10 m lange Raubkatzen. Luchse haben Ohrpinsel, einen Stummelschwanz und starke Hinterbeine. Sie sind in den gemäßigten Breiten der Nordhalbkugel beheimatet, in Mitteleuropa jedoch weitgehend ausgerottet.

Ludwig II., * 1845, † 1886; 1864–1886 König von Bayern. Ludwig lebte wirklichkeitsfremd und überließ die Politik seinen Ministern. Er war ein Förderer von Richard *Wagner* und verbrauchte große Geldmengen für Schlösser (Neuschwanstein, Herrenchiemsee, Linderhof). 1886 wurde er von Ärzten für geisteskrank erklärt, die Regierung übernahm Prinz *Luitpold.* Wenige Tage später ertrank Ludwig zusammen mit seinem Arzt unter ungeklärten Umständen im Starnberger See.

Wer war … Ludwig XIV.

Ludwig XIV. (* 1638, † 1715) war 1643–1715 französischer König. Ludwig führte das französische Königtum auf den Gipfel seiner Macht und wurde durch die prunkvolle Hofhaltung in Versailles zur Symbolfigur (»Sonnenkönig«) des europäischen Absolutismus.

Nach dem Tod seines Vaters *Ludwig XIII.* 1643 stand Ludwig zunächst unter der Vormundschaft seiner Mutter *Anna von Österreich,* deren Leitender Minister Kardinal J. *Mazarin* die Staatsgeschäfte bis zur Regierungsübernahme durch den König (1661) führte. Im Innern gelang es Ludwig, die staatliche Macht völlig auf seine Person zu konzentrieren (»Der Staat bin ich«). Dem Adel nahm er allen politischen Einfluss und band ihn in das glanzvolle Hofleben ein, das er 1682 von Paris in das Schloss von Versailles verlegte. Außenpolitisch suchte Ludwig durch mehrere Kriege die Vormachtstellung Frankreichs in Europa dauerhaft zu sichern. Diese Kriege und die prunkvolle Hofhaltung strapazierten den Staatshaushalt immer mehr. Während Paris und Versailles aufblühten und hier Wissenschaft und Kultur Triumphe feierten, begann die Verelendung der Provinzen. Auch die Aufhebung des Ediktes von Nantes 1685 und die damit verbundene Beschneidung der Religionsfreiheit der Hugenotten beschleunigten den wirtschaftlichen Niedergang, da viele Hugenotten Frankreich verließen, wodurch Handel und Industrie schweren Schaden nahmen. So wurden in der Regierungszeit Ludwigs bereits die Weichen für die Französische Revolution gestellt..

Das berühmteste Gemälde des Königs zeigt ihn in seinem prächtigen Krönungsmantel.

Luft [die], das Gasgemisch, das die Erde umhüllt. Es besteht an der Erdoberfläche aus etwa 78% Stickstoff, 21% Sauerstoff, 1% Edelgasen sowie aus kleineren Mengen Kohlendioxid, Wasserstoff und anderen Gasen.

Luftdruck [der], der Druck, den die Luft der Erdatmosphäre aufgrund der Schwerkraft auf ihre Unterlage ausübt. Er wird in Hektopascal (früher Millibar) gemessen. Der Luftdruck nimmt mit der Höhe ab und schwankt bei Bewegungsvorgängen in der Atmosphäre. Ein Gebiet mit geringem Luftdruck (bezogen auf die Erdoberfläche) heißt *Tief,* eines mit hohem Luftdruck *Hoch.* Die Unterschiede des Luftdrucks verursachen Strömungen der Luft, die Winde. Auch → »Genauer betrachtet«.

Luftfahrt [die], Nutzung des die Erde umgebenden Luftraums mit Hilfe von *Luftfahrzeugen* für unterschiedliche Zwecke (zivile Luftfahrt, militärische Luftfahrt). Luftfahrzeuge sind entweder »schwerer als Luft« (→ Flugzeug) oder »leichter als Luft« (→ Ballon, → Luftschiff).

Der erste Aufstieg eines Heißluftballons fand im Jahre 1783 statt *(Montgolfier).* Otto *Lilienthal* unternahm ab 1891 Flüge mit einem von ihm und seinem Bruder Gustav konstruierten Gleitflugzeug. Auf seine Erkenntnisse aufbauend, entwickelten die Brüder *Wright* in Amerika ein von einem Motor angetriebenes Flugzeug. Mit diesem Doppeldecker gelang ihnen am 17. 12. 1903 ein erster Motorflug von 53 Metern. In der Folgezeit wurde das Motorflugzeug von den verschiedensten Ingenieuren und Technikern weiterentwickelt. Neben der militärischen Entwicklung waren es Ausschreibungen für besondere Leistungen, die in den Anfangsjahren der Fliegerei die technische Entwicklung beeinflussten. Nach dem Ersten Weltkrieg begann der zivile Luftverkehr zum Transport von Passagieren. Als erste Luftlinie entstand 1919 die niederländische KLM. Mit Charles *Lindberghs* Alleinflug von New York nach Paris im Jahr 1927 wurde der Nordatlantik zum ersten Mal nonstop überflogen. Neben den Passagierflugzeugen fuhren auch lange Zeit die riesigen Luftschiffe (Zeppeline) mit Passagieren im regelmäßigen Luftverkehr. Durch die Explosion des Luftschiffes »Hindenburg« endete 1937 die Luftschifffahrt. Die Entwicklung des Düsentriebwerkes im Zweiten Weltkrieg leitete eine neue Ära im Luftverkehr ein.

Luftkissenfahrzeug [das], *Hovercraft,* schiffsähnliches Schwebefahrzeug. Es wird auf einem durch ein Hubgebläse erzeugten Luftpolster in geringem Abstand über dem Wasserspiegel oder dem ebenen Boden getragen. Luftkissenfahrzeuge dienen vor allem als Fähren über See.

Luftröhre [die], der Atmungsweg zwischen dem Kehlkopf und der Lunge.

Luftschiff [das], ein lenkbares Luftfahrzeug, das wegen seiner Gasfüllung leichter als Luft ist. Am bekanntesten wurde das vom Grafen *Zeppelin* Ende des 19. Jh. konstruierte Starrluftschiff aus einem bespannten Leichtmetallgerüst. Im Innern hat es Traggaszellen. Besatzungs- und Fahrgasträume sind an seinem Unterteil angebracht. Das letzte große deutsche Luftschiff (»Graf Zeppelin«) hatte eine Länge von 245 m, einen größten Durchmesser von 41,2 m bei einem Gasinhalt von 200 000 m^3 und wurde von vier Dieselmotoren mit je 1000 PS angetrieben.

Luftspiegelung [die], die Brechung der Lichtstrahlen beim Durchgang durch verschieden erwärmte Luftschichten mit unterschiedlicher Dichte. Über erhitzten Sandflächen oder Asphaltstraßen wird das vom Himmel einfallende Licht so gebrochen, als komme es von der Oberfläche der Erde. Auf diese Weise wird eine Wasserfläche vorgetäuscht, in der sich die Umgebung spiegelt. Auch → Fata Morgana.

Luftverschmutzung [die], die Verunreinigung der Luft durch Schadstoffe wie Kohlenmonoxid, Schwefeldioxid und Stickoxide. Die Verursacher dieser Verschmutzung sind Abgase von Industriebetrieben, Kraftfahrzeugen und privaten Heizungsanlagen sowie Staub aus Hütten- oder Zementwerken. Besonders bei ungünstigen Wetterlagen, wenn der Schmutz nicht mit dem Wind fortgetragen wird, bilden sich über den Ballungsgebieten Dunstglocken *(Smog)*. Die Luftverschmutzung wirkt schädigend auf Menschen, Tiere und Pflanzen, aber auch auf den Boden, die Gewässer und Gebäude. Um die Luftverschmutzung zu verringern, hat man Maßnahmen ergriffen wie z. B. den Einbau von Katalysatoren in Kraftfahrzeuge oder den Einbau von

Genauer betrachtet … Luftdruck

Die Kraft des Luftdrucks und die Existenz eines luftleeren Raumes (Vakuum) bewies Otto von *Guericke* 1654 in einem eindrucksvollen Experiment mit den sogenannten Magdeburger Halbkugeln. Zwei exakt aufeinanderpassende eiserne Halbkugeln waren über einen oben angebrachten Hahn mit einer Luftpumpe verbunden. Die Luft wurde aus dem Innern der Kugeln herausgepumpt, so dass ein Vakuum entstand. Die beiden Halbkugeln wurden durch den Luftdruck so fest zusammengepresst, dass nicht einmal 16 Pferde – 8 auf jeder Seite – sie auseinanderziehen konnten.

Filtern in Industrieanlagen. Außerdem wurden Grenzwerte für die Abgabe von Schadstoffen festgelegt. Auch → Umweltschutz.

Lumière [ly'mjəːr], Gebrüder: Auguste (* 1862, † 1954) und Louis (* 1864, † 1948); französische Erfinder. Sie führten mit einem *Kinematographen*, der gleichzeitig Filmkamera, Kopiergerät und Projektor war, 1895 in Paris erstmalig öffentliche Filme vor.

Lüneburger Heide [die], das größte deutsche Heidegebiet, im norddeutschen Tiefland. Hier wachsen besonders Heidekraut, Ginster und Wacholder. In der Heide sind Schaf- und Bienenzucht verbreitet. Ein Teil der Lüneburger Heide ist Naturpark.

Lunge [die], das Atmungsorgan der luftatmenden Wirbeltiere und der Menschen. Die Lunge ist durch die Bronchien mit der Luftröhre verbunden und nimmt mit dem rechten Lungenflügel und dem linken Lungenflügel den größten Teil der Brusthöhle ein. Die *Lungenflügel* sind von einem doppelwandigen häutigen Sack aus Bindegewebe überzogen. Die innere Wand liegt als dünne Haut der Lunge dicht an, die äußere *(Rippenfell)* kleidet den Brustkorb aus. Nach unten reicht die Lunge bis zum Zwerchfell. Der größte Teil der Lunge wird von rund 300 Mio. halbkugeligen Lungenbläschen gebildet, die eine Oberfläche von rund 100 m^2 aufweisen. Voll eingeatmet fasst die Lunge vier bis sechs Liter Luft. Beim Einatmen gelangt die Luft über die Luftröhre und die Bronchien, die sich immer mehr verästeln, in die Lungenbläschen. In den von einem Netz von Blutgefäßen überzogenen *Lungenbläschen* findet der Gasaustausch statt. Das Blut nimmt Sauerstoff auf und gibt Kohlendioxid ab. – Die *Lungenentzündung* gehört zu den häufigsten Erkrankungen der Lunge. Die meist durch Bakterien, aber auch durch Viren ausgelöste Infektionskrankheit führt zu herdförmigen Entzündungen der Lunge und kann akut oder chronisch verlaufen. Sie geht mit hohem Fieber, Husten und Atemnot einher.

Lupe [die], *Vergrößerungsglas,* eine Sammellinse, bei der sich der beobachtete Gegenstand innerhalb der Brennweite befindet. Die Vergrößerung, zwei- bis höchstens zehnfach, ist umso stärker, je stärker die Lupe gewölbt, d.h. je kleiner ihre Brennweite ist.

Lupine [die], Gattung der Schmetterlingsblütler mit gefingerten Blättern und bunten, traubigen Blütenständen. Die bekanntesten Arten sind die *Gelbe Lupine,* die *Blaue Lupine* und die *Weiße Lupine* aus dem Mittelmeergebiet. Sie dienen als Zier- und Futterpflanzen.

Lurche: Als Kaulquappe leben Lurche noch im Wasser, um sich später dem Landleben anzupassen.

Lurche [Pl.], *Amphibien,* Wirbeltiere im Übergangsbereich zwischen Wasser- und Landleben. Sie haben eine schleimige, stets feuchte Haut und halten sich entweder lebenslang oder nur in der Jugend im Wasser auf. Die erwachsenen Tiere atmen durch Lungen und Haut, die im Wasser lebenden Larven (z. B. Kaulquappen) durch Kiemen. Bei der Umwandlung *(Metamorphose)* der Larve zum erwachsenen Tier, das dann zum Landleben übergeht, erfolgt eine tiefgreifende Verwandlung. Die Tiere entwickeln zwei Beinpaare und die Lunge, während sich die Kiemen zurückbilden. Bei den Froschlurchen verschwindet auch der Schwanz. Lurche pflanzen sich durch → Laich (Eier) fort, der im Wasser abgelegt wird. Zu den Lurchen gehören → Froschlurche (Frösche, Kröten, Unken) und → Schwanzlurche (Molche, Olme, Salamander).

Lusaka, Hauptstadt von Sambia, rund 1,1 Mio. Einwohner.

Wer war …

Martin Luther

Der deutscher Reformator Martin Luther (* 1483, † 1546) leitete durch seinen Bruch mit der römisch-katholischen Kirche die Reformation ein, die zur konfessionellen Spaltung Deutschlands und Europas führte.

Luther war Sohn eines Bergmanns, studierte in Erfurt, erwarb den akademischen Titel eines Magisters und begann mit dem Studium der Rechtswissenschaften, das er aber bald abbrach, um in das Kloster der Erfurter Augustiner-Eremiten einzutreten. 1507 erhielt er die Priesterweihe und lehrte nach Abschluss seiner theologischen Ausbildung als Doktor der Theologie und Professor an der Universität Wittenberg. Die Frage nach einem »gnädigen Gott«, auf die er trotz mönchischer Zucht und theologischer Ausbildung keine zufriedenstellende Antwort gefunden hatte, beantwortete er schließlich im Römerbrief des Paulus. Danach kann die Gnade (Gerechtigkeit) Gottes nicht durch Leistungen der Menschen (Bußübungen oder gute Werke) erworben werden, sondern wird als göttliches Geschenk allein durch den Glauben erlangt. Mit dieser Überzeugung vertrugen sich die Methoden des Ablasshandels nicht. Luther formulierte seine Bedenken in 95 Thesen (Sätzen) in lateinischer Sprache, über die er mit Gelehrten und Studenten diskutieren wollte, und schlug sie der Überlieferung nach am 31. 10. 1517 an der Schlosskirche in Wittenberg an. Dieses Ereignis wird seitdem als Beginn der Reformation aufgefasst.

Es folgten harte Auseinandersetzungen mit Kirche und Papst. Aus Luthers Bedenken gegen den Ablass wurde eine Reformbewegung und schließlich eine neue christliche Kirche. 1520 veröffentlichte Luther seine drei großen programmatischen Schriften: »An den christlichen Adel deutscher Nation«, »Von der babylonischen Gefangenschaft der Kirche« und »Von der Freiheit eines Christenmenschen«. Luther wurde daraufhin vor den Reichstag nach Worms geladen (1521). Da er dort nicht widerrief, verhängte Kaiser *Karl V.* die Reichsacht über ihn. Kurfürst *Friedrich III.* (der Weise) von Sachsen gewährte ihm unter dem Namen Junker Jörg auf der Wartburg Schutz. Dort übersetzte Luther 1522 das Neue Testament ins Deutsche, 1534 folgte das Alte Testament (»Lutherbibel«). Die Bibel in deutscher Sprache wurde zum Kernstück der neu entstehenden Kirche und hatte großen Einfluss auf die Entwicklung der deutschen Hochsprache. 1525 heiratete er die ehemalige Nonne *Katharina von Bora.* In den letzten Lebensjahren widmete er sich dem Aufbau der evangelischen Kirche. Mit seinen Kirchenliedern schuf er die Grundlage für den evangelischen Kirchengesang. Zur Belehrung für das Volk verfasste er den »Kleinen Katechismus«, für die Pfarrer den »Großen Katechismus« (beide 1529).

Auf das Wirken Martin Luthers geht die Bildung der evangelisch-lutherischen und anderer protestantischer Kirchen zurück.

lutherische Kirchen [Pl.], evangelische Kirchen, die sich in ihrem Bekenntnis auf die Lehre Luthers beziehen, im Gegensatz zu den *reformierten Kirchen,* die sich auf *Calvin* und *Zwingli* berufen.

Luv [die oder das], die dem Wind zugekehrte Schiffsseite; Gegensatz: *Lee.*

Luxemburg, Rosa, * 1870 oder 1871, † 1919; deutsche sozialdemokratische, später kommunistische Politikerin. Die ehemals zum linken Flügel der SPD gehörende Politikerin trat 1917 mit Karl *Liebknecht* an die Spitze des Spartakusbundes, aus dem Ende 1918 die Kommunistische Partei hervorging. Im Januar 1919 wurden sie und Liebknecht ermordet.

Ländersteckbrief
Luxemburg

Fläche:	2586 km²
Einwohner:	471 000 = 182 je km²
Hauptstadt:	Luxemburg
Religion:	römisch-katholische Kirche
Amtssprache:	Luxemburgisch, Französisch, Deutsch
Währung:	1 Euro = 100 Cent

Luxemburg, Staat in Westeuropa.

Landesnatur: Nördlich erstreckt sich die stark zertalte Hochebene des *Ösling*, südlich davon das fruchtbare, durchschnittlich 300 m hohe *Gutland.* Die Mosel bildet die deutsch-luxemburgische Grenze.

Bevölkerung: Die Bevölkerung ist fast ausschließlich katholischen Glaubens. 37% sind Ausländer (v. a. Portugiesen, Italiener, Franzosen, Belgier, Deutsche).

Wirtschaft: An den Moselhängen wird Weinbau betrieben; ferner gibt es Rinder- und Schweinezucht. Von Bedeutung sind Eisen- und Stahlindustrie sowie die chemische, keramische, Metall- und Nahrungsmittelindustrie. (Großbrauereien, Molkereien). Luxemburg hat sich mit staatlicher Initiative zu einem der wichtigsten Geldmärkte Europas entwickelt. Internationaler Flughafen in der Hauptstadt Luxemburg.

Geschichte: 963 erwarb der lothringische Graf Sigfrid die Burg Lucilinburhuc (Lützelburg), nach der sich seine Nachfolger als Grafen von Lützelburg (später Luxemburg) bezeichneten. Die Grafschaft Luxemburg wurde 1354 Herzogtum, kam 1443 an Burgund und 1477 an die Habsburger. Im 14. Jh. stellte das Haus Luxemburg mehrmals den deutsch-römischen König bzw. Kaiser. 1684–1697 geriet Luxemburg unter französische Herrschaft, dann wurde es wieder habsburgisch. 1794 bis 1814 erneut ein Teil Frankreichs, erfolgte 1815 die Erhebung zum Großherzogtum, das bis 1890 in Personalunion mit den Niederlanden verbunden blieb. 1866 wurde Luxemburg selbstständig und 1867 neutralisiert. 1922 schloss das Land eine Wirtschaftsunion mit Belgien. In beiden Weltkriegen besetzten deutsche Truppen Luxemburg. Nach dem Zweiten Weltkrieg erfolgte die Aufgabe der Neutralität sowie der Abschluss der Benelux-Union. Luxemburg ist Mitglied von EU und NATO. Seit 2000 ist Großherzog *Henri* Staatsoberhaupt. Ministerpräsident ist seit 1995 J. C. *Juncker.*

Luxemburg, Hauptstadt und Residenz des Großherzogtums Luxemburg, 78 000 Einwohner. Die Stadt ist Sitz zahlreicher europäischer Behörden (z. B. des Europäischen Gerichtshofs) sowie Banken und Versicherungen.

Luzern, eine schweizerische Stadt am Vierwaldstätter See, 57 000 Einwohner, Hauptstadt des gleichnamigen Kantons.

Luzifer [lat., »Lichtbringer«], *Lucifer,* ursprünglich der Name des Morgensterns. Im Christentum wurden Bibelstellen so gedeutet, dass man den Namen auf den → Teufel als gestürzten Engel übertrug.

Luzon [lu'θɔn], die Hauptinsel der Philippinen mit der Hauptstadt Manila.

Lymphe [die], eine farblose bis gelbliche, wässrige Gewebsflüssigkeit. Sie fließt in *Lymphgefäßen,* dringt aber auch in Gewebespalten bis zu den Zellen vor. Aufgaben der Lymphe sind der Transport von Nährstoffen, der Abtransport von Abfallstoffen und die Bekämpfung von Giftstoffen (mit Hilfe der *Lymphozyten*).

lynchen, misshandeln, grausam töten, ohne Gerichtsverfahren aburteilen.

Lyon [li'ɔ̃], südfranzösische Industrie- und Handelsstadt an der Mündung der Saône in die Rhône, 416 000 Einwohner. Das Stadtbild ist mittelalterlich, z. T. auf römischen Fundamenten erbaut. Lyon ist ein bedeutendes Industrie- und Messezentrum.

Was ist … Lyrik

Lyrik ist der Sammelbegriff für Gedichte. Neben der Dramatik und Epik ist die Lyrik die dritte Großform in der Dichtung. Lyrik ist in Verse gegliedert, hat einen besonderen sprachlichen Rhythmus und bedient sich einer bildreichen Sprache mit oft mehrdeutiger Symbolik. Der Sprecher eines Gedichts wird als lyrisches Ich bezeichnet, das mit dem Autor identisch sein kann (aber nicht muss) und dessen eigene Gedanken, Gefühle oder Erfahrungen es wiedergibt.

Formen: Bei den Griechen bildete die Lyrik mit der Musik eine feste Einheit, denn nur das zur Leier gesungene Lied oder Chorlied zählte zur Lyrik. Innerhalb der deutschen Dichtung stand die geistliche Lyrik am Anfang, aus der sich im Mittelalter die höfische Liebeslyrik, der Minnesang, entwickelte. Arten der Lyrik werden entweder nach formalen Kriterien unterschieden (z. B. Kanzone, Sonett, Ode, Ballade, Epigramm), nach dem Grad der gefühlshaften oder gedanklichen Gestaltung (z. B. Gedankenlyrik, Kunstlied) oder nach ihren Gegenständen (z. B. Liebeslyrik, politische Lyrik, Naturlyrik).

Vers und Metrum: Von der äußeren Form her zeichnet sich Lyrik durch Kürze, aber v. a. durch die Gliederung in Verse, d. h. Zeilen, aus. Die Verbindung mehrerer Verse zu einer Einheit nennt man Strophe. Der Rhythmus eines Gedichts ist abhängig von der Abfolge betonter (Hebung) und unbetonter Silben (Senkung) eines Verses sowie von den Pausen. Die kleinste Einheit ist der Versfuß oder Takt, der aus einer betonten Silbe besteht; es folgen eine oder mehrere unbetonte Silben. Der Begriff Metrum wird sowohl für den Versfuß als auch für das Versmaß, d. h. die Anzahl und Art der Versfüße pro Zeile, verwendet. Man unterscheidet verschiedene Metren, z. B. *Jambus, Anapäst, Trochäus* und *Daktylus.*

Reim und Klang: Ein weiteres Strukturprinzip ist der Reim. Die germanische Dichtung kannte anfangs nur den Stabreim, eine Form, die auf dem Gleichklang des Wortanfangs beruht (Alliteration). Erst im 9. Jh. setzte sich der Endreim durch. Hinsichtlich der Reimanordnung (Reimschema) unterscheidet man Paarreim, Kreuzreim, Schweifreim, Binnenreim u. a. Ein weiterer Klangeffekt wird durch die Lautmalerei erreicht; dabei werden Laute, Geräusche oder Bewegung sprachlich nachgeahmt sowie Alliteration, Anapher (Wiederholung eines Wortes oder einer Wortgruppe) und Assonanz (Gleichklang von Vokalen bei zwei oder mehreren Wörtern) eingesetzt.

M

m, Kurzzeichen für → Meter.

M, **1.** 13. Buchstabe des Alphabets (Konsonant). **2.** römisches Zahlzeichen, M = 1000.

Mäander [der], schlingenförmige Windungen eines Flusslaufs im Flachland.

Maar [das], durch vulkanische Gasexplosionen entstandene kraterartige Vertiefung in der Erdoberfläche. In den meist kreisrunden Trichtern sammelt sich das Wasser, so dass sich kleine, runde Seen bilden. Maare sind in der Eifel besonders häufig.

Maar, Paul, * 1937; deutscher Kinder- und Jugendbuchautor. Er wurde v. a. mit den »Sams«-Geschichten bekannt und schrieb darüber hinaus erfolgreiche Theaterstücke für Kinder.

Maas [die], ein Fluss in Westeuropa, 933 km lang. Er entspringt in Ostfrankreich und mündet in die Nordsee.

Macchie ['makkiɛ, die], immergrüne, niedrige Hartlaubsträucher, die in subtropischen Trockenzonen Hügel und Berge bedecken.

Machete [ma'tʃetə, die], langes, meist zweischneidiges Buschmesser in Lateinamerika.

Wer war … Niccolò Machiavelli

Der italienische Staatsmann und Schriftsteller Niccolò Machiavelli (* 1469, † 1527) beschäftigte sich in seinem Hauptwerk »Der Fürst« (1532) mit den Bedingungen für eine erfolgreiche Politik und beeinflusste damit das staatsphilosophische Denken in der frühen Neuzeit.

1498–1512 diente Machiavelli der Republik Florenz als Kanzler. Diplomatische Aufträge führten ihn u. a. zu Papst *Julius II.*, zum französischen König *Ludwig XII.* und zu Kaiser *Maximilian I.* 1512 verlor Machiavelli nach der Rückkehr der früher herrschenden Patrizierfamilie der Medici nach Florenz alle Ämter und wurde wegen angeblicher Beteiligung an einer Verschwörung inhaftiert und gefoltert. Wieder entlassen, zog er sich 1513 auf sein Landgut zurück und beschäftigte sich nur noch mit seiner schriftstellerischen Arbeit. Neben seinen politischen Werken entstanden auch Novellen, Gedichte und Komödien sowie eine Geschichte von Florenz.

Voraussetzung einer guten und dauerhaften Herrschaft ist nach Machiavelli nicht mehr die christliche Tugendhaftigkeit eines Fürsten, sondern dessen Fähigkeit, politische Macht zu erobern und auszuüben. Selbst Anhänger der Republik, rechtfertigte Machiavelli zur Erhaltung der Staatsmacht unter bestimmten Umständen auch die Willkürherrschaft. Im 17./18. Jh. diente »Der Fürst« als Grundlage der Fürstenerziehung. Gegen die Lehre des Machiavellismus nahmen zuerst Vertreter der Aufklärung Stellung, so Friedrich der Große in der Schrift »Antimachiavelli« (1739).

Niccolò Machiavelli war ein großer, aber auch umstrittener Staatstheoretiker und Philosoph.

Macke, August, * 1887, † 1914; deutscher Maler. Ein Hauptthema war der Mensch, den er, nur flächenhaft angedeutet, in leuchtenden Farben wiedergab. Sehr bekannt wurden seine Straßen- und Parkmotive. Künstlerisch bestimmend für Macke war seine Beteiligung am »Blauen Reiter« und seine Reise nach Tunis 1914 mit Paul *Klee* und Louis *Moilliet*. Es entstanden Skizzen, Zeichnungen und Aquarelle in transparenten Farben von besonderem Reiz.

Madagaskar: Das Dreschen der Reisernte erfolgt von Hand.

Ländersteckbrief Madagaskar

Fläche:	587 041 km²
Einwohner:	19,1 Millionen = 33 je km²
Hauptstadt:	Antananarivo
Religion:	Naturreligionen, Christentum
Amtssprache:	Madagassisch, Französisch
Währung:	1 Ariary = 5 Iraimbilanja

Madagaskar, Staat im Indischen Ozean (Südostafrika).

Landesnatur: Madagaskar ist die viertgrößte Insel der Erde. Über das zentrale, nach Osten allmählich ansteigende Hochland (800–1600 m) erheben sich Inselberge und vulkanische Gebirgsstöcke (*Maromokotro* 2886 m). Nach Osten fällt das Hochland steil zur Küste ab. An der Ostseite fallen das ganze Jahr über reichlich Niederschläge; alle anderen Gebiete erhalten nur im Sommer Regen.

Bevölkerung: Zu 45% ist die Bevölkerung *(Madagassen)* christlich, 5% sind Muslime, der Rest Anhänger traditioneller Religionen. Sie besteht aus mehreren Volksgruppen mit verschieden starkem malaiischem und afrikanischem Einschlag.

Wirtschaft: Die Landwirtschaft liefert für den Export Reis, Zuckerrohr, Baumwolle, Kaffee, Vanille, Gewürznelken, Sisal, Tabak und Kakao. Im Westen werden Zeburinder und Schafe gehalten. An Bodenschätzen gibt es Chrom, Graphit, Glimmer, Bauxit, Kohle, Gold und Edelsteine u. a. Bedeutend ist die Textilindustrie. – Haupthäfen sind Toamasina, Mahajanga und Antsiranana.

Geschichte: Die Insel wurde in früher Zeit von Südasien aus besiedelt. Im 16. Jh. setzten sich Portugiesen und Franzosen an der Küste fest. Madagaskar wurde 1896 französische Kolonie. Zusammen mit den anderen französischen Kolonien in Afrika erhielt Madagaskar 1956 begrenzte Autonomie, 1960 Unabhängigkeit. 1975 übernahm nach einem Putsch das Militär die Macht. Staatsoberhaupt war 1975–1993 und seit 1996 D. *Ratsiraka*. Die Präsidentschaftswahlen 2001 gewann der Oppositionelle M. *Ravalomanana*. Ratsiraka erkannte das Ergebnis zunächst nicht an, und Madagaskar geriet an den Rand eines Bürgerkriegs. Schließlich konnte sich Ravalomanana aber behaupten.

Madeira, eine Inselgruppe im Atlantik, die zu Portugal gehört. Sie besteht aus den Inseln Madeira und Porto Santo sowie kleinen unbewohnten Inseln. Die Hauptstadt heißt *Funchal*. Neben dem Anbau von Südfrüchten ist der Fremdenverkehr die Haupterwerbsquelle.

Maden [Pl.], beinlose Larven von Insekten.

Madonna [die, ital., »meine Herrin«], die Jungfrau Maria.

Madrid, Hauptstadt Spaniens, 2,9 Mio. Einwohner. Madrid liegt fast im Mittelpunkt des Landes, im öden, trockenen Hochland von Neukastilien. Die Stadt ist kulturelles, politisches und wirtschaftliches Zentrum des Landes. Der berühmte Prado, das spanische Nationalmuseum, zeigt die Hauptwerke der spanischen Malerei.

Mafia [die], ein sizilianischer Geheimbund, der bei der Verfolgung politischer und wirtschaftlicher Ziele vor Gewaltverbrechen nicht zurückschreckt. Alle Versuche zur Ausrottung der Mafia schlugen seit dem 17. Jh. fehl, da die terrorisierte Bevölkerung schweigt. Das System der Mafia wurde im 20. Jh. von Gangstern der USA und in neuester Zeit in Osteuropa übernommen. Der Mafia gehören auch hohe Personen aus Politik und Wirtschaft an.

Magalhães [maga'ljãis], spanisch *Magellan*, Fernão de, *um 1480, †1521; portugiesischer Seefahrer in spanischen Diensten. Er begann 1519 eine Fahrt um die Erde und entdeckte die nach ihm benannte *Magellan-Straße* zwischen Südamerika und Feuerland. Er durchkreuzte als Erster den Pazifischen Ozean und erreichte 1521 die Philippinen, wo er im Kampf mit Eingeborenen erschlagen wurde. Seine Begleiter führten die erste Weltumsegelung zu Ende.

Magdeburg, Hauptstadt von Sachsen-Anhalt, an der Elbe, in der Magdeburger Börde, 228 000 Einwohner. Magdeburg war im Mittelalter eine bedeutende Hansestadt.

Magellan → Magalhães.

Magen [der], ein Teil des Verdauungsapparates, der beim Menschen im linken Oberbauch zwischen Speiseröhre und Darm liegt. Der menschliche Magen ist ein muskulöser Schleimhautsack. Seine Drüsen bilden den Magensaft, der Salzsäure und mehrere Enzyme enthält, die den Mageninhalt durchsäuern und die Eiweiße und Fette aufbereiten. Durch Wellenbewegungen der Magenwände wird der Speisebrei durchgemischt, gegen den Magenausgang *(Pförtner)* gedrückt und von dort in den Zwölffingerdarm weitergeleitet.

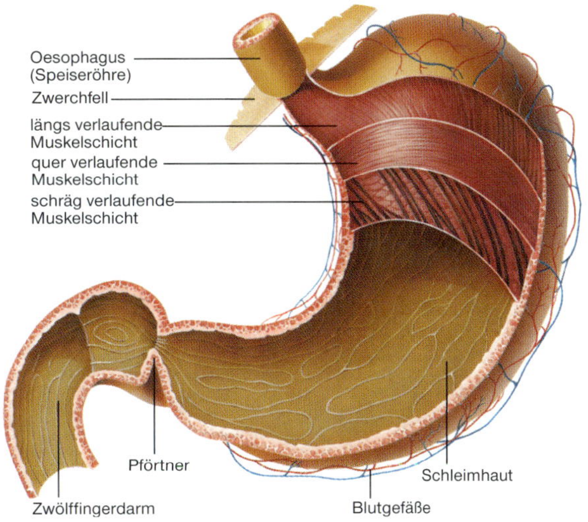

Magen: schematische Darstellung des menschlichen Magens

Magersucht [die], im allgemeinen Sinne eine ständige Verringerung des Körpergewichtes trotz normalerweise ausreichender Nahrungszufuhr, z. B. bei zehrenden Krankheiten. Im engeren Sinne tritt Magersucht überwiegend bei Mädchen und jungen Frauen als eine schwere Essstörung auf, die seelische Ursachen hat. Im Extremfall können sich die Betroffenen zu Tode hungern.

Magie [die], Zauberei, Zauberkunst, Beschwörung geheimnisvoller Kräfte. Magie spielt auch heute noch bei den Naturvölkern eine große Rolle. Die Anrufung böser Geister wird als *schwarze Magie* bezeichnet; die Anrufung guter Geister als *weiße Magie.*

Magma [das, Pl. Magmen], schmelzflüssiges Gestein mit hoher Temperatur (1000–1400 °C), das aus dem Erdinnern aufsteigt und in der Erdkruste erstarrt oder von einem Vulkan ausgeschleudert wird. Das ausgetretene und anschließend erstarrte Magma nennt man *Lava.* Magma kommt aus Tiefen bis zu 60 km.

Magma: Der Vulkan Piton de la Fournaise auf Réunion schleudert glühendes Magma aus.

Magna Charta [magna 'karta, die], die »Große Freiheitsurkunde«, ein englischer Herrschaftsvertrag von 1215, in dem der englische König *Johann ohne Land* dem Adel grundlegende Freiheitsrechte gewährte. Die Magna Charta schützte die Freiheit der Kirche und die Rechte des Adels vor Übergriffen der Krone und wurde später zum Grundgesetz der englischen Verfassung.

Magnesium [das], ein chemisches Element mit dem Zeichen Mg. Magnesium ist ein silberglänzendes, an der Luft schnell mattweiß anlaufendes (oxidierendes) Leichtmetall aus der Gruppe der Erdalkalimetalle. Meerwasser enthält beträchtliche Mengen an Magnesium in Form von gelösten Salzen. Außerdem ist Magnesium ein wichtiges Element des Blattgrüns. Es wird u. a. als Bestandteil von sehr leichten, aber beständigen Legierungen (Flugzeugbau) und (in Pulverform) als Bestandteil von Feuerwerkskörpern verwendet.

Magnet [der], ein unterschiedlich geformtes Metallstück, das Eisen, Kobalt, Nickel und einige andere Stoffe anzieht. Jeder Magnet hat zwei Pole, Nord- und Südpol, und stellt sich bei freier Beweglichkeit in Nord-Süd-Richtung ein. Magnete haben meist Stab-, Hufeisen- oder Topfform. Auch → Magnetismus.

Magnetband [das], ein Kunststoffband, das auf einer Seite mit magnetischem Material beschichtet ist, z. B. mit Chromdioxid oder Eisen. Magnetbänder werden zur Aufzeichnung von Ton- und Bildsignalen und in der Datenverarbeitung verwendet.

Magnetismus [der], die Bezeichnung für Erscheinungen eines magnetischen Feldes um einen Magneten und seiner Wirkung auf die Materie. Magnetismus entsteht durch das Ausrichten der sogenannten Elementarmagnete (Atome und Moleküle mit magnetischen Eigenschaften) in die gleiche Richtung. Am bekanntesten ist diese Eigenschaft bei magnetisiertem Eisen als Dauermagneten. Das magnetische Eisen wird von einem Feld *(Magnetfeld)* umgeben, dessen Linien *(Feldlinien)* die Bereiche magnetischer Feldstärke vom

Magnetismus ist der Grund dafür, dass die Büroklammern in der Glaskugel eine bizarre Form annehmen.

Maikäfer: Sogenannte »Maikäferjahre«, ein heute eher selten gewordenes Massenauftreten der Tiere, sind durch den Entwicklungszyklus des Käfers bedingt.

Nord- bis zum Südpol des Magneten anzeigen. Bringt man zwei Magnete mit ihren gleichnamigen Polen zusammen, stoßen sie sich ab, ungleichnamige Pole dagegen ziehen sich an. Bei weichem Eisen wird die magnetische Ordnung durch Molekülbewegungen sofort wieder zerstört, bei Stahl bleibt sie lange bestehen. Da auch die Erde ein Magnetfeld, d.h. einen magnetischen Nord- und Südpol hat, zeigt eine Kompassnadel mit ihrem Südpol auf den magnetischen Nordpol der Erde (Erdmagnetismus). Aus diesem Grund nennt man den Pol, der nach Süden zeigt, Südpol, den anderen Pol, der nach Norden zeigt, Nordpol.

Magritte [ma'grit], René, * 1898, † 1967; belgischer Maler. Er war führender Vertreter des *Surrealismus.* Mit seinen Bildern wollte er v. a. die Wahrnehmung von Wirklichkeit verändern, in dem er ungewöhnliche Dinge nebeneinanderstellte oder die Größenverhältnisse veränderte.

Mahagoni [das], ein rötliches wertvolles Edelholz aus Mittelamerika und Afrika. Es wird vor allem zur Herstellung von Möbeln verwendet.

Maharaja [der], *Maharadscha,* → Raja.

Mahler, Gustav, * 1860, † 1911; österreichischer Komponist und Dirigent. Obwohl sein Werk noch in der Romantik wurzelt, führt seine Kompositionstechnik bereits zur Moderne. Er schrieb 10 Sinfonien und mehrere Liederzyklen (u. a. »Kindertotenlieder«).

Maikäfer [der], ein Käfer, der sich von frischem Laub ernährt. Die Entwicklung vom Ei zum fertigen Käfer vollzieht sich im Erdboden und dauert 3–5 Jahre. Die Larven *(Engerlinge)* leben von Pflanzenwurzeln und können auf diese Weise große Schäden anrichten. Der Maikäfer lebt nur rund 3 Wochen.

Mailand, Stadt in Norditalien, in der Lombardei, 1,2 Mio. Einwohner. Bekannt sind der gotische Dom und die Mailänder Scala, ein weltberühmtes Opernhaus.

Main [der], ein rechter Nebenfluss des Rheins, rund 524 km lang. Er entspringt aus dem *Weißen Main* im Fichtelgebirge und dem *Roten Main* in der Fränkischen Schweiz und mündet bei Mainz in den Rhein. Der Main wird durch den *Rhein-Main-Donau-Kanal* mit der Donau verbunden.

Mainz, Hauptstadt des Landes Rheinland-Pfalz, gegenüber der Mündung des Mains in den Rhein, 186 000 Einwohner. Mainz ist Sitz der Landesregierung, des Landtages und ein bedeutender Medienstandort (Sitz von ZDF und 3sat). Zu den zahlreichen historischen Bauten zählen u. a. der Mainzer Dom und das ehemalige Kurfürstliche Schloss. Dem in Mainz geborenen Erfinder des Buchdrucks, Johannes *Gutenberg,* ist auch ein Denkmal gewidmet.

Mais [der], ein aus Mittelamerika stammendes, bis zu 3 m hohes Getreide mit papierartigen Blättern und Kolben mit gelben, dicken Körnern. Mais wird heute als Gemüse und als Viehfutter verwendet. Maiskörner werden außerdem zur Herstellung von Brotmehl und zur Gewinnung von Maisstärke benutzt.

Maische [die], ein Zwischenprodukt bei der Herstellung alkoholischer Getränke: in der Weinbereitung die zerkleinerten, noch nicht abgepressten Trauben; in der Brauerei das mit Wasser verrührte zerkleinerte Malz; in der Branntweinfabrikation das Gemisch aus Flüssigkeit und gärfähigem Rohstoff.

Majorität [die], Mehrheit.

Ländersteckbrief
Makedonien

Fläche:	25 713 km²
Einwohner:	2 Millionen = 79 je km²
Hauptstadt:	Skopje
Religion:	orthodoxe Kirche, Islam
Amtssprache:	Makedonisch, Albanisch
Währung:	1 Denar = 100 Deni

Makedonien, Staat in Südosteuropa.

Landesnatur: Makedonien wird überwiegend von waldarmen Gebirgsländern mit zahlreichen Tälern und fruchtbaren, dicht besiedelten Beckenlandschaften eingenommen. Wichtigster Fluss ist der Vardar, an dessen Verlauf sich die Hauptverkehrsstraßen orientieren. Es herrscht subtropisches, sommertrockenes Klima mit kontinentalen Zügen.

Bevölkerung: Die Bevölkerung besteht zu fast ⅔ aus Makedoniern, die vorwiegend der orthodoxen Kirche angehören, die größte Minderheit bilden mit 25% die Albaner (Muslime), ferner Türken, Roma und Serben.

Wirtschaft: In der Landwirtschaft wird der Anbau von Getreide, Obst, Tabak, Wein, Reis und Baumwolle sowie Viehzucht betrieben. An Bodenschätzen gibt es Mangan, Kupfer, Braunkohle, Blei und Zink. Die Industrie (Eisen- und Stahl-, Nahrungsmittel-, Textil- u. a. Industrie) konzentriert sich in Skopje. Internationale Flughäfen gibt es in Ohrid und Skopje.

Geschichte: Die jugoslawische Teilrepublik Makedonien erklärte 1991 ihre Unabhängigkeit. Danach blockierte Griechenland die internationale Anerkennung unter dem Namen Makedonien. Der Beitritt zur UNO erfolgte deshalb 1993 als *Ehemalige Jugoslawische Republik Makedonien.* 1995 schlossen Makedonien und Griechenland ein Normalisierungsabkommen. 2001 kam es zu militärischen Auseinandersetzungen mit albanischen UÇK-Rebellen, die durch das Friedensabkommen von Ohrid beigelegt wurden. B. *Trajkovski*, Staatspräsident seit 1999, kam 2004 bei einem Flugzeugabsturz ums Leben. Die Bevölkerung wählte B. *Crvenkovski* zu seinem Nachfolger. Ministerpräsident ist seit 2006 N. *Gruevski*.

Makler [Pl.], Vermittler; Personen, die gegen ein Entgelt für ihre Kunden Waren kaufen oder verkaufen, Immobilien vermitteln u. Ä.

Makrelen [Pl.], etwa 40 cm lange Raubfische, die in Schwärmen leben und in fast allen wärmeren Teilen

Makedonien: Ohrid, am östlichen Ufer des gleichnamigen Sees gelegen, lockt mit seinen mittelalterlichen Bauten zahlreiche Touristen an.

der Ozeane vorkommen. Der Körper ist schlank und spindelförmig, die Schwanzflosse tief gegabelt.

Makrokosmos [der], das Weltall; Gegensatz: *Mikrokosmos.*

Malaria [die], eine gefährliche tropische Infektionskrankheit mit plötzlich auftretenden, sich in Abständen wiederholenden schweren Fieberanfällen. Die Malariaerreger werden durch den Stich der Anophelesmücke auf den Menschen übertragen und befallen die roten Blutkörperchen. Wichtigste Vorbeugung ist die Trockenlegung der Brutplätze der Anophelesmücke.

Ländersteckbrief
Malawi

Fläche:	118 484 km²
Einwohner:	13,2 Millionen = 111 je km²
Hauptstadt:	Lilongwe
Religion:	Christentum, Naturreligionen, Islam
Amtssprache:	Englisch, Chichewa
Währung:	1 Malawi-Kwacha = 100 Tambala

Malawi, Staat in Südostafrika.

Plateauartige Hochländer in einer Höhe zwischen 900 und 1400 m, im Süden überragt vom Mount Mlanje (3000 m), liegen zu beiden Seiten des Ostafrikanischen Grabens, der im Norden vom Malawisee und im Süden von dessen Abfluss Shire eingenommen wird. Das Hochland ist kühler, die Ufer des Malawisees und das Shiretal sind sehr heiß. Die Dauer der Trockenzeit nimmt von Norden nach Süden zu. – 80% der Bevölkerung (v. a. Bantu) sind Christen, 13% Muslime, der Rest Anhänger traditioneller Religionen. – Die Landwirtschaft produziert Tabak, Tee, Kaffee und Zuckerrohr für den Export.

Geschichte: 1891 wurde Malawi (seit 1907 Njassaland) britisches Protektorat. 1953–1963 gehörte es zusammen mit Nord- und Südrhodesien zur *Zentralafrikanischen Föderation*, 1964 wurde es unabhängig und 1966 Republik. Der diktatorisch herrschende Präsident H. K. *Banda* wurde 1994 in freien Wahlen von B. *Muluzi* abgelöst. Seit 2004 ist Binguwa *Mutharika* Präsident.

Ländersteckbrief
Malaysia

Fläche:	330 242 km²
Einwohner:	25,8 Millionen = 78 je km²
Hauptstadt:	Kuala Lumpur
Religion:	Islam, Buddhismus
Amtssprache:	Malaiisch
Währung:	1 Malaysischer Ringgit = 100 Sen

Malaysia, Staat in Südostasien.

Malaysia besteht aus 13 Bundesstaaten, von denen 11 auf der Halbinsel Malakka liegen und als *Westma-*

Malaysia: Die Ubudiah-Moschee in der Sultanstadt Kuala Kangsar gilt als eine der schönsten Moscheen des Landes.

laysia bezeichnet werden; die beiden anderen Bundesstaaten, Sarawak und Sabah, liegen im Nordteil der Insel Borneo und heißen amtlich *Ostmalaysia*.

Landesnatur: Hinter fruchtbaren, z. T. versumpften Küstenebenen erheben sich Gebirgszüge (im *Kinabalu* in Sabah 4101 m), die mit dichten Regenwäldern bestanden sind. Das Klima ist tropisch-feuchtheiß. Die Küsten werden z. T. von Mangrovewäldern gesäumt.

Bevölkerung: Über die Hälfte der Bevölkerung sind Muslime (Malaien), 6% sind Hindus (Inder), daneben gibt es Buddhisten und Konfuzianer (Chinesen), Christen und Anhänger von traditionellen Religionen. Im östlichen Landesteil ist der Anteil der indigenen (ursprünglich ansässigen) Bevölkerung erheblich *(Dajak, Dusun)*.

Wirtschaft: Die tropische Pflanzungswirtschaft liefert für den Export vor allem Kautschuk, Pflanzenöle, Kopra, Pfeffer, Kakao, Reis, Tee und Ananas. An Bodenschätzen werden exportiert: Zinn, Erdöl, Eisen, Kupfer, Gold und Silber. Die Wälder liefern Edelhölzer und Harze. Die gut entwickelte Industrie stellt v. a. elektronische, optische, Metall- und chemische Erzeugnisse her sowie Maschinen und Textilien. – Führende Seehäfen sind Port Kelang und George Town. Internationale Flughäfen gibt es in Kuala Lumpur, Kota Kinabalu und George Town.

Geschichte: Die *Föderation von Malaysia* entstand 1963 durch Zusammenschluss von *Malaya* (1906 bis 1957 britische Föderation), *Singapur, Sarawak* und *Sabah*. 1965 trat Singapur aus dem Bund aus. Mit der Verfassung 1963 wurde Malaysia ein Bundesstaat als Wahlmonarchie. Staatsoberhaupt (Wahlkönig) ist seit 2006 *Mizan Zainal Abidin*. Das Amt des Premierministers hatte seit 1981 *Mahathir bin Mohamad* inne. Sein Nachfolger wurde 2003 A. *Badawi*.

Ländersteckbrief
Malediven

Fläche:	298 km²
Einwohner:	337 000 = 1131 je km²
Hauptstadt:	Male
Religion:	Islam
Amtssprache:	Divehi
Währung:	1 Rufiyaa = 100 Laari

Malediven, Staat im Indischen Ozean (Südasien). Der Inselstaat im Indischen Ozean umfasst rund 1100 niedrige Koralleninseln, tropisches, feuchtheißes Klima. Der Islam ist Staatsreligion. Hauptausfuhr-

Malediven: Jachten im Hafen der Hauptstadt Male

produkte sind Fischwaren und Kopra; bedeutender Tourismus. Der Internationale Flughafen liegt auf Hulule (Nachbarinsel von Male).

Geschichte: Die zuvor buddhistische Bevölkerung wurde im 12. Jh. von Arabern zum Islam bekehrt. 1558 konnten die Portugiesen die Malediven erobern. Sie wurden aber bereits 1573 wieder vertrieben. 1645 bis 1796 standen die Malediven unter niederländischer Schutzherrschaft. Seit 1887 wurden die Inseln als britisches Protektorat verwaltet. 1965 erhielten sie die Unabhängigkeit.

Malerei [die], künstlerische Gestaltung einer Fläche mit Hilfe von Farben und Linien. Die *Kunstmalerei* ist neben der Architektur, der Plastik, der Grafik und dem Kunstgewerbe ein Teilgebiet der bildenden Kunst. Sie unterscheidet sich von anderen Kunstformen dadurch, dass sie nur zweidimensional ist. Mit Hilfe der → Perspektive ist es ihr jedoch möglich, den Eindruck echter Räumlichkeit zu vermitteln.

Wichtige Maltechniken sind z. B. die *Öl-*, die *Aquarell-* und die *Freskomalerei*. Außerdem unterscheidet man nach dem Motiv u. a. die *Landschaftsmalerei*, das *Stillleben* und das *Porträt*, nach dem Bildträger etwa die *Wand-*, *Glas-* und die *Tafelmalerei*.

Eine der bekanntesten Gattungen der Malerei ist die *Tafelmalerei*, bei der Holz oder Kupfer als Untergrund verwendet wird. Daraus entwickelte sich später die Malerei auf *Leinwand*, die heute am meisten verbreitet ist.

Frühe Dokumente der *Wandmalerei*, der ältesten Technik überhaupt, findet man an den Wänden altsteinzeitlicher Höhlen (300 000 v. Chr.). In der byzantinischen Zeit stand das *Mosaik* im Vordergrund, in der Gotik herrschte die *Glasmalerei* vor. Bis zur Erfindung des Buchdrucks war die *Miniaturmalerei* in der Buchkunst von Bedeutung. Die Malerei hat immer wieder Einfluss auf die unterschiedlichen Kunststile (z. B. → Impressionismus, → Expressionismus) genommen.

Ländersteckbrief
Mali

Fläche:	1 248 574 km²
Einwohner:	13,9 Millionen = 11 je km²
Hauptstadt:	Bamako
Religion:	Islam
Amtssprache:	Französisch
Währung:	CFA-Franc

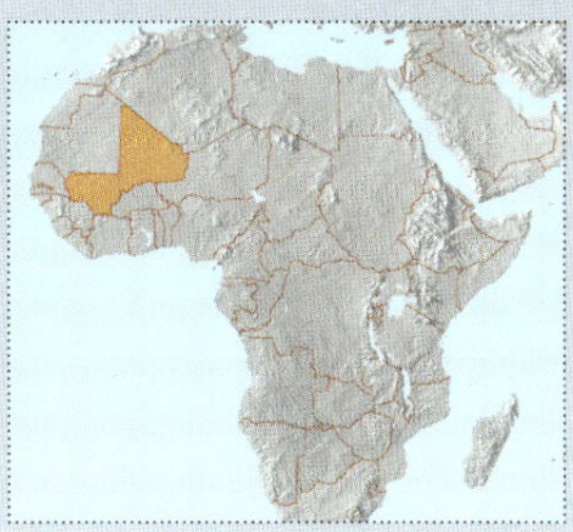

Mali, Staat in Westafrika.

Landesnatur: Den Südwesten des Landes nimmt ein Tafelland ein, das nach Norden in die Sahara übergeht. Im Nordosten erhebt sich das Gebirgsland von

Mali: Straßenhandel in der Oasenstadt Timbuktu

Adrar des Iforas. Der Niger-Fluss bildet oberhalb von Timbuktu ein großes Binnendelta. Die Feuchtsavannen im Süden gehen über die Dornsavannen des Sahel in Halbwüste und Wüste im Norden über.

Bevölkerung: Die Bevölkerung setzt sich aus Hackbau treibenden Völkern (Mande, Senufo u. a.) und nomadischen und halbnomadischen Hirtenvölkern (Fulbe, Tuareg u. a.) zusammen. 80% sind Muslime, der Rest Anhänger traditioneller Religionen.

Wirtschaft: Die Landwirtschaft liefert v. a. Baumwolle, (29% der Gesamtausfuhr). An Bodenschätzen werden Gold (50% der Gesamtausfuhr), Marmor, Kalk und Steinsalz abgebaut. Bamako hat einen internationalen Flughafen.

Geschichte: Bereits um 1100 entstand am oberen Niger ein Großreich Mali. 1904 wurde das ganze Gebiet am Senegal und Niger als *Französisch-Sudan* ein Glied *Französisch-Westafrikas.* 1958 erhielt die französische Kolonie innere Autonomie und schloss sich 1959 mit der Republik Senegal zur *Mali-Föderation* zusammen, 1960 entstand die heutige Republik Mali. Seit dem Militärputsch von 1968 regierte M. *Traoré,* der 1991 gestürzt wurde. 1992 und 1997 gewann A. O. *Konaré* die Präsidentschaftswahlen, der 2002 von A. T. *Touré* abgelöst wurde.

Mallorca [ma'jɔrka], die Hauptinsel der spanischen *Balearen,* im westlichen Mittelmeer, 3660 km^2 groß, 586 000 Einwohner. Die Hauptstadt heißt *Palma.* Die Insel gehört zu den Hauptzielen des internationalen Fremdenverkehrs.

Ländersteckbrief Malta

Fläche:	316 km^2
Einwohner:	403 000 = 1275 je km^2
Hauptstadt:	Valletta
Religion:	römisch-katholische Kirche
Amtssprache:	Maltesisch, Englisch
Währung:	1 Maltesische Lira = 100 Cents

Malta, Staat in Südeuropa.

Der Inselstaat im Mittelmeer besteht aus der Hauptinsel Malta und den Nebeninseln Gozo und Comino sowie mehreren unbewohnten Felseilanden. Die waldlose Inselgruppe besteht aus flachen Kalksteintafeln und hat typisches Mittelmeerklima mit trockenheißen Sommern und feuchtmilden Wintern. Die Landwirtschaft ist aufgrund von Wassermangel relativ unbe-

Malta: Im Hafen des südöstlich gelegenen Städtchens Marsaxlokk ankern farbenfrohe Fischerboote.

deutend. Ausgeführt werden vor allem Maschinen. Ein wichtiger Wirtschaftsfaktor ist der internationale Tourismus.

Geschichte: Zwischen 800 und 600 v. Chr. besiedelten die Phönizier die Insel, die danach unter karthagische Herrschaft kam. 218 v. Chr. fiel Malta an Rom. 870 eroberten die Araber die Insel; 1091 gliederten die Normannen sie in ihr sizilianisches Königreich ein. 1530 erhielt der *Johanniterorden (Malteserorden)* Malta als Lehen. Im Pariser Frieden (1814) wurde Großbritannien die Insel als Kolonie zugesprochen. 1964 erlangte Malta die Unabhängigkeit (seit 1974 Republik), 2004 trat es der EU bei. Premierminister wurde im selben Jahr L. *Gonzi*.

Malve [die], eine Heilpflanze, deren Blüten zu Aufgüssen und Umschlägen benutzt werden. Die Blüten sind meist rosaviolett.

Malz [das], ein Bestandteil zur Herstellung von Spirituosen und Kaffee (Malzkaffee). Malz wird aus angekeimtem Getreide (meist Gerste) gewonnen. Beim Keimen wird die Stärke des Korns in Zucker umgewandelt.

Mammut [das], eine langhaarige Elefantenart mit Stoßzähnen, die bis 5 m lang wurden. Mammute lebten in Kaltsteppen und sind am Ende der Eiszeit ausgestorben. Im ständig gefrorenen Boden Sibiriens wurden mehrfach ausgezeichnet erhaltene Mammute gefunden.

Mammutbaum [der], das größte Nadelholz dieser Erde. Der Mammutbaum war vor den Eiszeiten über weite Gebiete der nördlichen Halbkugel verbreitet. Heute wächst er nur noch auf einem rund 80 km^2 großen Gebiet am Südrand der Sierra Nevada in Kalifornien. Der Mammutbaum wird mehrere Tausend Jahre alt.

Manager ['mænidʒə, Pl.], leitende Angestellte in einem Unternehmen; auch Betreuer von Künstlern und Berufssportlern.

Managua, Hauptstadt von Nicaragua, am Südufer des Managuasees gelegen, ca. 973 000 Einwohner, Industrie- und Handelsschwerpunkt des Landes. Managua wurde 1972 durch ein Erdbeben zu 70–80% zerstört.

Mammutbaum: Die Mammutbäume im Sequoia Nationalpark in den USA stehen unter Naturschutz. Daneben wirkt ein Mensch klein wie eine Ameise.

Manchester ['mæntʃistə], eine Industriestadt in Nordwestengland, 393 000 Einwohner.

Mandarine [die], eine Zitrusfrucht, ein kleiner Baum mit apfelsinenähnlichen Früchten.

Mandat [das], Auftrag, Vollmacht; auch der Sitz eines Abgeordneten im Parlament.

Mandela, Nelson Rolihlahla, * 1918; südafrikanischer Politiker aus dem Volk der Xhosa, Symbolfigur des Kampfes gegen die Apartheid. Auch → »Genauer betrachtet«.

Mandelbaum [der], ein zu der Familie der Rosengewächse gehörender, bis zu 6 m hoher Baum, der viel Sonne braucht. Seine fettreichen Samen, die süßen oder bitteren *Mandeln,* sind essbar. Die süßen Mandeln werden besonders in Konditoreien und Marzipanfabriken verwendet. Die bitteren Mandeln enthalten giftige Blausäure und dürfen daher nicht in größeren Mengen genossen werden. Aus ihnen wird das in der Parfümerie verwendete ätherische Bittermandelöl gewonnen.

Mandeln [Pl.], an den Seiten beziehungsweise an der Decke der Rachenhöhle liegende mandelförmige Organe, die in Aufbau und Aufgabe den Lymphknoten ähneln. Man unterscheidet die paarigen Gaumen- und Zungenmandeln sowie die Rachenmandeln. Die Mandeln dienen vor allem der Abwehr von Infektionskrankheiten und entzünden sich leicht. Sind die Mandeln zu groß oder häufig entzündet, werden sie vom Arzt entfernt.

Mandelbaum: Die Früchte des Mandelbaums sitzen in länglich-eiförmigen, lederatigen Fruchtschalen.

Édouard Manets Bild »Olympia« (1863) rief seinerzeit einen großen Skandal hervor.

Mandoline [die], ein Zupfinstrument mit bauchigem Resonanzkörper. Sie ist kleiner als die Laute und besitzt 4 bis 6 Doppelsaiten, die mit einem Plektron (Plättchen) gespielt werden.

Mandschurei, eine Landschaft im Nordosten der Volksrepublik China.

Manege [ma'ne:ʒə, die], eine kreisförmige Reitbahn, die Vorführungsfläche im Zirkus.

Manet [ma'nɛ], Édouard, * 1832, † 1883; französischer Maler. Manet war ein Wegbereiter der *Impressionisten,* bevorzugte jedoch im Unterschied zu diesen eine flächige Malweise.

Mangan [das], ein chemisches Element mit dem Zeichen Mn. Mangan ist ein silbergraues, sehr hartes, sprödes Schwermetall. Es kommt am Schwarzen Meer, in Indien, Brasilien und Afrika vor. Von technischer Bedeutung sind besonders die harten und verschleißfesten Eisen-Mangan-Legierungen.

Mangrove [die], immergrüner Laubwald, der an tropischen Küsten wächst. Bei Flut ist der Boden der Mangrove vom Meer überspült. Die Mangrovepflanzen bilden ein undurchdringliches Dickicht und fördern die Verlandung.

Manhattan [mæn'hætən], zentraler und ältester Stadtteil von New York, auf der von Hudson, East River und Harlem River umflossenen Insel Manhattan.

Genauer betrachtet …
Nelson Mandela

Rolihlahla (»Unruhestifter«) Dalibhunga Mandela, der von den Weißen in Südafrika den Namen »Nelson« bekam, war der demokratisch gewählte erste schwarze Präsident der Republik Südafrika. Davor musste Mandela aber jahrzehntelang gegen die Apartheid, die Politik der strikten Rassentrennung, und damit gegen die Unterdrückung der schwarzen Bevölkerung und für ihre soziale Gleichstellung und ihre Bürgerrechte kämpfen. Schon 1952 initiierte Mandela mit seiner Partei, dem ANC (African National Congress), eine Widerstandskampagne gegen das politische Unterdrückungssystem Südafrikas. 28 Jahre seines Lebens, von 1962 bis 1990, verbrachte Mandela in Haft. Nach lang anhaltendem weltweitem politischem Druck auf die südafrikanische Regierung (»Free Nelson Mandela!«) wurde er 1990 freigelassen, nahm seine politische Arbeit wieder auf und erhielt 1993 zusammen mit dem amtierenden weißen Staatspräsident Frederik de Klerk den Friedensnobelpreis für seinen Einsatz für die Demokratisierung Südafrikas. 1994 gewann der ANC mit über 60 Prozent der Stimmen die ersten demokratischen Wahlen Südafrikas, und Mandela wurde vom neuen Parlament zum Präsidenten gewählt. 1997 trat Mandela als Präsident des ANC und 1999 als Staatspräsident zurück. Auf der Basis seiner ungeheuren Popularität engagiert er sich aber weiter als Anwalt für Menschenrechte.

Hier gründeten 1613 die Niederländer ihre erste Handelsniederlassung. Manhattan ist heute ein vielseitiges Industrie-, Handels- und Finanzzentrum. Die Börse in der Wall Street ist die größte der Welt. Das Geschäftszentrum mit den vielen imposanten Wolkenkratzern prägt die Skyline von → New York.

Manie [die], abnormes, meist zwanghaftes und suchtartiges Verhalten.

Manierismus [der], eine Stilbewegung der europäischen Kunst zwischen Renaissance und Barock, die um 1520 begann und um 1600 endete. Hauptmerkmale des Manierismus sind das Interesse am Absonderlichen und Überwirklichen, die Bevorzugung extremer Ausdrucksmittel, eine gespreizte Gestik und die Neigung zu gekünstelter Stilisierung. Die bedeutendsten Vertreter des Manierismus waren die Maler *El Greco* und *Tintoretto.*

Maniküre [die], Handpflege, besonders Pflege der Nägel.

Manila, Hauptstadt und Regierungssitz der Philippinen auf der Hauptinsel Luzon, 9,9 Mio. Einwohner (mit Vororten).

Maniok [der], ein südamerikanischer Strauch. Aus den dicken Wurzeln wird Stärkemehl gewonnen. Maniok wird heute auch in Südostasien, Indonesien und auf Madagaskar angebaut. Für verschiedene Völker stellt er das Hauptnahrungsmittel dar.

Manipulation [die], geschickte Beeinflussung, gezielte Lenkung (z. B. der Versuch, Menschen durch Werbung zu beeinflussen).

Mann, Heinrich, * 1871, † 1950; Bruder von Thomas Mann, deutscher Schriftsteller. Als Gegner des Nationalsozialismus trat er konsequent für radikale Demokratie und Pazifismus ein. 1933 wurden seine Schriften verboten und er musste emigrieren. Zu seinen bekannten Werken gehören »Professor Unrat« (als Film »Der blaue Engel«), »Der Untertan« und »König Henri Quatre«.

Wer war …
Thomas Mann

Thomas Mann (* 1875, † 1955) war ein deutscher Schriftsteller. Er wurde mit seinen Novellen und Romanen als deutschsprachiger Erzähler weltberühmt und zu einem vielgelesenen Klassiker des 20. Jh. Bereits sein erster Roman, »Buddenbrooks« (1901), der den Verfall einer Familie (so lautet auch der Untertitel) beschreibt, machte ihn berühmt und brachte ihm 1929 den Literaturnobelpreis ein. Thomas Mann beschäftigte sich in seinem Werk wie auch in seinem eigenen Leben immer wieder mit der Frage, wie man als Künstler in der bürgerlichen Gesellschaft leben könne, da der Künstler zwischen Todessehnsucht und Lebenspflicht hin- und hergerissen sei. Viele seiner großen Romane bzw. Novellen, z. B. »Der Zauberberg« (1924) und »Der Tod in Venedig« (1912), kreisen um dieses Thema. Zu Manns wichtigen Werken zählen ferner »Königliche Hoheit« (1909), »Joseph und seine Brüder« (1933–1943), »Lotte in Weimar« (1939), »Doktor Faustus« (1947) und »Bekenntnisse des Hochstaplers Felix Krull« (1954).

Thomas Mann stammte aus einer begüterten Lübecker Kaufmannsfamilie. 1893 zog er nach München, wo er 1905 Katja *Pringsheim* (* 1883, † 1980) heiratete. Mit ihr hatte er sechs Kinder, die z. T. selbst als Künstler und Schriftsteller (Erika Mann, Klaus Mann) bzw. Historiker (Golo Mann) berühmt wurden. Politisch war Thomas Mann zunächst konservativ-national eingestellt und kristisierte die Weimarer Republik. Im Lauf der Zeit wandelte er jedoch seine Einstellung und wurde überzeugter Demokrat. Nach der Machtergreifung der Nationalsozialisten 1933 hielt sich Mann vorwiegend im Ausland auf. 1936 ließ er sich in der Schweiz nieder, im selben Jahr wurde er aus Deutschland ausgebürgert. 1939 folgte er einem Ruf als Professor an die Universität Princeton (USA), 1944 erhielt er die US-amerikanische Staatsbürgerschaft. Nach Europa kehrte er 1952 zurück, wo er bis zu seinem Tod in der Schweiz lebte.

Thomas Mann in einer Aufnahme von 1949

Manna [das], im Alten Testament das Brot, das vom Himmel fiel und die Israeliten auf ihrer Wüstenwanderung auf wunderbare Weise rettete.

Mannheim, eine Stadt im Bundesland Baden-Württemberg, an der Mündung des Neckars in den Rhein, 308 000 Einwohner. Zu den Sehenswürdigkeiten gehören die Altstadt mit schachbrettartigem Grundriss, das Barockschloss und der Wasserturm, das Wahrzeichen der Stadt. Mannheim ist ein wichtiger Verkehrsknotenpunkt und ein bedeutender Industriestandort.

Manometer [das], ein Druckmessgerät für Gase und Flüssigkeiten, z. B. Luftdruck und Dampfdruck.

Manuskript [das, lat., »mit der Hand Geschriebenes«], ein mit Hand oder Maschine geschriebener Text, meist als Vorlage für den Druck.

Maori [Pl.], polynesische ursprünglich ansässige Bevölkerung Neuseelands und vieler pazifischer Inseln.

Mao Zedong [mau dsədʊŋ], Mao Tsetung, *1893, †1976; chinesischer Politiker (Kommunist). Mao Zedong gründete 1921 zusammen mit anderen die Kommunistische Partei Chinas, organisierte seit 1927 eine revolutionäre Bauernbewegung und war seit 1935 der Parteiführer. Im Oktober 1949 rief er die Volksrepublik China aus und wurde Vorsitzender der Zentralen Volksregierung, 1954 Staatsoberhaupt. Unter seiner Leitung begann die sozialistische Umgestaltung Chinas. 1958 proklamierte er den »Großen Sprung nach vorn«, die sofortige Errichtung der kommunistischen Gesellschaftsordnung. 1959 trat Mao Zedong als Staatsoberhaupt zurück, er behielt jedoch maßgebenden Einfluss auf die Politik. In der Großen Kulturrevolution (1966 bis 1969) gelang es ihm, seine auf eine gemäßigte Politik dringenden politischen Gegner auszuschalten. Auf dem Weg zu einer klassenlosen Gesellschaft beseitigte er mit Gewalt jeden Rest überkommener chinesischer Tradition sowie europäisches Gedankengut. Nach seinem Tod distanzierte sich die neue Führung teilweise von seiner Politik.

Marc, Franz, * 1880, † 1916; deutscher Maler. Marc war ein Vertreter des *Expressionismus;* er wurde besonders durch seine Tierbilder bekannt. Marc war Mitbegründer der Künstlergruppe »Der Blaue Reiter«.

Märchen [das], eine fantasievolle Erzählung, die oft von Wundern oder Zauberei handelt. Märchen waren ursprünglich für Erwachsene bestimmt und sind bei allen Völkern verbreitet. Ihre »Erfinder« sind meist unbekannt. Neben den europäischen *Volksmärchen* verbreiteten sich nach den Kreuzzügen auch orientalische Märchen bei uns (beispielsweise »Tausendundeine Nacht«). Bis ins 16. Jh. wurden Märchen nur mündlich überliefert. Die bekannteste Sammlung von Märchen stellten die Brüder *Grimm* (1812–1814) zusammen. *Kunstmärchen* setzen die Eigenarten des Volksmärchens als Stilmittel ein. Die bekanntesten Kunstmärchen schrieben J. W. *Goethe,* C. *Brentano,* W. *Hauff* und H. C. *Andersen.*

Marco Polo → Polo.

Marder [der], ein Landraubtier mit gestrecktem Körper, kurzen Beinen und langem Schwanz. Die Tiere, die meist nachts jagen, sondern einen unangenehmen Duftstoff ab. Zu den Mardern gehören u. a. Wiesel, Iltis, Nerz, Vielfraß, Zobel, aber auch Dachs, Otter und Seeotter.

Margarine [die], ein Speisefett aus verschiedenen pflanzlichen (Ölen, Kokosfett) und tierischen (Schmalz u. a.) Fetten. Die Fette werden mit Magermilch und Zusatzstoffen wie Salz, Vitaminen, Duft- und Farbstoffen vermengt.

Maria, die Mutter des Jesus von Nazareth. Nach der katholischen Lehre gebar Maria als Jungfrau ihren Sohn unter Einwirken des Heiligen Geistes. Die Marienverehrung ist u. a. durch die Dogmen von der »Unbefleckten Empfängnis« und von der Aufnahme in den Himmel (»Mariä Himmelfahrt«) begründet. Die evangelische Kirche kennt keine Marienverehrung in diesem Sinne.

Marianen [die], eine Inselkette im Pazifischen Ozean, die zu Mikronesien gehört; 81 000 Einwohner. Der Hauptort ist *Garapan* auf der Insel Saipan.

Maria Stuart, * 1542, † 1587; 1542–1567 Königin von Schottland. Als sie nach dem Tod ihres Ehemannes, des französischen Königs *Franz II.,* nach Schottland zurückkehrte, erhob sie gegenüber der protestantischen Königin *Elisabeth I.* Anspruch auf den englischen Thron, als dessen rechtmäßige Erbin sie galt. Nach einem Aufstand des schottischen Adels wurde Maria abgesetzt. Sie floh nach England und wurde von Elisabeth gefangengenommen. Nach 19-jähriger Haft wurde sie wegen einer angeblichen Verschwörung gegen Elisabeth enthauptet. *Schiller* schrieb das Trauerspiel »Maria Stuart«.

Wer war …

Maria Theresia

Maria Theresia (* 1717, † 1780) war Königin von Ungarn und Böhmen und Erzherzogin von Österreich. Die älteste Tochter Kaiser *Karls VI.* konnte nach dem Tod ihres Vaters ihre Thronfolge sichern, die Habsburger Monarchie gegen äußere Bedrohung erhalten und im Innern modernisieren.

1736 heiratete Maria Theresia *Franz Stephan von Lothringen,* mit dem sie 16 Kinder hatte. 1740 übernahm sie nach dem Tod ihres Vaters die Regierung. Zwar musste die Regentin sich im Österreichischen Erbfolgekrieg (1740–1748) erst gegen Bayern, Preußen, Sachsen, Spanien und Frankreich behaupten und 1745 auf Schlesien verzichten, aber sie hatte sich als Erbin der Monarchie durchgesetzt. Am 4. 10. 1745 war ihr Mann als *Franz I.* zum Kaiser gekrönt worden, seitdem wurde sie als Kaiserin bezeichnet. 1756 schloss sie ein Bündnis mit Frankreich, ebenso mit Sachsen, Schweden und Russland, um Schlesien wiederzugewinnen. Der nun anbrechende Siebenjährige Krieg endete 1763 mit dem Hubertusburger Frieden, in dem Österreich Schlesien endgültig an Preußen abtreten musste. Nach dem Tod ihres Mannes 1765 wurde ihr Sohn *Joseph II.* Mitregent und Kaiser. Maria Theresia reformierte Verwaltung und Wirtschaft, hob die Folter auf und milderte die Leibeigenschaft. Sie begründete das Volksschulwesen in Österreich. Trotz ihrer Frömmigkeit wahrte Maria Theresia ihre Selbstständigkeit gegenüber der katholischen Kirche und verfügte die Aufhebung des Jesuitenordens. 1772 beteiligte sie sich an der 1. Teilung Polens, wodurch das österreichische Gebiet erweitert wurde. Durch den Bayerischen Erbfolgekrieg 1778/1779 kam das Innviertel an Österreich.

Maria Theresia mit 26 Jahren als Königin von Ungarn und Böhmen

Marienkäfer [der], ein kleiner, halbkugeliger Käfer, der auf roten Flügeldecken schwarze Punkte oder auf schwarzen Flügeldecken rote Punkte hat. Es gibt rund 4000 bekannte Arten. Marienkäfer sind sehr nützlich, weil sie und ihre Larven große Mengen von Blattläusen und Schildläusen vertilgen. Sie sind als »Glücksbringer« beliebt.

Marihuana [das], ein Rauschmittel aus den Blatt- und Blütenspitzen der weiblichen Pflanze des Indischen Hanfs. Marihuana wirkt ähnlich wie → Haschisch, jedoch etwas schwächer.

Marine [die], alle dem Seeverkehr eines Staates dienenden Schiffe und Einrichtungen. Seit dem 19. Jh. unterscheidet man Kriegs- und Handelsmarine.

Marionette [die], eine Gliederpuppe, an deren Gelenken Fäden oder Drähte befestigt sind, die ein hinter der Bühne stehender Spieler von oben führt. Marionetten sind schon im Altertum in Griechenland, Rom, Japan und auf Java bekannt gewesen. Bei uns kennt man sie seit dem 12. Jh.

Mark, **1.** [die], eine Münzeinheit. Im Mittelalter war die Mark zunächst eine Einheit für Silbermünzen, 1871 bis 1924 die Währung des Deutschen Reichs. 1924 bis 1948 gab es in Deutschland die Reichsmark, 1948 bis 2002 in der Bundesrepublik Deutschland die Deutsche Mark = DM. In der ehemaligen DDR war bis 1990 die Mark der DDR (M) gültig. **2.** [das], das innere Gewebe bei Pflanzenstängeln. **3.** [das], das innere Gewebe bei Knochen. **4.** [die], im Mittelalter die östlichen Grenzgebiete des Deutschen Reiches, z. B. die Steiermark. Die Mark unterstand einem Markgrafen.

Markt [der], ursprünglich ein zentraler Platz einer Siedlung, Mittelpunkt des öffentlichen Lebens und der Vermittlung (Kauf, Verkauf, Tausch) von Waren; später auch eine Verkaufsveranstaltung (z. B. Wochenmarkt).

Mark Twain [maːk twɛin], eigentlich Samuel Langhorne *Clemens*, *1835, †1910; US-amerikanischer Schriftsteller und Journalist. Er war Reporter in San Francisco und unternahm weite Reisen. Berühmt wurde er durch seine meisterhaften Kurzgeschichten und seine humorvollen Romane »Die Abenteuer Tom Sawyers« und »Die Abenteuer und Fahrten des Huckleberry Finn«, in denen er Erinnerungen an die eigene abenteuerliche Jugend am Mississippi verwertete.

Marktwirtschaft [die], eine Wirtschaftsordnung, in der Hersteller und Käufer frei darüber entscheiden, was sie erzeugen beziehungsweise kaufen wollen. In der *freien Marktwirtschaft* bestimmen allein Angebot und Nachfrage die Preise der Waren. Da eine völlig freie Marktwirtschaft – ohne jegliche staatliche Lenkung – eventuell zu sozialen Missständen führen kann, wird deshalb in neuerer Zeit eine *soziale Marktwirtschaft* gefordert. Diese soll durch gezielte, vorsichtige Eingriffe des Staates im Interesse der Allgemeinheit die freie Marktwirtschaft einschränken, z. B. durch Übernahme zentraler Wirtschaftsaufgaben durch den Staat, durch eine gezielte Lenkung des Arbeitsmarktes (Umschulung, Arbeitsbeschaffungsmaßnahmen) u. Ä. Den Gegensatz zur Marktwirtschaft stellt die *Planwirtschaft* dar.

Marmor [der], ein kristallines, körniges Gestein, das überwiegend aus Kalkstein und Dolomit besteht. Marmor ist rein weiß, oft jedoch durch Beimengungen gelb, rot, grau oder schwarz gefärbt, meist auch meliert. Bekannte Fundorte sind Carrara und Florenz in Italien. Marmor wird zu Skulpturen verarbeitet und für Bauzwecke verwendet.

Ländersteckbrief
Marokko

Fläche:	458 730 km^2
Einwohner:	31,9 Millionen = 70 je km^2
Hauptstadt:	Rabat
Religion:	Islam
Amtssprache:	Arabisch
Währung:	1 Dirham = 100 Centimes

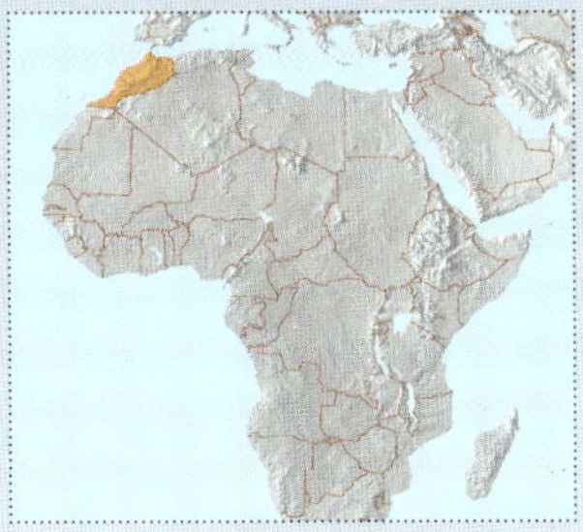

Marokko, Staat in Nordwestafrika.

Landesnatur: Hinter einer gut beregneten und fruchtbaren Küstenebene und der Hochfläche der

Meseta erhebt sich das Atlasgebirge (bis 4165 m hoch). Der Mittelmeerküste folgt das *Rif-Gebirge* (2456 m). Zwischen den von lichten Wäldern bestandenen Gebirgen erstrecken sich steppenhafte Hochbecken; nach Südosten geht das Land in die Wüste der Sahara über.

Bevölkerung: Die überwiegend islamische Bevölkerung besteht zu über 50% aus Arabern, zu 35% aus berberischen Volksstämmen.

Marokko: Ein Dorf mit traditionellen Lehmbauten im Atlasgebirge, das eine Wetterscheide gegen die Einflüsse aus der Sahara ist.

Wirtschaft: Die Landwirtschaft baut v.a. Gerste, Oliven, Zitrusfrüchte, Wein, Obst und Gemüse für den Export an. Marokko ist der drittgrößte Korkproduzent der Erde und der zweitgrößte Produzent von Sardinenkonserven. Der Bergbau liefert in erster Linie Phosphat sowie Mangan, Blei, Eisen, Erdgas u.a. Die Industrie erzeugt u.a. Nahrungsmittel, Chemikalien, Textilien, Metallwaren und Baustoffe. Der Tourismus ist einer der wichtigsten Devisenbringer. – Haupthäfen sind Casablanca und Tanger; internationale Flughäfen gibt es in Casablanca, Agadir, Tanger und Marrakesch.

Geschichte: Das im Altertum *Mauretania* genannte Land wurde 42 n.Chr. römische Provinz. Nach der Herrschaft der Wandalen (429–534) kam es im 6.Jh. an das Byzantinische Reich; 680–700 unterwarfen die islamischen Araber das Land. Seit 890 herrschten selbstständige Dynastien. 1904 begann Frankreich seine Vormachtstellung in Marokko auszubauen *(Marokkokrisen)*. 1912 kam es zur Errichtung eines französischen und spanischen Protektorats. 1956 wurden die Protektorate aufgelöst. Marokko wurde unabhängig und 1957 zum Königreich proklamiert. Seit den 1970er Jahren kam es immer wieder zu Auseinandersetzungen zwischen Marokko, Mauretanien und Algerien um die ehemalige spanische Kolonie Spanisch-Sahara, deren Unabhängigkeitsbestrebungen von Marokko bekämpft wurden. Seit 1988 bemüht man sich um eine Verhandlungslösung. Staatsoberhaupt war 1961–1999 König *Hassan II.* Nach seinem Tod wurde sein Sohn *Mohammed VI.* König.,

Maronen [Pl.], essbare Früchte der Edelkastanie, die geröstet oder glasiert serviert werden können.

Marrakesch, Oasenstadt in Marokko, am Hohen Atlas, 823 000 Einwohner. Die Provinzhauptstadt stellt das traditionelle Zentrum des marokkanischen Südens dar und ist wichtigste Drehscheibe des Handels. Sie hat viele Sehenswürdigkeiten wie prachtvolle Paläste und Moscheen.

Mars, **1.** der Kriegsgott der römischen Sagenwelt; er gilt als der Stammvater der Römer. **2.** ein Planet unseres → Sonnensystems.

Marsch, **1.** [der], Hauptform der Militärmusik, ein Musikstück in geradem Takt (meist 2/4- oder 4/4-Takt), das in Bewegung und Tempo dem Marschierenden nachgebildet ist. **2.** [die], vor den Meeresküsten und in Flusstälern angeschwemmte Schlick- und Sandböden, aus denen nach Eindeichung, Entwässerung und Entlüftung fruchtbare *Polder* werden können.

Marseillaise [marsɛˈjɛːz, die], die französische Nationalhymne. Sie wurde 1792 von einem Bataillon aus Marseille beim Einzug in Paris zum ersten Mal als Revolutionslied gesungen.

Marseille [marsɛ'j], südfranzösische Großstadt und Mittelmeerhafen am Golfe du Lion, östlich der Rhônemündung, 798 000 Einwohner. Die Stadt ist Industriezentrum und Sitz zahlreicher kultureller und wissenschaftlicher Einrichtungen. Sie wurde um 600 v. Chr. von Griechen gegründet und war unter den Römern ein blühendes Handelszentrum.

Ländersteckbrief Marshallinseln

Fläche:	181 km²
Einwohner:	64 000 = 354 je km²
Hauptstadt:	Dalap-Uliga-Darrit
Religion:	Christentum
Amtssprache:	Englisch
Währung:	1 US-Dollar = 100 Cents

Marshallinseln, Staat in Ozeanien.

Der Inselstaat im östlichen Mikronesien besteht aus 34 niedrigen Atollen (u. a. Majuro, Kwajalein, Eniwetok, Jaluit) und 870 Riffen, in zwei Reihen – der *Ratak-* und der *Ralik-*Gruppe – angeordnet. Bikini und Eniwetok wurden als Atombombenversuchsgebiete bekannt. Hauptausfuhrgüter sind Kopra und Fisch. Die Marshallinseln erhalten Finanzhilfe aus den USA.

Geschichte: 1885/1886 wurden die Marshallinseln Schutzgebiet des Deutschen Reiches, 1920 japanisches Völkerbundsmandat. 1945–1990 waren sie UN-Treuhandgebiet unter US-Verwaltung. Seit 1990 unabhängig, wurde der Inselstaat 1991 UNO-Mitglied.

Martinstag, Tag des heiligen Martin von Tours, besonders verehrt durch das Mantelwunder, wonach ihm als junger Soldat Christus erschienen sei, nachdem er einem Bettler die Hälfte seines Mantels überlassen habe. Hieraus leiten sich diverse Martinsbräuche am 11. 11. (Tag seines Begräbnisses) ab, die mit Festessen, Laternenumzügen oder dem Geschenkesammeln der Kinder an Martin als Gabenspender erinnern und gleichzeitig die sechswöchige Adventsfastenzeit einläuten.

Märtyrer [der, griech., »Blutzeuge«], jemand, der für seinen Glauben Verfolgung und den eigenen Tod auf sich nimmt.

Wer war … Karl Marx

Karl Heinrich Marx (* 1818, † 1883) war ein deutscher Philosoph und sozialistisch-kommunistischer Theoretiker. Er begründete den Marxismus. Seine Ideen gewannen weltgeschichtliche Bedeutung in den großen kommunistischen Revolutionen des 20. Jh. und durch die politische Herrschaft in den kommunistisch regierten Ländern.

Marx studierte in Bonn und Berlin Rechtswissenschaften und Philosophie. 1842/1843 war er Chefredakteur der liberal-oppositionellen »Rheinischen Zeitung« in Köln. Nach ihrem Verbot ging er nach Paris. 1847 traten Marx und sein engster Vertrauter F. *Engels,* dem Bund der Kommunisten bei und verfassten für ihn 1848 als Programmschrift das »Kommunistische Manifest«. Darin sagen Marx und Engels die gesetzmäßige Ablösung des Kapitalismus durch den Sozialismus nach einer proletarischen Revolution der Arbeiterklasse voraus. Das Manifest endet mit dem Aufruf: »Proletarier aller Länder vereinigt Euch!«. 1848/1849 war Marx Chefredakteur der radikaldemokratischen »Neuen Rheinischen Zeitung« in Köln. 1849 musste er wieder emigrieren; er lebte dann bis zu seinem Tode in London. Finanziell von Engels unterstützt, arbeitete Marx journalistisch für mehrere Zeitungen, widmete sich aber vor allem historischen und wirtschaftswissenschaftlichen Studien. Sein Hauptwerk »Das Kapital«, die Darstellung und Kritik der kapitalistischen Produktionsweise, blieb unvollendet; wesentliche Teile wurden erst aus dem Nachlass veröffentlicht. Der praktischen Politik wandte sich Marx nach der Auflösung des Bundes der Kommunisten (1852) erst wieder 1864 zu. Er war an der Gründung der Ersten Internationale, einer Arbeiterorganisation, beteiligt, entwarf ihr Programm, bestimmte weitgehend ihre Politik und veranlasste ihre Auflösung (1872), nachdem es zu unüberbrückbaren Gegensätzen zwischen Marxisten und Anarchisten gekommen war. Auf die deutsche Sozialdemokratie nahm Marx mit seiner »Kritik des Gothaer Programms« 1875 starken Einfluss. Die größte Wirkung entfalteten seine Theorien erst nach seinem Tod, indem sie für die Programme aller kommunistischen Parteien maßgebend wurden.

Karl Marx war einer der einflussreichsten Denker des 19. Jh.

Marxismus [der], die von Karl *Marx* in Verbindung mit Friedrich *Engels* in der ersten Hälfte des 19. Jh. entwickelte Theorie zu Staat, Gesellschaft und Wirtschaft. Auch → Kommunismus.

Marzipan [das], Konfekt aus fein zerriebenen süßen Mandeln, Gewürzen und Zucker.

Maser ['mɛizə, der, engl.], ein Gerät, mit dem sehr kurze elektromagnetische Wellen erzeugt oder verstärkt werden können. Sie werden z. B. bei Radioteleskopen verwendet.

Masern [Pl.], eine ansteckende Infektionskrankheit, die vor allem bei Kindern auftritt. Die Krankheit beginnt meist mit Fieber, Schnupfen und Bindehautentzündung. Auf der Wangenschleimhaut zeigen sich weiße Pünktchen. Nur wenige Tage später erscheint der typische rotfleckige Masernausschlag.

Maseru, Hauptstadt des südafrikanischen Staates Lesotho, 367 000 Einwohner.

Maskat, Hauptstadt des vorderasiatischen Staates Oman, am Golf von Oman, 40 900 Einwohner.

Maske [die], **1.** Gesichtsverhüllung, die ursprünglich bei Kulthandlungen, heute bei Volksfesten, Maskenbällen und Umzügen getragen wird. **2.** in der Schauspielkunst das mit Schminke und Perücken für die jeweilige Rolle zurechtgemachte Gesicht des Schauspielers.

maskulin, männlich; Maskulinum, das männliche Geschlecht beim Substantiv, z. B. *der* Apfel.

Massage [ma'saːʒə, die], die Behandlung des Körpers durch Streichen, Reiben, Klopfen und Kneten mit der Hand oder mit Massagegeräten zur Lockerung verspannter oder verkrampfter Körperteile und zur Verbesserung der Durchblutung.

Massaker [das], Blutbad, Gemetzel.

Masse [die], in der Physik Grundeigenschaft der Materie, Menge eines Stoffes. *Schwere Masse* ist das

Gewicht eines Körpers im Schwerefeld (z. B. der Erde); *träge Masse* ist die Ursache für das Auftreten von Kräften bei Änderung der Lage oder Bewegung. Die Maßeinheit der Masse ist das Kilogramm (kg).

Maßeinheiten [Pl.], *Maße,* veraltet für Einheiten, die nach wissenschaftlichen Gesichtspunkten oder nach Bedarf gewählt werden, um eine bestimmte Größe zu messen. Auch → SI-Einheiten (Tabelle).

Was sind … Massenmedien

Als Massenmedien werden alle Kommunikationsprozesse bezeichnet, die sich öffentlich und allgemein zugänglich mittels technischer Übertragungsmittel meist einseitig an ein weit verstreutes anonymes Publikum richten. Zu den Massenmedien zählen Printmedien (beispielsweise Zeitungen, Zeitschriften, Bücher), auditive Medien (beispielsweise Radio, CD) und audiovisuelle Medien (beispielsweise Fernsehen, Videokassette, DVD). Zu den Massenmedien gehören auch die multimedialen und interaktiven Medien (v.a. Internet). In modernen Gesellschaften gehören Massenmedien zum Alltagsleben. Sie sind Hauptquelle für politische und gesellschaftliche Informationen und haben neben Bildungs- v.a. Unterhaltungsfunktion. Massenmedien können zur Manipulation und Propaganda missbraucht werden. Der technische Fortschritt im Bereich der Massenmedien veränderte ab Mitte des 20. Jh. das Freizeitverhalten der Menschen, das bis heute besonders durch das Fernsehen bestimmt wird. Daneben haben aber Hörfunk, Zeitung und Buch immer noch einen hohen Stellenwert.

Geschichte: Bücher und Druckschriften waren seit der Erfindung des Buchdrucks mit beweglichen Metall-Lettern (15. Jh.) für jeden zugänglich. Tageszeitungen gibt es seit Mitte des 17. Jh. Die Verbesserung der Drucktechnik machte im 19. Jh. die Produktion von »Massenblättern« möglich. Die ersten Pressekonzerne entstanden. Ab den 1920er Jahren entwickelte sich der Film zur populären Kunstform. Der Übergang vom Stumm- zum Tonfilm (1927) und vom Schwarzweiß- zum Farbfilm (1935) erhöhte seinen Reiz als Unterhaltungsmedium. Das Zeitalter des Rundfunks begann in Deutschland 1923 mit der Inbetriebnahme des ersten Radiosenders. 1933 verstaatlichten die Nationalsozialisten den gesamten Rundfunk (Gleichschaltung). Sie stellten ihn in den Dienst der Propaganda (über »Volksempfänger«). 1935 wurde die erste Fernsehsendung ausgestrahlt, allerdings gab es damals nur wenige Fernsehgeräte. Nach 1945 setzten sich die Alliierten für die Schaffung des öffentlich-rechtlichen Rundfunks ein, der Meinungs- und Pressefreiheit garantiert. 1954 ging das Deutsche Fernsehen (ARD, ab 1984 Erstes Deutsches Fernsehen) und 1963 das Zweite Deutsche Fernsehen (ZDF) auf Sendung. Es folgten die dritten Programme der Landesrundfunkanstalten.

Neue Medien: Neue Techniken (Kabel- und Satellitenfernsehen) sowie die Zulassung von privatem Rundfunk führten in den 1980er Jahren zu einer großen Programmvielfalt. In allen Bundesländern bilden seitdem Landesmediengesetze die rechtliche Grundlage für einen aus privatem und öffentlich-rechtlichem Hörfunk und Fernsehen bestehenden dualen Rundfunk. In den 1990er Jahren leitete das Internet (v.a. in Form des World Wide Web) eine neue Ära der Kommunikation und Informationsverarbeitung ein. Es gewann Anfang des 21. Jh. auch wirtschaftliche Bedeutung (elektronischer Handel). Das schrankenlose globale Netzwerk verlangte v.a. nach Rechts- und Datensicherheit (u.a. Verschlüsselung, Verfügbarkeit personenbezogener Daten, Urheberrechte). In

Deutschland schuf das Multimediagesetz (1997) einen Rechtsrahmen für die Nutzung der neuen Kommunikationsdienste.

Medienmarkt: Anfang des 21. Jh. gab es in Deutschland 55 öffentlich-rechtliche und rund 180 private Hörfunksender sowie 14 öffentlich-rechtliche und 85 private Fernsehsender. 2006 gab es allein bei den privaten Fernsehsendern insgesamt 342 Fernsehprogramme. Mit dem digitalen Rundfunk erhöhte sich die Sendervielfalt weiter und die Möglichkeiten zur Interaktivität nahmen zu. Weltweit ist ein Trend zur Medienkonzentration festzustellen. In Deutschland wird versucht, durch Beteiligungsgrenzen an Fernsehsendern und Medienunternehmen Monopole zu verhindern.

Maßstab, das Verkleinerungsverhältnis zwischen einer Strecke in der Natur und in der Karte, z. B. 1 : 25 000 bedeutet 1 cm auf der Karte sind 25 000 cm (250 m) in der Natur.

Mast [die], *Mästung,* die spezielle Fütterung von Schlachtvieh, um damit die Fett- und Fleischmasse zu erhöhen.

Masturbation [die], *Onanie, Selbstbefriedigung,* das Erreichen der sexuellen Befriedigung und des Orgasmus durch eigenhändige Reizung und Erregung der eigenen Geschlechtsteile. Die Masturbation hat keinerlei gesundheitsschädigende Wirkung.

Match [mætʃ, das], ein sportlicher Wettkampf.

Materialismus [der], eine Lehre, die im Gegensatz zum *Idealismus* nur die wirklichen, stofflichen (Materie = Stoff) Dinge des Lebens anerkennt, d. h. alles, was wahrnehmbar und beweisbar ist. Der Materialismus lehnt alle Religionen, die von einer göttlichen Schöpfungskraft ausgehen, ab und glaubt nicht an die gestaltenden Kräfte von Seele und Geist. Der *dialektische Materialismus* ist ein wesentlicher Bestandteil der marxistischen Lehre. Er behauptet, dass die geistige und soziale Entwicklung des Menschen von seinen materiellen Lebensumständen bestimmt werde. Das Verhalten des Menschen und das Geschehen in der Welt hänge von den Klassengegensätzen und von der Verteilung der Wirtschaftsgüter ab. Der *historische Materialismus* begreift die Geschichte aller bisherigen Gesellschaften als eine Geschichte von Klassenkämpfen, die über zahlreiche Revolutionen zur Weltrevolution und schließlich zum erstrebenswerten Endziel der »klassenlosen Gesellschaft« führe.

Materie [die], Bezeichnung für Gegenständliches, der »Stoff«, aus dem Dinge sind, ihre Substanz.

Mathematik [die, griech. mathema, »Wissenschaft«], Wissenschaft von den Zahlen, Mengen, Maßen und Formen. 1. Die *reine Mathematik* untersucht Gesetzmäßigkeiten, die sich aus dem Zahlbegriff und den Grundbegriffen der Geometrie ergeben. Sie gliedert sich in die *Arithmetik* (→ »Genauer betrachtet«, Seite 64), die Lehre vom Rechnen, und die *Geometrie,* die

Genauer betrachtet … Mathematik

Die vier Grundrechenarten sind:

Addition	a + b = c	Summand + Summand = Summe
Subtraktion	a – b = d	Minuend – Subtrahend = Differenz
Multiplikation	a · b = e	Faktor · Faktor = Produkt
Division	a : b = f	Dividend : Divisor = Quotient

Lehre von den Figuren und Flächen. Die *Algebra* beschäftigt sich mit der Auflösung von Gleichungen, die *Analysis* mit Grenzwertberechnungen und Funktionstheorie. 2. Die *angewandte Mathematik* untersucht die Gegebenheiten der Wirklichkeit auf ihren mathematischen Gehalt und sucht Verfahren, um theoretisch gelöste Probleme auch praktisch zu lösen. Teilgebiete sind u. a.: darstellende Geometrie, Wahrscheinlichkeitsrechnung, Statistik, ferner Untersuchungen in der Physik, Astronomie, Karten- und Vermessungskunde. – Das mathematische Denken hat seinen Ursprung im Zählen von Gegenständen sowie in praktischen geometrischen Aufgaben wie Landvermessung und Häuserbau. Bereits die alten Ägypter und die Babylonier besaßen mathematische Kenntnisse. Jedoch erst die Griechen *(Pythagoras, Platon, Euklid, Archimedes)* gaben der Mathematik wissenschaftlichen Charakter. Arithmetische Gedankengänge gelangten durch die Araber und durch die Inder nach Europa. Im 17. Jh. entstanden die Logarithmen. R. *Descartes* entwickelte die analytische Geometrie, I. *Newton* und G. W. *Leibniz* erfanden die Differenzial- und Integralrechnung. Ihre Erkenntnisse waren die Grundlage für den ungeheuren Aufschwung auf allen Gebieten der Ma-

Genauer betrachtet …
Mathematik

Mathematische Zeichen sind:

Zeichen	Sprechweise (Erläuterung)	Zeichen	Sprechweise (Erläuterung)
%	Prozent (von Hundert)	Σ	Summe
·, ×	mal (Multiplikationszeichen)	|x|	Betrag von x
:, /, –	geteilt durch (Divisionszeichen)	°	Grad (= 60°)
=	gleich	′	Minute (= 60′)
≡	identisch, gleich	″	Sekunde (= 60″)
≠	nicht gleich, ungleich	∥	parallel
≈	angenähert, nahezu gleich	⊥	rechtwinklig zu, senkrecht auf
<	kleiner als (z. B. 3 < 7)	△	Dreieck
≦	kleiner oder gleich	≙	entspricht
≪	sehr klein gegen	~	ähnlich, proportional
>	größer als (z. B. 5 > 0)	∢	Winkel
≧	größer oder gleich	⊾	rechter Winkel
≫	sehr groß gegen	∅	Durchmesser
∞	unendlich	∈	Element von
π	Pi (Ludolf'sche Zahl = 3,14159 …)	∪	vereinigt (Vereinigung von Mengen)
√	Wurzel aus (z. B. $\sqrt{9}=3$)	∩	geschnitten (Durchschnitt von Mengen)

Der Maulwurf gräbt ein weit verzweigtes Tunnelsystem.

thematik, der sich bis ins 19. Jh. erstreckte. Zu den bedeutendsten Mathematikern gehören Leonard *Euler* und Karl Friedrich *Gauß*. Die Grundlage der modernen Mathematik bildete die von Georg *Cantor* Ende des 19. Jh. begründete *Mengenlehre*. Im 20. Jh. steht die abstrakte Algebra im Vordergrund, die als die Strukturtheorie von den Rechengesetzen angesehen wird. Heute nimmt die elektronische Datenverarbeitung großen Einfluss auf die Mathematik, da einige Beweise nur durch den Rechenaufwand eines Computers zu erbringen sind. In neuester Zeit ist auch das Verhältnis von Chaos und Ordnung *(Chaosforschung)* ein Thema der Mathematik. Siehe auch → »Genauer betrachtet«, Seite 65.

Matisse, Henri, * 1869, † 1954; französischer Maler, Grafiker und Bildhauer. Er war der Mittelpunkt einer Gruppe von Malern, die 1905 erstmals unter dem Namen »Fauves« (»Wilde«) geschlossen an die Öffentlichkeit traten. Ihre Stilrichtung, der *Fauvismus*, stand dem Expressionismus nahe. Matisse schuf vor allem Stillleben, Akte, Radierungen und Wandmalereien. Er verwendete reine, leuchtende Farben.

Matriarchat [das], *Frauenherrschaft*, die Herrschaft der Mütter und Frauen in der Familie oder Sippe, eventuell auch in der Politik; Gegensatz: *Patriarchat*.

Matterhorn [das], ein Gipfel in den Walliser Alpen, 4478 m hoch.

Matthäus, einer der zwölf Jünger Jesu Christi, Apostel und Evangelist.

Matura [die], in Österreich und der Schweiz die Bezeichnung für die Reifeprüfung, das Abitur.

Mauersegler [der], ein Vogel, der zu den Seglern gehört. Er ist über ganz Europa und weite Teile Asiens verbreitet. Der grauschwarze Mauersegler hat lange, sichelförmige Flügel und einen kurzen Gabelschwanz. Der oft in Städten lebende Vogel ist nicht mit den Schwalben verwandt.

Maulesel [der], eine Kreuzung zwischen einem Pferdehengst und einer Eselstute. Die Kreuzung zwischen einem Eselhengst und einer Pferdestute nennt man *Maultier*. Beide Kreuzungen sind unfruchtbar.

Maulwurf [der], ein Säugetier, das zur Familie der Insektenfresser gehört. Maulwürfe leben unterirdisch in Gängen, die sie unter Wiesen und Feldern graben. Der Eingang zu diesem Tunnelsystem ist meist durch einen »Maulwurfshügel« gekennzeichnet. Die Tiere werden bis 17 cm lang und bis zu 100 Gramm schwer. Das schwarze Fell des Maulwurfs ist fein und dicht, die Vorderbeine sind zu Grabschaufeln umgebildet. Maulwürfe ernähren sich von Insekten und Regenwürmern.

Mauretanien: Umgeben von der größten Wüste der Erde, der Sahara, leben Menschen in einer Oase.

Mauren [Pl.], **1.** im Altertum die Berberbevölkerung Nordafrikas. **2.** die aus Berbern und Arabern gemischten Eroberer Spaniens, die hier 711–1492 eine hohe Kultur errichteten. **3.** die arabisierten, moslemischen Stämme Mauretaniens.

Ländersteckbrief Mauretanien

Fläche:	1 025 520 km²
Einwohner:	3,2 Millionen = 3 je km²
Hauptstadt:	Nouakchott
Religion:	Islam
Amtssprache:	Arabisch
Währung:	1 Ouguiya = 5 Khoums

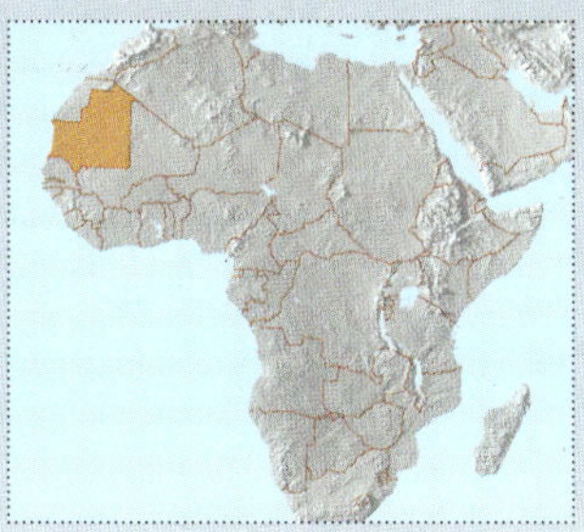

Mauretanien, Staat in Nordwestafrika.

Mauretanien ist ein wüstenhaftes Tief- und Tafelland. Ackerbau ist nur im Überschwemmungsgebiet des Senegal und in den Oasen möglich. Die islamische Bevölkerung setzt sich überwiegend aus Mauren zusammen. Wichtig für den Export sind Fischfangprodukte, Eisen, Kupfer sowie Gummi arabicum. Die Industrie verarbeitet die Erzeugnisse der Viehzucht und des Fischfangs. Die wichtigsten Häfen und Flughäfen sind Nouadhibou und Nouakchott.

Geschichte: Als Teil *Französisch-Westafrikas* erhielt Mauretanien 1960 die Unabhängigkeit. 1978 kam es zu einem Militärputsch. Den 1975 von Spanien übernommenen Südteil von Spanisch-Sahara überließ Mauretanien 1979 der Unabhängigkeitsbewegung Polisario; das Gebiet wurde jedoch von Marokko besetzt. Staatspräsident ist seit 2007 S. O. *Abdallahi*.

Ländersteckbrief Mauritius

Fläche:	2040 km²
Einwohner:	1,3 Millionen = 616 je km²
Hauptstadt:	Port Louis
Religion:	Hinduismus, Christentum, Islam
Amtssprache:	Englisch
Währung:	1 Mauritius-Rupie = 100 Cents

Mauritius, Staat im Indischen Ozean.

Der Inselstaat im Indischen Ozean setzt sich zusammen aus der Hauptinsel Mauritius, Rodrigues u. a. kleineren Inseln. – Die Inseln sind vulkanischen Ursprungs; den Küsten sind Korallenriffe vorgelagert. Das Klima ist tropisch-wechselfeucht; tropische Wirbelstürme *(Mauritius-Orkane)* sind häufig. Der natürliche Regenwald musste größtenteils dem Kulturland weichen. – 50% der Bevölkerung (über die Hälfte Inder) sind Hindus, 30% Christen, 17% Muslime. – Ausgeführt werden v. a. Zuckerrohr (70% der Anbaufläche), Textilien, Unterhaltungselektronik und

Lederwaren. Der Tourismus spielt eine wichtige Rolle. Haupthafen ist Port Louis; der internationale Flughafen Plaisance liegt im Südosten der Insel.

Geschichte: Mauritius wurde 1510 von Portugiesen entdeckt; es war 1598–1710 niederländisch, seit 1715 als *Île de France* französisch und seit 1810 britisch. 1968 wurde Mauritius als parlamentarische Monarchie im Commonwealth unabhängig. 1992 proklamierte die Regierung die Republik.

Mauritius: Wegen ihres tropischen Klimas und der üppigen Pflanzenwelt gelten die Inseln als Touristenparadies.

Maus [die], bei einem Computer ein Teil der Hardware, das zur Eingabe von Daten dient. Das etwa mausgroße Handsteuergerät ist mit dem Computer verbunden und wird mit der Hand auf einem Tisch hin- und hergeschoben. Da diese Bewegungen in Steuerimpulse umgesetzt werden, kann der *Cursor* auf dem Bildschirm ihnen folgen. Mit den Tasten auf dem Rücken einer Maus lassen sich Objekte auf dem Bildschirm anwählen.

Mäuse [Pl.], kleine bis mittelgroße Nagetiere, die weltweit verbreitet sind. Alle haben eine spitze, behaarte Schnauze und einen langen, fast unbehaarten Schwanz. Zu den Mäusen gehören u.a. die *Hausmaus,* die meist in der Nähe des Menschen lebt und sich von Abfällen ernährt, sowie die bräunliche *Feldmaus,* die in Gängen unter Äckern und Wiesen lebt. *Weiße Mäuse* sind Albinos und werden vor allem für Tierversuche gezüchtet.

Mauser [die], der meist jährliche Federwechsel der Vögel. Die Hauptmauser liegt nach der Brutzeit, bei einigen Vögeln ein zweites Mal im Frühjahr.

Mausoleum [das], ein monumentales Grabmal, es wurde nach dem Grabmal für König *Mausolos* benannt, das im 4. Jh. v.Chr. in Halikarnassos in Kleinasien errichtet wurde.

Maut [die], veraltete Bezeichnung für Binnenzölle, heute Gebühr für Straßen- und Brückenbenutzung u.a. in Deutschland und Österreich; → Lkw-Gebühr.

maximal, an der Höchstgrenze liegend, z.B. maximale Geschwindigkeit; Gegensatz: *minimal.*

May, Karl, * 1842, † 1912; deutscher Schriftsteller. Er wurde berühmt durch spannende Indianer- und Reisebücher, die vor allem im »Wilden Westen«, in den Indianergebieten Nordamerikas, oder unter den Völkern des Vorderen Orients spielen. May schuf u.a. die bekannten Idealgestalten *Old Shatterhand* und *Winnetou.* Sein Gesamtwerk umfasst 83 Bände. Zu seinen Hauptwerken gehören u.a. »Winnetou«, »Der Schatz im Silbersee«, »Das Vermächtnis des Inka«, »Durch die Wüste«, »Der Schut«. Viele seiner Bücher wurden verfilmt.

Maya [Pl.], eine mittelamerikanische Volksgruppe, besonders in Guatemala und auf der Halbinsel Yucatán (Mexiko). Die Mayakultur reicht bis ins zweite Jahrtausend v.Chr. zurück. Sie übertraf mit ihrem Wissensschatz alle übrigen Kulturvölker des vorkolumbischen Amerika. Der Höhepunkt der Mayakultur lag etwa 300–850 n.Chr. Die Maya besaßen eine Schrift, einen Kalender und eine hoch entwickelte Kunst. Sie bauten ihre Städte nach astronomischen Gesichtspunkten und religiösen Zwecken mit zahlreichen Tempelbauten. Um 1000 drangen Tolteken aus Mexiko ein und brachten neue religiöse Vorstellungen und neue Kunstelemente mit. Es bildeten sich Stadtstaaten mit geistigen und weltlichen Führern. Im 16. Jh. eroberten die Spanier die Gebiete der Maya und zerstörten ihre Hochkultur. Heute leben noch etwa 2 Mio. Maya in Mittelamerika als Maisbauern.

Mayflower [mɛiflauə, die], der Name des Schiffes, das 1620 die ersten englischen Kolonisten nach Neuengland, an die Ostküste Nordamerikas, brachte.

Mäzen [der], jemand, der Künstler, Sportler oder Wissenschaftler finanziell fördert.

Mbabane, Hauptstadt von Swasiland, 1143 m ü. M.; 80 000 Einwohner.

McDonald's Corporation, siehe ZEIT-Beitrag → »McDonald's: Vom schnellen Essen«, Seite 70–73.

Mechanik [die], ein Teilgebiet der Physik; Wissenschaft vom Gleichgewicht (Statik) und den Bewegungen der Körper (Kinetik, Dynamik).

Mechanismus [der], der Aufbau und das Zusammenwirken der beweglichen Teile einer Maschine.

Mecklenburg-Vorpommern, Bundesland im Nordosten Deutschlands (seit 1990). Es liegt an der Ostsee und reicht von der Lübecker Bucht bis zur Insel Usedom an der polnischen Grenze. Die Landschaft ist stark von der Eiszeit geprägt: Sie ist von seichten Ostseebuchten, der *Mecklenburgischen Seenplatte* und sandigen Kiefernheiden bestimmt. Mecklenburg ist zum größten Teil ein Agrarland. Die Hauptstadt ist *Schwerin*. Das Bundesland ist 23 174,1 km² groß und hat 1,7 Mio. Einwohner.

Maya: Der Tempel der Krieger in Chichén Itzá gehört zu den architektonischen Meisterleistungen der Maya.

Mayflower: In Massachusetts in den USA liegt eine Nachbildung des berühmten Segelschiffs.

Medaille [me'daljə, die], eine geprägte Gedenk- oder Schaumünze, zur Erinnerung an ein besonderes Ereignis oder als Auszeichnung (z. B. Olympiamedaille).

Medaillon [meda'jɔ̃, das], eine runde oder ovale flache Kapsel für ein kleines Bild oder ein anderes Erinnerungsstück.

Medici ['meditʃi], ein florentinisches Patriziergeschlecht, ursprünglich Kaufleute und Bankiers. 1434 übernahmen die Medici die Regierung der Stadtrepublik Florenz. Sie waren große Förderer von Gelehrten und Künstlern, so z. B. von *Michelangelo* oder *Leonardo da Vinci*. 1494–1512 und 1527–1531 wurden sie vertrieben.

Medien [Pl.] → Massenmedien, → neue Medien.

Auf der Welt gibt es mehr als 2000 Kartoffelsorten, sogar blaue und rote. Doch die kommen bei McDonald's nicht in die Tüte

McDonald's

Vom schnellen Essen

Von Tanja Busse

Die Schafe des Bauern José Bové grasen auf der kargen felsigen Hochebene des Larzac im Süden Frankreichs. Aus ihrer Milch wird der berühmte Roquefort-Käse gemacht, den man nach einem tausend Jahre alten Rezept mindestens drei Monate lang in Höhlen reifen lassen muss, bevor man ihn essen kann. Aber dann schmeckt er sehr lecker.

Als José Bové hörte, dass unten im Tal, im Städtchen Millau, eine McDonald's-Filiale eröffnet werden sollte, wurde er so zornig, dass er zusammen mit anderen Bauern die Baustelle demolierte. *»Contre la malbouffe!«*, rief er dabei, wir kämpfen gegen diesen schlechten Fraß! Für den Schaden, den er angerichtet hatte, musste José Bové drei Monate lang ins Gefängnis. Doch als er vor Gericht stand, im Sommer 2000, kamen Menschen aus ganz Frankreich nach Millau, um zu protestieren. *»Contre la malbouffe!«*, riefen auch sie und setzten sich auf den Rasen in den Parks von Millau, aßen Baguette mit Roquefort und überlegten zusammen, wie man verhindern kann, dass neue McDonald's-Filialen in Frankreich gebaut werden.

Ungesund und fettig

Was haben all diese Leute nur gegen Hamburger und Chicken McNuggets? Sie glauben, dass McDonald's und andere Fast-Food-Restaurants

Kinder zu ungesundem und fettigem Essen verführen. Ohne McDonald's, vermuten sie, wären nicht so viele Kinder zu dick. Und sie finden es nicht gut, dass man bei jedem McDonald's-Besuch einen großen Haufen Müll produziert. Jeden Tag essen allein in Deutschland mehr als 2,4 Millionen Menschen dort – das sind jeden Tag mehr als zwei Millionen Tabletts mit zerknülltem Papier, mit Pappbechern und Plastikdeckeln.

Überall das gleiche Menü

Außerdem stört es die McDonald's-Gegner, dass es überall die gleichen Restaurants gibt, in mehr als hundert Ländern auf der ganzen Welt. Man kann beinahe nirgendwohin reisen, ohne McDonald's dort zu finden. Das ist sehr langweilig auf die Dauer, meinen die Fast-Food-Kritiker. Auf der Welt gibt es über 2000 verschiedene Kartoffelsorten, sogar blaue und rote, und jede von ihnen hat einen eigenen Geschmack. Die Pommes frites von McDonalds's hingegen schmecken überall gleich. Außerdem sind die vielen Fast-Food-Restaurants schlecht für die Umwelt und für die Menschen, die nicht genug Geld haben, um Hamburger zu kaufen: Wenn alle Leute auf der Welt so viel Fleisch essen, wie McDonald's im Angebot hat, dann bleibt für die Armen nichts mehr zu essen übrig.

In Brasilien zum Beispiel gehen jeden Abend viele Millionen Kinder hungrig zu Bett. Doch auf einer Fläche, die so groß ist wie ganz Großbritannien, wachsen dort Sojabohnen – als Tierfutter! Die werden auf Schiffe verladen und nach Europa gebracht, wo sie von Kühen, Schweinen und Hühnern gefressen werden. In den letzten Jahren wurde sogar Regenwald am Amazonas für neue Sojafelder gerodet. Das alles ist doch nicht unsere Schuld, sagen die Manager der Fast-Food-Restaurants. Wir machen Hamburger, weil sie den Leuten schmecken. Und da haben sie natürlich recht. (Oder gehen Kinder vielleicht auch deshalb so gerne zu McDonald's, weil man da immer kleine Geschenke zum Essen bekommt?)

Gegründet haben McDonald's zwei Brüder, die wirklich McDonald mit Nachnamen heißen. Sie eröffneten 1948 ein Fast-Food-Restaurant in Kalifornien. Erst ein Kollege brachte sie auf die Idee, noch weitere Filialen zu gründen. In allen gab es Coca-Cola zu trinken – und Werbung für die neuen Filme von Walt Disney. Zuerst in den USA, dann auch in anderen Ländern. Seit 1971 gibt es McDonald's in Deutschland. Bald war das Erkennungszeichen, das geschwungene gelbe M, überall bekannt. Forscher haben herausgefun-

Doppelt sättigt besser? Der Big Mac, McDonald's dickster Burger

den, dass zwei von drei Kindergartenkindern in Deutschland dieses Zeichen kennen – noch bevor sie lesen und schreiben können.

Der Kampf der Fast-Food-Gegner

McDonald's zu kritisieren kann übrigens gefährlich werden. In den achtziger Jahren verteilten Umweltschützer von Greenpeace in London Flugblätter, auf denen stand, dass McDonald's nicht gut sei, weil die Firma ihre Mitarbeiter schlecht bezahle, die Umwelt verschmutze und Kinder krank mache. McDonald's klagte daraufhin vor Gericht und forderte die Greenpeace-Anhänger auf, mit ihrer Kritik aufzuhören. Zwei von ihnen – Helen Steel und Dave Morris – wollten aber nicht nachgeben. Wie Detektive sammelten sie Beweise, doch das Gericht urteilte, dass sie nicht alle ihre Vorwürfe gegen McDonald's hätten belegen können, weshalb sie eine hohe Strafe zahlen mussten.

Eigentlich hätte McDonald's sich freuen können, schließlich hatte das Unternehmen gewonnen. Doch über den Prozess berichteten so viele Zeitungen, Radio- und Fernsehsender auf der ganzen Welt, dass die Vorwürfe der McDonald's-Gegner überall verbreitet wurden. Und die Richter hatten auch gesagt, dass Helen Steel und Dave Morris mit manchen Dingen doch recht gehabt hätten: dass die McDonald's-Werbung Kinder verführe zum Beispiel und dass McDonald's behaupte, sein Essen sei gesund, was aber nicht stimme.

Natürlich ist McDonald's nicht das einzige Fast-Food-Restaurant – doch es ist das größte und bekannteste und wird wohl deshalb so oft angegriffen. Zuletzt von Foodwatch: Das ist eine Gruppe in Berlin, die aufpasst, dass in Deutschland keine schlechten Nahrungsmittel verkauft werden. Foodwatch findet es falsch, dass McDonald's Fleisch in seine Hamburger tut, das von Tieren stammt, die mit gentechnisch verändertem Futter gemästet wurden. Die meisten Leute wollen nämlich keine Gentechnik im Essen.

Aber eigentlich geht es nicht allein um McDonald's, sondern um alle Fast-Food-Restaurants. Fast Food heißt »schnelles Essen«, und das finden viele toll, weil es so unkompliziert ist. Viele Erwachsene essen Fast Food, weil sie nicht Einkaufstüten nach Hause schleppen und lange in Töpfen rühren wollen, und vielen Kindern gefällt, dass man Pommes frites und Hamburger mit den Fingern essen kann und Tischmanieren dabei einfach vergessen darf.

Aber genau das ist es, was viele Leute so ärgert. Fast Food zerstöre unsere Esskultur, klagen sie. Mit Esskultur meinen sie, dass frisches und le-

Majo, Majo, Majo: Burgerfertigung im Serienbetrieb

Ein McDonald's-Restaurant aus den Anfangsjahren der 1948 gegründeten Burgerkette (Des Plaines, Illinois, 1955)

ckeres Essen etwas sehr Wertvolles ist, beinahe so etwas wie Kunst. Sie wollen keine Fertiggerichte aus der Fabrik, sondern Gemüse aus dem Garten. Und sie wollen, dass die verschiedenen Gerichte, die seit Jahrtausenden überall auf der Welt zubereitet werden, nicht in Vergessenheit geraten. Doch je mehr Fast-Food-Restaurants und Fertiggerichte hergestellt und gegessen werden, desto schwieriger wird das. Denn zu Fast Food werden nur Tiere und Pflanzen verarbeitet, die schnell wachsen. Bei Hühner, Schweinen und Rindern sind das nur wenige Rassen, deren Ställe immer mehr wie Fabriken aussehen.

Ein Stall für 80 000 Schweine

In Ostdeutschland soll jetzt ein Stall für 80 000 Schweine gebaut werden, die in ihrem ganzen Leben niemals hinaus auf die Weide kommen und sich nie im Schlamm suhlen dürfen. Den Hühnern in ihren engen Käfigen geht es auch nicht besser.

Das wollen wir alles nicht, sagen die Fast-Food-Gegner. Einige von ihnen haben einen Verein gegründet, der Slowfood heißt: »langsame Ernährung«. Sie treffen sich, um gemeinsam zu lernen, wie man kocht. Ohne Eile und sorgfältig, mit frischem Gemüse, das nicht vom anderen Ende der Welt herbeigeflogen wurde, sondern aus der Gegend stammt, in der sie wohnen, mit Fleisch von Tieren, die ein gutes Leben hatten. Ein richtiger Genuss, sagen sie.

Bei McDonald's zu essen können sie sich nicht vorstellen. Sie glauben, Pommes und Hamburger schmecken nur Leuten, die immer das Gleiche essen und noch nie Roquefort probiert haben. Oder frische Feigen direkt vom Baum. Oder kleine runzlige Kartoffeln aus der Lüneburger Heide. Oder ein Steak vom Bioschwein. Ob sie recht haben? Probiert es aus!

Mehr wissen …
Medizin – Segen für die Menschheit

Krankheiten sind älter als die Menschheit. Schon in den versteinerten Überresten von Sauriern, die vor mehr als 200 Millionen Jahren lebten, fanden Forscher Spuren von Knochengeschwüren und Zahnkaries. Doch erst Menschen waren es, die im Laufe von Jahrtausenden begriffen, dass man sich gegen Krankheiten zur Wehr setzen kann. So wurden Speerspitzen aus Wunden gezogen, gebrochene Knochen geschient und Geschwüre geöffnet, um den Eiter abfließen zu lassen. Es ist gerade einmal ein Jahrhundert her, da betrug die durchschnittliche Lebenserwartung der Deutschen bei der Geburt rund 45 Jahre. Heute werden Frauen durchschnittlich 82 und Männer 76 Jahre alt. Dieser ungeheure Fortschritt ist den immer umfassenderen medizinischen Kenntnissen und Fertigkeiten zu verdanken.

Louis Pasteur entwickelte Impfstoffe gegen zahlreiche Krankheiten.

Von Zauberformeln zur Heilbehandlung:

Erste Antworten auf die Frage, wie Krankheiten entstehen, bekamen unsere Vorfahren von ihren Magiern: Dämonen, Geister oder Totemtiere sollten Krankheiten als Zeichen oder als Strafe zu den Menschen schicken. Ihre Behandlung bestand deshalb zunächst nur aus Opfergaben und dem Aussprechen magischer Formeln. Die wurden jedoch bald ergänzt durch direkte Einwirkungen auf den Kranken, etwa durch Bäder, Massagen, Schwitzkuren und Heilkräuter. Die ältesten überlieferten Dokumente dieser ursprünglichen Medizin, aufgezeichnet von altägyptischen, sumerischen und chinesischen Ärzten, stammen aus dem 3. Jahrtausend v. Chr.

Berühmte Ärzte:

Als »Vater der Medizin« gilt *Hippokrates* (um 460–377 v. Chr.), der als einer der ersten westlichen Ärzte nicht mehr daran glaubte, dass Krankheit allein göttliche Willkür sei. Als eine Sache der Natur musste man Krankheiten auch mit natürlichen Mitteln bekämpfen können. Er lehrte, dass es im menschlichen Körper vier Säfte gibt: das Blut, die gelbe und die schwarze Galle sowie den Schleim (Viersäftelehre). Bei guter Mischung dieser Säfte sei der Mensch gesund, bei schlechter krank. Hippokrates begann bald, Rückschlüsse von Krankheiten auf die Lebensweise, insbesondere auf die Ernährung, zu ziehen. Denn aus der Nahrung bildeten sich seiner Meinung nach die vier Säfte, die über Krankheit oder Gesundheit entscheiden. Noch heute schwören die Ärzte ihren Eid auf Hippokrates, allem voran auf sein hohes Verantwortungsgefühl jedem Kranken gegenüber.

Mit Hippokrates war der Bann der göttlichen Magie gebrochen, und die Türen waren geöffnet für die Erforschung des menschlichen Körpers und seiner Krankheiten. Der Arzt und Naturforscher *Paracelsus* (1493–1541) studierte zahlreiche Krankheitsbilder, erarbeitete und verfeinerte ihre Heilmittel. Andreas *Vesalius* verfasste 1543 das erste Werk über den Bau des menschlichen Körpers. Der britische Arzt William *Harvey* (1578 bis 1657) entdeckte durch die Untersuchung von Tieren und erste Berechnungen von Blutmengen, dass das Blut nicht verbraucht wird, sondern in einem steten Kreislauf durch den Körper fließt. Maßgeblich an der Bekämpfung der großen Seuchen waren der Franzose Louis *Pasteur* (1822–1895) und der Deutsche Robert *Koch* (1843–1910) beteiligt. Pasteur fand heraus, dass Lebensmittel durch Hitzebehandlung *(Pasteurisierung)* keimfrei und damit länger haltbar sind. Außerdem entwickelte er die ersten Impfungen. Seine Beobachtung, dass Kinder, die die Kleider von Pockenkranken trugen, fortan für Pocken unempfindlich (immun) waren, zeigte ihm, dass ein ganz leichter Krankheitskontakt gegen die eigentliche Krankheit schützen kann. Koch entdeckte weitere Mikroorganismen (Bakterien) als Erreger lebensgefährlicher Krankheiten wie Cholera, Milzbrand, Tollwut und Tuberkulose und entwickelte Impfstoffe gegen sie. Er legte damit den Grundstein zur Bekämpfung der Infektionskrankheiten.

Heute können die Erreger schwerer Infektionskrankheiten durch Penizillin und andere Antibiotika abgetötet werden. Röntgenbilder zeigen den Verlauf von Knochenbrüchen oder die Lage von Krebsherden. Eine Herz-Lungen-Maschine übernimmt bei Operationen die lebenswichtigen Organfunktionen. Herz- und nierenkranken Menschen kann durch die Übertragung von Spenderorganen geholfen werden. Immer häufiger werden Laser bei der Behandlung von Patienten und bei Operationen eingesetzt.

Die Wiederentdeckung der Naturheilkunde:

Im Unterschied zur klassisch-technischen Medizin versuchen die Naturheilverfahren, die körpereigenen Gesundungskräfte anzuregen. So arbeitet die *Homöopathie*, die von Samuel *Hahnemann* (1755–1843) entwickelt wurde, mit der »Ähnlichkeitsregel«: Ein Mittel, das beispielsweise Fieber hervorruft, soll das Fieber senken können, wenn man es in starker Verdünnung einnimmt. In der Akupunktur, die aus China kommt, werden feine Nadeln in bestimmte Körperstellen gestochen. Nach der chinesischen Heilslehre liegen die Akupunkturpunkte auf sogenannten Meridianen oder Leitbahnen, in denen die Lebensenergie »Qi« fließt. Die gezielte Reizung mit den Nadeln soll hier eine Blockade lösen und dieses »Qi« wieder zum gesunden Fließen bringen.

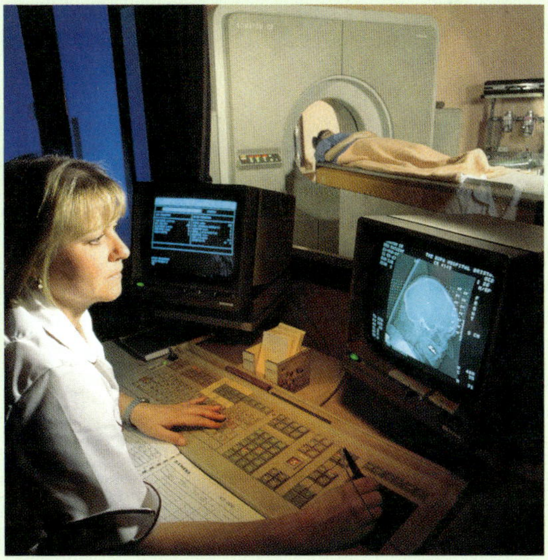

Die Computertomografie (CTG) ist ein bildgebendes Verfahren, das mit Röntgenstrahlen arbeitet.

Mehr wissen ...
Lebensraum Meer

Das Weltmeer bedeckt mit rund 361 Mio. km^2 71% der gesamten Erdoberfläche. Dabei ist die Verteilung von Land und Meer auf der Erde ungleich: So kann man die Erde in eine Landhalbkugel mit dem Pol unweit der Loiremündung in Westfrankreich und eine Wasserhalbkugel mit dem Pol südöstlich von Neuseeland unterteilen. Die Landhalbkugel wird fast zur Hälfte von Festland eingenommen, auf der Wasserhalbkugel liegt der Anteil der Festlandsmassen dagegen unter 10%. Die mittlere Tiefe des Meeres beträgt –3729 m. Die größten Tiefen werden in den Tiefseegräben gemessen, so z. B. die Witjas-Tiefe (–11 034 m) im Marianengraben südwestlich der Insel Guam oder die Galathea-Tiefe (–10 540 m) im Philippinengraben. Die meisten *Tiefseegräben* befinden sich im Pazifischen Ozean und ziehen sich am Rand des Ozeans parallel zur Küste hin. Die direkt den Küsten vorgelagerten Gebiete mit Wassertiefen von weniger als 200 m bezeichnet man als *Schelf*. Das Schelf nimmt zwar nur 8,3% des Meeresbodens ein, stellt aber den wichtigsten Nutzungsbereich (Erdöl- und Erdgasgewinnung, Fischfang) dar.

Die Ozeane:

Man unterscheidet drei Ozeane: den *Pazifischen Ozean*, den *Atlantischen Ozean* und den *Indischen Ozean*. Der Pazifik ist mit 178,77 Mio. km^2 (das sind rund 35% der Erdoberfläche) ungefähr so groß wie die beiden anderen Ozeane zusammen. Er trennt die reich gegliederten Ostküsten Asiens und Australiens von den Westküsten Nord- und Südamerikas. Der Atlantik umfasst 106,2 Mio. km^2 und reicht vom Nordpolarmeer bis zur Weddellsee an der Antarktis. Er trennt die Kontinente Europa und Afrika im Osten von Amerika im Westen. Der Indische Ozean umfasst 75,8 Mio. km^2 und reicht von der Ostküste Afrikas bis zur Westküste Australiens; im Norden begrenzt ihn die südasiatische Küste und im Süden der südliche Polarkreis am Rande des antarktischen Kontinents.

Von den Ozeanen gliedern sich zahlreiche Nebenmeere ab. Dringen diese tief in die Kontinente ein und sind sie nur durch schmale Zugänge mit den Ozeanen verbunden, so spricht man von *Mittelmeeren* (Amerikanisches, Europäisches, Arktisches, Australasiatisches Mittelmeer). Sind sie den Landmassen nur angelehnt, so spricht man von *Randmeeren* (z. B. Nordsee, Ochotskisches, Japanisches, Ost- und Südchinesisches Meer). Von den Rand- und Mittelmeeren zweigen *Meerbusen* und *Golfe* sowie *Meerengen*, *Sunde*, *Kanäle* und *Meeresstraßen* ab.

Das Meerwasser hat einen durchschnittlichen Salzgehalt von 3,5%. Der Salzgehalt hängt ab von der Süßwasserzufuhr in den Randgebieten, von der Regenmenge und von der Verdunstung. Im Allgemeinen ist er in den Tropen größer als in den Polargebieten. Seine größten Abweichungen erreicht er in den Nebenmeeren; so liegt der Salzgehalt im Finnischen Meerbusen nur bei 0,1%, im Persischen Golf dagegen bei 4%.

Die mittlere Temperatur des Weltmeers in seiner Gesamtheit beträgt 3,8 °C. Die Wassertemperatur an der Oberfläche liegt im Jahresdurchschnitt zwischen dem Gefrierpunkt in den Polarmeeren und 29 °C in den tropischen Meeren; im Roten Meer treten Temperaturen bis 35 °C auf. Die Farbe des Meerwassers ist Blaugrau, das Blau tritt umso stärker und klarer in Erscheinung, je wärmer und salzreicher das Meerwasser ist. Bei stärkerer Süßwasserzufuhr wird die Farbe grüner.

Das Meerwasser bewegt sich in Form von Wellen und Meeresströmungen, die durch die Schubkraft des Windes und durch Dichteunterschiede im Wasser entstehen, sowie durch *Gezeiten*, die durch die Anziehungskraft des Mondes verursacht werden. Meeresströmungen (wie z.B. der Golfstrom) transportieren bedeutende Wärmemengen und beeinflussen damit die Verteilung der Klimazonen auf der Erde.

Meerespflanzen und -tiere:

Das Meer ist die Urheimat aller Lebewesen; dabei enthalten die Flachseegebiete das reichste Leben, weniger reich sind die Hochsee- und Tiefseeregio-nen, doch existiert Leben noch in einer Wassertiefe von 10 900 m. Der Salzgehalt des Meerwassers, in der Tiefsee v.a. der hohe Druck, die relativ niedrigen Temperaturen (zwischen +2,5 °C und –1,5 °C), der Lichtmangel bzw. die Lichtlosigkeit erfordern eine besondere Anpassung der Meeresorganismen. Die Lebewesen des Meeres werden unterteilt in *Plankton*, das über keine Eigenbewegung verfügt und nur passiv im Wasser schwebt, und in *Nekton*, das aktiv schwimmt (z.B. Fische, Krebse). Das Meer wird auch von Säugetieren bewohnt (Wale, Robben, Seekühe), die sich z.B. durch eine Speckschicht (Wärmeschutz) und poröse Knochen, die dem Auftrieb dienen, den Lebensbedingungen im Meer angepasst haben. Das Leben im Meer lässt Körpergrößen zu, die bei Landtieren nicht möglich wären; unter den Walen kommen die größten lebenden Tiere vor (Blauwal bis 31 m lang und bis 150 t schwer).

Seepferdchen gehören trotz ihres eigentümlichen Aussehens zu den Fischen.

Meeresnutzung:

Für den Menschen liefert das Meer lebensnotwendige Mineralien. In den Küstengebieten zahlreicher Länder werden die Erdölvorkommen mit Hilfe von Bohrinseln erschlossen. Im Jahr 2005 stammte über ein Drittel der Weltrohölförderung aus den Ozeanen. In den Trockenräumen der Erde ist auch die Süßwassergewinnung durch Meerwasserentsalzungsanlagen von Bedeutung. Außerdem dient das Meer der Nahrungsmittelgewinnung (Fische, Muscheln, Krabben) und als Verkehrsraum.

Die Nutzung des Meeres durch den Menschen hat zu einer z.T. sehr starken Verunreinigung der Ozeane geführt, z.B. durch die Einleitung oder Einbringung von Abwässern und Abfallstoffen, dem Schifffahrtsverkehr (Tankerunfälle, Abpumpen von Altöl) oder der Einschwemmung von Pflanzenbehandlungsmitteln aus küstennahen Bereichen. Auch → »Genauer betrachtet«, Seite 79.

Medikament [das], andere Bezeichnung für Arznei.

Medina, **1.** eine Stadt in Saudi-Arabien mit rund 891 000 Einwohner. Medina ist eine heilige Stadt und Wallfahrtsort. In einer Moschee befinden sich die Gräber Mohammeds und seiner Tochter Fatima. **2.** Bezeichnung für die Altstadt nordafrikanischer Städte.

Meditation [die], beschauliches Nachdenken, Sich-Vertiefen in philosophische oder mystische Betrachtungen. In vielen Religionen spielt die Meditation eine wichtige Rolle.

mediterran, zum Mittelmeer und den angrenzenden Ländern gehörend.

Medium [das], **1.** in der Physik ein Stoff, in dem sich ein physikalischer Vorgang abspielt (z. B. Schall in der Luft). **2.** ein Mensch, der glaubt, ein Vermittler zwischen Lebenden und Toten zu sein und Botschaften aus dem Jenseits überbringen zu können. **3.** Massenkommunikationsmittel. Auch → Massenmedien, → neue Medien.

Medizin [die] → Seite 74.

Meer [das] → Seite 76.

Meerkatzen [Pl.], meist schlanke, bewegliche, in Herden lebende Affen, besonders in Westafrika. Sie sind häufig bunt gefärbt, haben einen runden Kopf mit Backentaschen und einen langen Schwanz.

Meerschweinchen [das], ein südamerikanisches Nagetier, ohne Schwanz, das etwa 20 cm lang wird. Es wurde bereits bei den Inkas als Haustier (Fleischlieferant) gehalten. Das Wildmeerschweinchen ist heute fast ausgestorben, das zahme Meerschweinchen ist bei uns als Haustier sehr beliebt und wird in den unterschiedlichsten Rassen gezüchtet.

Meeting ['miːtiŋ, das, engl.], Treffen, Zusammenkunft, Versammlung.

mega... [griech.], ein Wortbestandteil mit der Bedeutung »groß, lang«; als Vorsatz bei Maßeinheiten hat es die Bedeutung: das Millionenfache, z. B. 1 Megahertz (MHz) = 106 Hertz.

Megalithgräber [Pl.] → Hünengräber.

Megaphon [das], *Megafon,* Sprachrohr in Form eines Trichters. Es bündelt den Schall, so dass man sich auch über größere Entfernungen verständigen kann; heute ein Sprechgerät mit Mikrofon, Verstärker und Lautsprecher.

Mehltau [der], eine durch Pilze hervorgerufene Pflanzenkrankheit. Auf die Blätter, aber auch auf die jungen Triebe und Früchte der Pflanzen legt sich ein schimmelartiger, grauweißer Überzug. Befallen werden vor allem Kulturpflanzen.

Mehrkampf [der], ein sportlicher Wettbewerb, der aus mehreren Einzeldisziplinen besteht und meist durch Punktwertung entschieden wird; z. B. in der Leichtathletik der *Siebenkampf* der Frauen (100-m-Hürdenlauf, Kugelstoßen, Hochsprung, Weitsprung, 200-m-Lauf, Speerwerfen, 800-m-Lauf) oder der *Zehnkampf* der Männer (100-m-Lauf, Weitsprung, Kugelstoßen, Hochsprung, 400-m-Lauf, 110-m-Hürdenlauf, Diskuswerfen, Stabhochsprung, Speerwerfen,

Meerkatzen leben in festen Horden.

Genauer betrachtet … Meer

Name	Fläche (Mio. km²)
Atlantischer Ozean	**106,20**
Nordsee	0,58
Ostsee	0,42
Mittelmeer	2,56
Schwarzes Meer	0,41
Hudsonbai	1,23
Baffinbai	0,69
Sankt-Lorenz-Golf	0,24
Amerikanisches Mittelmeer	4,31
Indischer Ozean	**75,80**
Rotes Meer	0,44
Persischer Golf	0,24
Arabisches Meer	3,86
Andamanensee	0,80
Golf von Bengalen	2,17
Pazifischer Ozean	**178,77**
Beringmeer	2,27
Ochotskisches Meer	1,53
Japanisches Meer	1,01
Ostchinesisches Meer	1,25
Südchinesisches Meer	3,64
Golf von Kalifornien	0,16
Australasiatisches Mittelmeer	8,61
Nordpolarmeer	**14,06**

1500-m-Lauf). Mehrkämpfe verschiedener Zusammenstellung gibt es auch beim Turnen, beim Eisschnelllauf, im Radsport und beim Skilaufen.

Mehrwertsteuer [die], eine Umsatzsteuer, die vom Verbraucher bezahlt wird. Dabei wird der Wertzuwachs versteuert, den eine Ware bei jeder Produktions- oder Handelsstufe erfährt (z.B. Herstellung, Verpackung, Lagerung). Der Steuersatz ist Bestandteil des Warenpreises.

Mehrzahl [die] → Plural.

Meile [die], veraltetes Wege- und Längenmaß, heute nur noch als *Seemeile* (1,852 km) und in angelsächsischen Ländern (englische, auch in den USA gültige *Statute Mile* = 1,609 km) verwendet.

Meiler [der], ein mit Erde überdeckter Holzstoß zur Bereitung von Holzkohle.

Meineid [der], ein vorsätzlich geleisteter falscher Eid vor Gericht oder einer ähnlichen Instanz. Der Meineid ist strafbar.

Meinungsforschung [die] → Demoskopie.

Meinungsfreiheit [die], das Recht des Menschen, seine Meinung ungehindert äußern zu dürfen. Die Meinungsfreiheit gehört in Deutschland zu den verfassungsrechtlich gesicherten Grundrechten. Siehe auch ZEIT-Beitrag → »Meinungsfreiheit: Sich trauen, die Wahrheit zu sagen«, Seite 80–83.

Meisen [Pl.], in Eurasien und Nordamerika verbreitete kleine, gewandte Singvögel. Die bekanntesten Arten sind die *Kohlmeise* und die *Blaumeise.*

Meister [Pl.], Handwerker, die nach einer Gesellenzeit die Meisterprüfung bestanden haben. Sie sind zur Führung eines Betriebes und zur Anleitung von Auszubildenden berechtigt.

Meistersang [der], der fast ausschließlich von Handwerkern gepflegte bürgerliche Gesang des 14. bis 16. Jh., der sich aus dem höfischen Minnesang entwickelt hatte. Es bildeten sich – wie im Handwerk – Zünfte, in denen es Lehrlinge, Gesellen und Meister gab. Meister durfte sich nur nennen, wer eine neue Melodie gefunden hatte. Der bedeutendste Meistersinger war Hans *Sachs.*

Demonstration für den Schutz der Pressefreiheit (1962)

Meinungsfreiheit

Sich trauen, die Wahrheit zu sagen

Von Jörg Nabert

»Die Regierung macht schlechte Schulpolitik.« Das ist ein Satz, der so oder so ähnlich in mancher Zeitung steht, im Radio oder auch im Fernsehen zu hören ist. Vielen Schülern, Eltern und Lehrern wird er aus der Seele sprechen.

Die Regierung allerdings dürfte er ärgern – und das vielleicht so sehr, dass sie den Beitrag oder womöglich die ganze Zeitung oder den Sender am liebsten verbieten würde! Das aber kann sie nicht, denn davor schützt die Pressefreiheit: Jeder hat in Deutschland heute das Recht, seine Meinung in Zeitungen, im Fernsehen, im Internet, im Film oder in anderen Medien frei zu sagen, zu schreiben oder in Bildern zu zeigen.

Das war nicht immer so. Früher, bevor Deutschland eine Demokratie wurde, haben die Fürsten nur die Meinung erlaubt, die ihnen gefiel. Das nennt man Zensur. Wer etwas anderes sagte, riskierte, ins Gefängnis zu kommen oder sogar hingerichtet zu werden. Auf jeden Fall wurden Zeitungen verboten, die den Mächtigen nicht gefielen.

Nicht überall ist die Presse frei

Dies war auch unter den Nationalsozialisten (1933 bis 1945) und in der DDR (1949 bis 1990) der Fall. In einigen Ländern der Welt gibt es auch heute noch keine Pressefreiheit, zum Beispiel in

China oder im Iran, wo nur regierungstreue Zeitungen erlaubt sind und sogar das Internet zensiert wird. In Deutschland hingegen muss die Regierung auch Kritik aushalten, die ihr nicht passt. Das steht in Artikel 5 des Grundgesetzes.

Die »Schere im Kopf«

Trotzdem droht auch in Ländern Gefahr, in denen die Pressefreiheit vom Gesetz geschützt wird. Denn nicht nur der Staat kann auf die Idee kommen, Artikel oder Sendungen verhindern zu wollen, die ihm nicht gefallen: Oft sind es große Firmen oder Privatleute mit Geld und Einfluss, die Druck auf die Journalisten ausüben. Zum Beispiel, wenn ein großer Konzern einer Zeitung damit droht, keine Werbeanzeigen mehr zu bezahlen, wenn sie einen bestimmten Artikel veröffentlicht. Wenn sich eine Zeitung solchem Druck beugt, dann kann vielleicht eine wichtige Meldung über ein gefährliches Medikament oder ein Unternehmen, das zu wenig Steuern zahlt, nicht erscheinen.

Die Pressefreiheit kann daher nur diejenigen schützen, die sich auch trauen, die Wahrheit zu schreiben. Wenn eine Zeitung eine Meldung nicht bringt, weil sonst ein wichtiger Kunde keine Anzeigen mehr bucht, oder wenn ein Fernsehsender einen Politiker nicht kritisiert, weil der Politiker Freunde beim Sender hat, dann hilft dagegen kein Gesetz. Die Angst vor den Folgen, die eine Meldung vielleicht haben könnte, nennt man deshalb auch »Schere im Kopf« – weil sie schon vorher, wie eine Schere, alle Gedanken herausschneidet, die jemandem nicht gefallen könnten. Dagegen hilft nur der Mut – und die Existenz möglichst vieler Zeitungen, Sender und Internetredaktionen. Denn dann kann niemand sicher sein, dass die Wahrheit, die er vertuschen möchte, nicht doch herauskommt oder eine unbequeme Meinung nicht doch gesagt wird. Die Regierung muss aus diesem Grund dafür sorgen, dass es genügend Zeitungen, Radio- und Fernsehsender und andere Medien geben kann – damit überhaupt die Möglichkeit besteht, verschiedene Meinungen zu lesen und zu hören.

Nicht zuletzt schützt das Recht auf Pressefreiheit auch die Journalisten. Sie können ihre »Quellen« geheim halten und müssen zum Beispiel in Terroristenprozessen nicht darüber aussagen, woher sie die Informationen für ihre Beiträge bekommen haben. Zeugnisverweigerungsrecht heißt das. Die Polizei darf deshalb nur in seltenen Fällen einen Verlag oder Sender oder sogar die Wohnung eines Journalisten durchsuchen, um auf diesem Weg herauszufinden, woher die Presse ihre Informationen hat. Kein Journalist wird freiwillig seine Quelle preisgeben, also denjeni-

EXTRABLATT

NEUES DEUTSCHLAND

Proletarier aller Länder, vereinigt euch!

ORGAN DES ZENTRALKOMITEES DER SOZIALISTISCHEN EINHEITSPARTEI DEUTSCHLANDS

Sowjetmajor J. A. Gagarin
Erster Mensch im Weltraum

Kommunismus verwirklicht kühnste Träume der Menschheit

Raumschiff „Wostok" glücklich gelandet

Die historische Nachricht

Moskau (ADN). TASS verbreitet folgende Mitteilung: Am 12. April 1961 ist in der Sowjetunion zum ...ten Mal in der Welt ein Raumschiffsputnik „Wostok", mit einem Menschen an Bord auf die Reise ... die Erde geschickt worden.

Der Pilot des Raumschiffs, des Sputnik „Wostok", ist der Bürger der Union der Sozialistischen Sowjetrepubliken Fliegermajor Juri Alexejewitsch Gagarin.

Der Start der mehrstufigen kosmischen Rakete verlief erfolgreich, und nachdem das Raumschiff die erste kosmische Geschwindigkeit erreicht und sich von der letzten Stufe der Trägerrakete losgelöst hatte, begann es mit dem freien Flug auf einer Bahn um die Erde.

Nach vorläufigen Angaben beträgt die Erdumlaufzeit des Sputniks 89,1 Minuten.

Das Perigaeum beläuft sich auf 175 Kilometer; und das Apogaeum auf 302 Kilo... ...winkel der Bahnebene zum Äquator macht 65 Grad ...

Der Siegeszug ins All

In der DDR-Zeitung »Neues Deutschland« durften keine regierungskritischen Berichte erscheinen

gen, der ihm etwas Wichtiges gesagt hat, wenn dieser Informant nicht genannt werden möchte. Das nennt man Informantenschutz.

Vor mehr als 200 Jahren hat man in Deutschland angefangen, Gesetze für die Pressefreiheit zu machen, und bis heute wird immer noch oft darüber gestritten, was die Presse darf und wann der Staat vielleicht doch eine Meinung verbieten können sollte. Über die Grenzen der Pressefreiheit entscheidet bei uns heute allerdings nicht mehr die Regierung – dafür sind Gerichte zuständig. Denn natürlich hat die Pressefreiheit auch Grenzen. So darf ein Journalist niemanden grundlos beleidigen, Lügen verbreiten oder zum Beispiel zu Mord oder Krieg aufrufen. Die Richter müssen dabei nicht nur das Grundgesetz berücksichtigen: Auch jedes Bundesland hat ein eigenes Pressegesetz. Daneben gibt es Gesetze für Radio und Fernsehen, für das Internet und andere Vorschriften, in denen die Grenzen der Pressefreiheit festgelegt sind. Dass die Polizei oder die Staatsanwaltschaft gegen Berichte oder Sendungen vorgeht, um die verantwortlichen Journalisten zu bestrafen, kommt allerdings selten vor. Nur wenn es um den Verrat von Staatsgeheimnissen oder schwere Beleidigungen ganzer Gruppen von Menschen (Volksverhetzung) oder die Unterstützung von Straftätern (Terrorismus) geht, werden Journalisten manchmal für das bestraft, was sie geschrieben haben.

Journalisten vor Gericht

Bei den meisten Gerichtsurteilen geht es heute um etwas anderes: um den Streit zwischen der Zeitung oder dem Journalisten auf der einen Seite und demjenigen, über den berichtet wurde, auf der anderen. Denn wer mit einem Bericht über sich nicht einverstanden ist, hat trotz der Pressefreiheit die Möglichkeit, sich zu wehren.

Zuerst kann der Betroffene eine Gegendarstellung verlangen. Darin kann er selbst die Geschichte aus seiner Sicht erzählen. Die Zeitung muss das dann drucken, ein Sender vorlesen. Weiter kann jemand, über den geschrieben wurde, verlangen, dass Unwahrheiten nicht wieder behauptet werden oder aus dem Internet oder aus dem Archiv verschwinden. Manchmal müssen Zeitungen oder Sender dann sogar Geld bezahlen – zum Beispiel wenn sie mit falschen Behauptungen Schaden angerichtet haben oder wenn sie jemanden sehr schwer beleidigt haben. In seltenen Fällen kann der Journalist sogar durch ein Gericht gezwungen werden, selbst in der Zeitung

Ohne eine freie Presse können sich Leser nur schwer eine eigene Meinung bilden

Deutsche Karikatur von 1819 über die damalige Einschränkung der Pressefreiheit

oder seinem Radio- oder Fernsehprogramm zu erklären, dass er etwas Falsches berichtet hat.

Das nennt man Widerruf oder Richtigstellung. Die Pressefreiheit schützt also nur die wahren Behauptungen und die faire Kritik. Jedes Jahr am 3. Mai wird der Internationale Tag der Pressefreiheit begangen, um den Menschen vor Augen zu führen, wie wichtig dieses Recht für jeden Einzelnen und für das Funktionieren einer Demokratie ist.

Jeder kann mitarbeiten

Ohne freie Presse könnten die Wähler zum Beispiel nur schwer herausfinden, welche Partei und welche Kandidaten sie wählen wollen und für welche Politik sie sich entscheiden möchten. In Ländern hingegen, in denen nur die Meinung der Regierung in der Presse vertreten ist, können die Leser sich kein eigenes Bild machen. Kandidaten, die nicht mit der Regierung einverstanden sind, werden dort folglich auch nur sehr selten gewählt – weil niemand von ihren Ideen erfährt. Oft erfahren die Wähler noch nicht einmal, dass es andere Parteien oder Kandidaten überhaupt gibt!

Am Tag der Pressefreiheit wird auch derjenigen Journalisten gedacht, die in nicht demokratischen Ländern umgebracht, entführt oder eingesperrt wurden, weil sich irgendjemand durch ihre Arbeit gestört fühlte. An solchen Taten sind nicht immer nur Regierungen schuld, sondern auch Verbrecherorganisationen oder andere mächtige Personen. Meist geschieht so etwas in Ländern, in denen Regierung, Polizei und Gerichte die Presse nicht genügend schützen. Es reicht also nicht, ein Recht auf Pressefreiheit zu haben, es muss auch ausreichend geschützt werden. Daran kann jeder – sei es bei der Schülerzeitung oder bei einem großen Fernsehsender – mitarbeiten. Denn je mehr veröffentlichte Meinungen es gibt, umso größer ist die Pressefreiheit.

Meitner, Lise, * 1878, † 1968; österreichische Physikerin und langjährige Mitarbeiterin von O. *Hahn*. Mit ihren grundlegenden Arbeit auf dem Gebiet der Atomphysik bereitete sie diejenigen Experimente vor, die 1938 zur ersten Kernspaltung führten.

Mekka, Stadt in Saudi-Arabien, 1,3 Mio. Einwohner. Mekka ist der Hauptwallfahrtsort und die heilige Stadt der Moslems mit dem zentralen Heiligtum, der *Kaaba*. In Mekka wurde Mohammed geboren. Jährlich besuchen etwa 2 Mio. Pilger die Stadt.

Mekong, der Hauptfluss Hinterindiens, 4500 km lang. Er entspringt an der Grenze zu Tibet und mündet in einem Delta ins Südchinesische Meer.

Melancholie [die, griech., »schwarze Galle«], Schwermut, Traurigkeit, auch Anzeichen für eine Depression.

Melanchthon, Philipp, eigtlich P. *Schwarzerd*, * 1497, † 1560, deutscher Reformator und Humanist. Er war Freund und wichtigster Mitarbeiter von M. *Luther*. Er organisierte das Schulwesen neu, verfasste die erste wissenschaftliche Darstellung der lutherischen Lehre sowie die Bekenntnisschriften. Besonders bemühte er sich um den Frieden zwischen den Konfessionen.

Melanesien, die westlichen Inseln Ozeaniens im Pazifischen Ozean, zu denen Neuguinea, das Bismarckarchipel, die Salomonen, Neuen Hebriden u. a. Inseln gehören.

Melanesien: ein Krieger mit traditioneller Körperbemalung

Melbourne: Die Skyline der Stadt spiegelt sich im Wasser des Yarra.

Melasse [die], Rückstand bei der Verarbeitung des Rübensaftes zu Zucker, eine zähe, dunkelbraune Flüssigkeit. Melasse ist ein beliebtes Futtermittel und Rohstoff für die Spiritusbereitung.

Melbourne ['mɛlbəːn], die zweitgrößte Stadt Australiens, Hafenstadt an der Südküste, an der Mündung des Yarra, 3,5 Mio. Einwohner. Melbourne ist Kultur-, Finanz- und Handelszentrum. Hier fanden 1956 die Olympischen Spiele statt.

Melodie [die], eine in sich geschlossene Folge von Tönen, die rhythmisch gegliedert ist.

Melone [die], eine tropische Kürbispflanze, deren Früchte in heißen Gebieten für die Ernährung und Erfrischung von Bedeutung sind. Bekannt sind die *Wassermelone* und die *Honigmelone*.

Membran [die], **1.** eine dünne, gespannte Wand oder Haut (z. B. das Trommelfell). **2.** in der Technik ein dünnes Blech zur Übertragung von Schwingungen (z. B. beim Mikrofon, Lautsprecher) oder zur Anzeige von Druck (z. B. im Manometer).

Memel, ein Fluss in Osteuropa, 937 km lang. Er entspringt in Weißrussland und mündet in die Ostsee. Die Stadt Memel liegt in Litauen am Kurischen Haff.

Memoiren [memo'aːrən, Pl., frz.], *Lebenserinnerungen*, eine schriftliche Darstellung der eigenen Erlebnisse.

Mendel, Gregor Johann, *1822, †1884; österreichischer Biologe, seit 1843 Mönch (Augustiner). Er entdeckte 1865 die nach ihm benannten allgemeingültigen Gesetze der Vererbung *(Mendel'sche Gesetze)*, indem er systematisch Kreuzungsversuche mit Erbsen und Bohnen durchführte. Ihre Bedeutung wurde erst um 1900 erkannt.

Mendel'sche Gesetze [Pl.], die von G. J. *Mendel* zuerst entdeckten, für alle geschlechtlichen Fortpflanzungsvorgänge geltenden Vererbungsgesetze. Auch → Genetik.

Mendelssohn-Bartholdy, Felix, *1809, †1847; deutscher Komponist, Dirigent und Pianist; Vertreter der Romantik. Er galt als »Wunderkind« und komponierte schon mit 17 Jahren die Ouvertüre zu Shakespeares »Sommernachtstraum«. Sein Werk umfasst vor allem Kammermusik, Klavierstücke, Oratorien und Orchesterwerke.

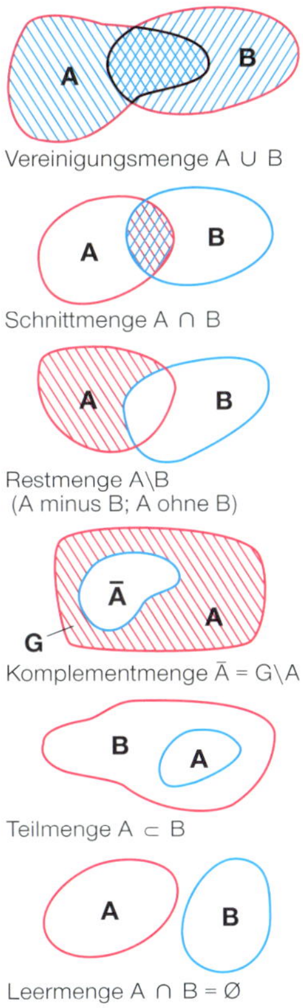

Menge: Die Grafik zeigt die verschiedenen Relationen (Beziehungen), in denen zwei Mengen zueinander stehen können.

Mendelssohn, Moses, *1729, †1786; deutscher Philosoph. Er war einer der Hauptvertreter der deutschen Aufklärung und trat besonders für die gesellschaftliche und politische Gleichstellung der Juden sowie für religiöse Toleranz ein.

Menge [die], ein Begriff der Mathematik. Eine Menge fasst die Objekte zusammen, die ein gemeinsames Merkmal haben. Diese Objekte heißen dann Elemente der Menge. Die *Mengenalgebra* behandelt die möglichen Verknüpfungen, wie beispielsweise die Durchschnittsbildungen. Die *Mengenlehre* untersucht die einzelnen Arten von Mengen: die unendliche Menge (z. B. die Punkte innerhalb eines Kreises) oder die endliche Menge (z. B. alle Primzahlen zwischen 1 und 100). Durch die Mengenlehre wurde die einheitliche Betrachtungsweise vieler mathematischer Gebiete möglich.

Menhir: Die Standing Stones of Callanish in Schottland sind eine über 5000 Jahre alte Kultstätte.

Menhir [der, keltisch, »langer Stein«], ein bis zu 20 m hochragender, roh behauener Stein aus der Jungsteinzeit. Menhire sind von kultischer Bedeutung. Man findet sie vor allem in der Bretagne, in Südengland und in Nordwestdeutschland.

Meniskus [der], die äußere und innere sichelförmige Faserknorpelscheibe im Kniegelenk. Beim ruckhaften Überstrecken des Knies (z. B. beim Sport) kann ein Stück vom Meniskus abreißen und in der Gelenkkapsel große Schmerzen verursachen.

Menorca, die nördlichste und zweitgrößte Insel der spanischen *Balearen* im westlichen Mittelmeer, 668 km² groß, 58 600 Einwohner. Die Hauptstadt heißt Mahon.

Was ist der …
Mensch

Der Mensch ist eine Art der Gattung Homo, mit lateinischem Namen Homo sapiens. Der Mensch gehört zur Familie der Hominiden und zur Ordnung der Primaten innerhalb der Klasse der Säugetiere. Er nimmt im Tierreich eine besondere Stellung ein wegen seines aufrechten Gangs und der hoch entwickelten Geschicklichkeit seiner Hände, v.a. aber wegen der außerordentlichen Entwicklung seines Gehirns. Hierin gründen seine Fähigkeiten, artikuliert zu sprechen, abstrakt zu denken sowie sich durch die Erschaffung künstlicher Hilfsmittel veränderten Umwelten anzupassen und diese zugleich zu gestalten.

Evolution des Menschen: Seit Tausenden von Jahren existieren bei den verschiedenen Völkern unterschiedliche Vorstellungen über die Herkunft des Menschen, die sich in ihren religiösen Überlieferungen widerspiegeln. Doch erst die Forschungen C. *Darwins* im 19. Jh. führten zu einer wissenschaftlich gegründeten Beschreibung von der Abstammung des Menschen von affenähnlichen Vorfahren. Die von Darwin behauptete Verwandtschaft von Menschen und Affen löste bei seinen Zeitgenossen heftigen Widerstand aus. Erst seit den 1960er Jahren konnten v.a. in Afrika durchgeführte Feldforschungen die Entwicklung des Menschen aus menschenaffenähnlichen Vorfahren durch Fossilfunde belegen. Vergleiche des Erbguts und molekularbiologische Vergleiche zwischen Mensch und Menschenaffen bestätigten diese Ergebnisse. Die engste Verwandtschaft besteht danach zwischen Mensch und Schimpanse. Die Aufspaltung von einem gemeinsamen Vorfahren in zwei getrennte Entwicklungslinien hin zu den heutigen Schimpansen und zum Menschen dürfte erst vor etwa 5–7 Mio. Jahren stattgefunden haben. Tatsächlich wurden 2000 in Afrika die Überreste des sogenannten »Millennium-Menschen« gefunden, der bereits aufrecht ging und vor etwa 6 Mio. Jahren lebte. 2001 wurde ein etwa 7 Mio. Jahre alter Schädel gefunden, der von vielen Forschern dem bislang ältesten bekannten Vorfahr des Menschen zugerechnet wird.

Lange Zeit war ein nahezu vollständig erhaltenes 3,2 Mio. Jahre altes, weibliches Skelett der berühmteste Fund eines Vormenschen, mit wissenschaftlichem Namen Australopithecus, von den Forschern liebevoll »Lucy« genannt. Lucy ging bereits aufrecht auf zwei Beinen, ihr Gehirn war aber noch nicht wesentlich vergrößert. Aus einem jüngeren Verwandten von Lucy entstand vor etwa 2 Mio. Jahren der früheste Mensch, der Homo habilis oder der »geschickte Mensch«. Dieser hatte ein deutlich größeres Gehirn als seine Vorfahren, stellte einfache Steinwerkzeuge her und ernährte sich auch von Fleisch. Vor etwa 1,8–1,5 Mio. Jahren folgte der Homo erectus, der »aufrechte Mensch«, der sich erstmals von Afrika aus nach Asien und Europa ausbreitete. Er ähnelte in der Körpergestalt schon sehr dem modernen Menschen. Er stellte vielfältige Werkzeuge her und kannte schon den Gebrauch des Feuers. Durch die fortschreitende Entwicklung des Gehirns entstanden aus ihm verschiedene Formen des Jetztmenschen, des Homo sapiens, des verständigen Menschen, wozu auch wir uns zählen. In Europa gehören hierzu die altertümlichen Neandertaler, die vor ca. 150 000 bis 30 000 Jahren lebten und deren Gehirngröße diejenige moderner Menschen sogar übertraf, was als Anpassung an das kalte Klima der Eiszeit gewertet wird. Sie waren von kräftigerer und gedrungener Gestalt mit flacher Stirn, ausgeprägtem Überaugenwulst und fliehendem Kinn. Man nimmt heute an, dass es sich bei ihnen um einen Seitenzweig der Entwicklung handelte, der nicht weiterführte, sie also nicht unsere

Vorfahren sind. Der moderne Mensch entstand vor ca. 150 000–200 000 in Afrika, betrat aber erst vor etwa 40 000 Jahren die europäische Bühne. Er ist heute der einzige Überlebende der Hominiden. Die äußerlich erkennbaren Unterschiede zwischen Menschen verschiedener Landschaften und Erdteile sind lediglich Anpassungen an unterschiedliche Klimate.

Biologie des Menschen: Der Körper des Menschen zeigt die typischen Merkmale der Säuger. Es gibt aber auch ein paar anatomische Besonderheiten, die ihn vom Tier unterscheiden, etwa der aufrechte Gang, wobei er auch den Rumpf senkrecht trägt. Dies hat Veränderungen an der Statik der Wirbelsäule, an der Stellung von Oberschenkel, Unterschenkel und Fuß zur Folge. V. a. aber bekam er so die Hände frei, die sich nun zu geschickten Greifwerkzeugen entwickeln konnten. Damit einher ging eine zunehmende Entwicklung des Gehirns, besonders der Großhirnrinde, die durch starke Faltung enorm an Oberfläche gewonnen hat und damit eine Voraussetzung bildet für die einzigartigen Intelligenz- und Gedächtnisleistungen des Menschen. Von den Sinnesleistungen sind besonders der Seh- und der Hörsinn gut ausgeprägt, während der Geruchssinn hinter dem vieler Tiere weit zurückbleibt. Ein Haarkleid ist beim Menschen weitgehend zurückgebildet bis zu winzigen flaumigen Härchen. Übrig bleiben nur das Kopf- und Barthaar, Achselhaare und die Schamhaare. Auch die Brüste der Frau sind ein charakteristisches Merkmal, das Tieren, auch den Menschenaffen, fehlt.

Der Fortpflanzung dienen die Geschlechtsorgane. Der Mensch entsteht aus einer winzigen Zelle, die sich bei der Verschmelzung einer weiblichen Eizelle und einer männlichen Samenzelle bildet. Durch das männliche Glied wird der Samen beim Geschlechtsverkehr (beim Samenerguss) tief in die weibliche Scheide geleitet. Die Samenzellen wandern in die Gebärmutter und die Eileiter, wo sie auf eine Eizelle treffen und mit ihr verschmelzen. Dabei vermischen sich das väterliche und mütterliche Erbgut. Etwa 120 Stunden nach der Befruchtung nistet sich der Keim in die Schleimhaut der Gebärmutter ein. Die Schwangerschaft dauert etwa 280 Tage und wird mit der Geburt des Kindes beendet. Auch → Sexualität.

Die Aufrichtung des Menschen: Auf dem Weg zum Vormenschen verloren die Arme ihre Stützfunktion, dadurch wurden die Hände frei für den greifenden Gebrauch (Handhabung von Werkzeugen). Beim Frühmenschen blieb die Nackenmuskulatur besonders stark entwickelt – ein Hinweis darauf, dass der Kopf noch nicht so frei beweglich war wie beim Jetztmenschen.

Menschenaffen [Pl.], die dem Menschen am nächsten verwandten Tiere. Ihre Gliedmaßen, besonders die Greiffüße mit entgegenstellbaren Daumen, sind zum Klettern in Bäumen ausgerüstet. Menschenaffen ernähren sich hauptsächlich von Sprossen und Früchten, aber auch von kleineren Säugern, und leben meist in familienartigen Verbänden. Zu ihnen gehören: 1. *Gorilla,* Bewohner der Urwälder West- und Mittelafrikas mit schwarzem Fell. Das männliche Tier wird bis zu 2 m groß und 250 kg schwer. Gorillas sind überwiegend Bodentiere ohne feste Reviere. Sie streichen in kleinen Familienverbänden umher und legen Schlafnester auf den Bäumen an. 2. *Orang-Utan,* ein reiner Wald- und

Menschenaffen: Wie alle Menschenaffen beweist auch der Schimpanse seine Intelligenz im Gebrauch von Werkzeugen.

Baumbewohner der Nordwestküste Sumatras und der Westküste Borneos. Er bewegt sich hangelnd mit sehr langen Armen und hat ein rotes Fell mit bis zu 50 cm langen Haaren. Die männlichen Tiere werden 1,90 m groß und 70 bis 100 kg schwer. 3. *Schimpanse,* der kleinste und am weitesten verbreitete Menschenaffe. Er lebt gesellig in den Wäldern West- und Zentralafrikas. Das männliche Tier wird bis 1,70m groß und bis 60 kg schwer. Er hat ein schwarzes Fell, ein nacktes Gesicht und bewegliche Lippen. Der Schimpanse ist das dem Menschen am nächsten stehende Tier. Schimpansen weisen unter den Menschenaffen die höchste Intelligenz auf. Sie haben einen relativ hoch entwickelten Werkzeuggebrauch und sind z. T. in der Lage, abstrakt zu denken.

Menschenrassen [Pl.] → Rasse.

Menschenrechte [Pl.], die jedem Menschen zustehenden Rechte auf Schutz vor Eingriffen des Staates. Siehe auch → Grundrechte sowie ZEIT-Beitrag → »Menschenrechte: Frei und gleich an Rechten«, Seite 90–93.

Menstruation [die], *Periode, Regel, Monatsblutung,* eine regelmäßige, in monatlichen Abständen erfolgende Gebärmutterblutung bei Frauen, die geschlechtsreif sind. Die Blutung erfolgt in individuell verschiedenen Abständen zwischen 21 und 31 Tagen. Sie dauert bis 6 Tage und ihre Stärke ist bei jeder Frau unterschiedlich. Die Menstruation beginnt bei den Mädchen mit der Pubertät, also etwa zwischen dem 12. und 14. Lebensjahr. In regelmäßigen Abständen gelangt eine Eizelle in den Eileiter. Wird das Ei dort von männlichen Samenzellen befruchtet, wandert diese befruchtete Zelle in die Gebärmutter und nistet sich in der stark durchbluteten Schleimhaut ein. Während einer Schwangerschaft tritt die Regelblutung nicht auf. Wird die Eizelle jedoch nicht befruchtet, wird sie mit der Schleimhaut der Gebärmutter ausgestoßen und von der Frau als »Blutung« erlebt. Alle diese Vorgänge werden durch Hormone gesteuert. Bei jungen Frauen tritt die Menstruation oft noch unregelmäßig auf. Hat seit der letzten Menstruation ein Geschlechtsverkehr stattgefunden, kann bei Ausbleiben der Blutung auch eine Schwangerschaft vorliegen. Die Ursache von Unregelmäßigkeiten kann aber auch in starken körperlichen und psychischen Belastungen (z. B. Prüfungsstress oder Hochleistungssport) sowie Klimaveränderungen liegen.

Menuett [das], ein alter französischer Volkstanz, der im 17. Jh. zu einem der beliebtesten Hof- und Gesellschaftstänze in Europa wurde. Das graziöse Menuett steht im 3/4-Takt und hat ein mäßiges Tempo. In der Kunstmusik fand es Aufnahme u. a. als Satz der Suite, Sinfonie, Sonate und Serenade.

Mephisto, *Mephistopheles,* in der Faust-Sage der Diener des Teufels.

Merbold, Ulf, * 1941; deutscher Physiker, erster Wissenschaftsastronaut der Bundesrepublik Deutschland. Er führte an Bord der US-Raumfähren *Columbia* (1983) und *Discovery* (1992) im Raumfahrtlabor *Spacelab* wissenschaftliche Experimente durch. 1994 startete er mit zwei russischen Astronauten zur Mission »Euromir 9«, um u. a. die Auswirkungen der Schwerelosigkeit auf die Herzgefäße, Sinnesnerven und Muskeln zu untersuchen.

Mercator, Gerhard, eigentlich G. *Kremer*, * 1512, † 1594; deutscher Kartograf. Er schuf ab 1569 die ersten auf wissenschaftlicher Basis erstellten See- und Landkarten, u. a. vom Nordpolargebiet und von Europa, sowie Erd- und Himmelsgloben. Ein Sammelwerk seiner Karten wurde als erster Weltatlas ein Jahr nach Mercators Tod von seinem Sohn herausgegeben.

Merckx [mεrks], Eddy, * 1945; belgischer Radrennfahrer. Ende der 1960er und Anfang der 1970er Jahre war er der erfolgreichste Radrennfahrer der Welt. Er gewann über 500 Rennen, darunter fünfmal die Tour de France und fünfmal den Giro d'Italia.

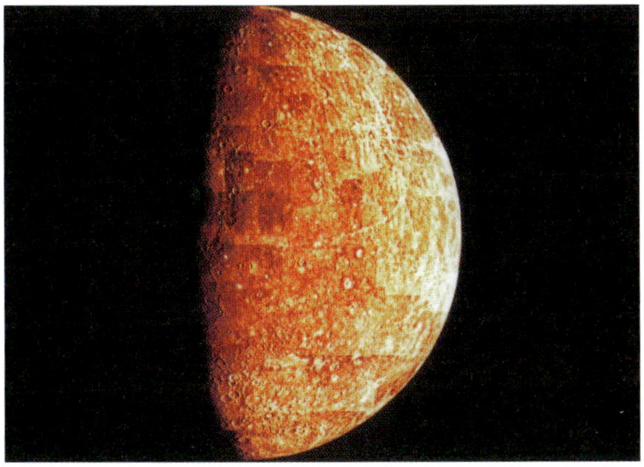

Merkur: der Planet in einer Aufnahme der Raumsonde Mariner 10

Meridian [der], ein *Längenkreis;* auch → Erde.

Merkantilismus [der], eine staatliche Wirtschaftspolitik in der Zeit des *Absolutismus* vom 16. bis 18. Jh. Oberstes Ziel war es, die Macht des Staates durch Stärkung der Staatskasse zu festigen. Um die Geldmenge (Gold- oder Silberbestände) im Inland zu vergrößern, förderte man das Ausfuhrgewerbe durch Einrichtung von Manufakturen. Die Einfuhren wurden dagegen durch hohe Zölle auf das notwendigste Maß beschränkt. Um Rohstoffe selbst gewinnen zu können, bemühten sich die größeren Staaten um den Erwerb von Kolonien. Hervorragendster Vertreter des Merkantilismus war der Finanzminister des französischen Königs Ludwig XIV., Jean-Baptiste *Colbert.*

Merkel, Angela, * 1954; deutsche Politikerin (CDU), Physikerin. Sie war 1991–1994 Bundesministerin für Frauen und Jugend, 1994–1998 Bundesministerin für Umwelt, Naturschutz und Reaktorsicherheit und 1998–2000 Generalsekretärin der CDU. 2000 wur- de sie zur Parteivorsitzenden der CDU gewählt. Nach vorgezogenen Bundestagswahlen wurde Merkel am 22. 11. 2005 zur Bundeskanzlerin einer Koalition aus CDU/CSU und SPD gewählt. Damit übernahm erstmals eine Frau das Amt des Regierungschefs der Bundesrepublik Deutschland.

Merkur, **1.** in der römischen Sagenwelt der Gott des Handels. **2.** der innerste Planet des → Sonnensystems, der der Sonne am nächsten ist. Die Oberfläche des Merkur ähnelt der des Mondes.

Merowinger [Pl.], altes Königsgeschlecht, Begründer des → Frankenreiches.

Meskalin [das, indian.], *Mescalin,* ein Rauschmittel, das aus Teilen einer in Mexiko heimischen Kakteenart gewonnen wird. Es ruft beim Menschen eigenartige Farberscheinungen, Verwirrung sowie eine vorübergehende Persönlichkeitsspaltung hervor.

Bildung ist Grundrecht jedes Menschen. Doch längst nicht überall herrschen dafür gute Bedingungen – zum Beispiel hier in Simbabwe

Menschenrechte

Frei und gleich an Rechten

Von Isabell Hoffmann

»Frei und gleich an Rechten werden die Menschen geboren und bleiben es« – so hatten es vor 200 Jahren französische Revolutionäre aufgeschrieben, nachdem sie den König und die Fürsten entmachtet hatten. Frei und gleich an Rechten! Alle Menschen! Wie großartig das klingt!

Im Alltag, so scheint es, sieht es hingegen oft anders aus. Ich erinnere mich gut: Nie durfte ich früher mit den Erwachsenen am Sonntagabend *Tatort* gucken. Nie durfte ich so viele Süßigkeiten essen, wie ich wollte. Und oft durfte ich nicht bei meiner Freundin übernachten. Dafür *musste* ich Rechenaufgaben lösen, mein Zimmer aufräumen und im Herbst, wenn die Blätter fielen, unseren Treppenaufgang kehren. Also reichte ich bei meinen Eltern Beschwerde ein. »Süß«, sagten die und tätschelten meinen Kopf. »Menschenrechte! Ganz schön pfiffig, die Kleine. Das versuche ich demnächst mal bei meinem Chef. Bin gespannt, wie der das findet!«

Wer hat das Sagen?

Das verstand ich nicht. Frei und gleich an Rechten – das heißt doch, dass alle machen dürfen, was sie wollen? Aber dann kommen Eltern und sagen: So nicht. Und zu Eltern kommt der Chef und sagt: So nicht. Gibt es am Ende also gar keine Menschenrechte? Oder was hatte ich falsch verstanden?

Die meisten Rechte sind Ansprüche, die wir uns irgendwie verdient haben. Wenn ich eine Fahrkarte für den Bus kaufe, habe ich einen Anspruch darauf, dass der Busfahrer mich mitfahren lässt. In der Schule habe ich einen Anspruch auf Pausen, weil die im Stundenplan stehen. Und wenn meine Eltern mir versprechen, mit mir in den Zirkus zu gehen, dann habe ich zumindest den moralischen Anspruch auf einen Zirkusbesuch. Sprich: Wenn meine Eltern ihr Versprechen brechen, sind sie in den Augen der Welt schlechte Menschen. Oder wenigstens in meinen.

Das Recht auf Leben

Rechte sind also Dinge, die uns versprochen oder garantiert werden. Wer etwas versprochen hat, muss sich daran halten. Wo kämen wir sonst auch hin, wenn alle alles wild versprechen würden, aber sich keiner später daran hielte? Man könnte sich auf nichts mehr verlassen.

Menschenrechte aber sind anders. Menschenrechte haben wir nicht, weil sie uns jemand versprochen hat. Es ist egal, ob einer in einem großen Haus lebt oder in einer kleinen Wohnung, ob seine Haare braun sind oder blond, ob seine Eltern einen hohen Posten in einer großen Firma innehaben, oder ob sie Straßen fegen. Menschenrechte haben wir, weil wir Menschen sind, von Geburt an, und keiner kann sie uns wegnehmen.

Zum Beispiel das Recht auf Leben, das wichtigste der Menschenrechte: Euer Recht auf Leben hängt nicht davon ab, dass euch jemand versprochen hat, euch nicht zu töten. Kein Mensch darf einen anderen Menschen umbringen, weil wir alle ein Recht auf Leben haben. Aber Menschen bringen einander doch um, in Kriegen zum Beispiel! Stimmt: Das *Leben* können Menschen verlieren, oder es kann ihnen genommen werden. Aber das *Recht* auf Leben niemals.

Die Menschen haben schon ziemlich früh gemerkt, dass sie nicht weit kommen, wenn sie das Leben ihrer Mitmenschen nicht respektieren. »Du sollst nicht töten« heißt es schon in der Bibel, und auch alle anderen Religionen verpflichten ihre Anhänger, das Leben zu respektieren. Doch die wollten das lange Zeit nicht verstehen. Klar war etwa im Mittelalter und auch noch in den Jahrhunderten danach, dass ein Bauer keinen Bauern umbringen

Mahatma Gandhi (vorne links) führte den gewaltfreien Widerstand der Inder gegen ihre britischen Kolonialherren an

durfte, ein Adliger keinen Adligen und ein Geistlicher keinen Geistlichen. Aber wenn ein Adliger einen Bauern umbrachte, scherte das lange Zeit kaum jemanden. Denn die Rechte hingen damals vom Besitz ab. Wer Land besaß, besaß die Macht, seine Ansprüche durchzusetzen. Die Bauern, die das Land bewirtschafteten, waren Leibeigene und gehörten somit zum Besitz der Herren.

Die alten Römer hatten vor 2000 Jahren sogar in ihren Gesetzen aufgeschrieben, dass es tote Werkzeuge, brüllende Werkzeuge und sprechende Werkzeuge gibt. Die sprechenden Werkzeuge, also Sklaven, hatten genauso viele Rechte wie die toten Werkzeuge, also Hämmer, Nägel, Fuhrwerke. Wenn einer der Sklaven starb, war das so, als würde ein Hammer kaputtgehen! Vom Römischen Reich bis zur Französischen Revolution und ihrer ersten Menschenrechtserklärung musste also noch viel in den Köpfen der Menschen passieren.

Erst 1789 war die Zeit dann reif, und die Franzosen schrieben zum ersten Mal: »Frei und gleich an Rechten werden die Menschen geboren und bleiben es.« Sie haben »natürliche, unveräußerliche und geheiligte Menschenrechte«. Damit meinten sie das Recht auf Leben und das Verbot der Folter, unmenschlicher, erniedrigender Strafen und der Sklaverei. Dazu kamen das Recht auf persönliche Freiheit und Sicherheit – das heißt, dass wir denken, glauben und sagen dürfen, was wir wollen. Und dass wir uns mit anderen, die das Gleiche denken, treffen und verbünden dürfen. Und schließlich, dass wir vor dem Gesetz alle gleich sind, dass uns bei einer Anklage ein faires Verfahren zusteht und dass ein Urteil »im Zweifel für den Angeklagten« sprechen muss. Für uns sind diese Dinge heute vollkommen normal, aber damals waren sie revolutionär, und deshalb haben sie einen großen Streit ausgelöst.

Streit um die Menschenrechte

Zuerst wurde die Frage ausgefochten, wer überhaupt zu den Menschen gehört. »Alle«, sagten die einen. »Unfug«, sagten die anderen, »nur die mit Besitz und Macht.« Es gab ein großes Gerangel, bis geklärt war: Alle Männer sind Menschen. »Und was ist mit den Frauen?«, fragten einige Frauen. »Unfug«, bekamen sie zurück: »Frauen haben doch ihre Ehemänner. Was müssen die jetzt auch noch Rechte haben? Da könnte ja jeder kommen. Am Ende wollen auch noch Kinder Rechte haben.« So ging es immer hin und her. Vor über 200 Jahren hat dieser Disput angefangen, und wir diskutieren immer noch.

Die Organisation amnesty international setzt sich weltweit gegen Menschenrechtsverletzungen wie Folter und Todesstrafe ein

Exil-Iraner und besonders Exil-Iranerinnen demonstrieren in Deutschland gegen die Regierung ihres Landes, die vor allem die Rechte der Frauen mit Füßen tritt

Nach schrecklichen Ereignissen wie dem Zweiten Weltkrieg, durch den mehr als 50 Millionen Menschen ums Leben gekommen sind, hört der Streit meist für eine Weile auf: Weil allen Beteiligten plötzlich klar wird, wie wichtig es ist, aufzuschreiben, wie Menschen miteinander umgehen sollten. Am 10. Dezember 1948 verkündeten deshalb die Vereinten Nationen eine »Allgemeine Erklärung der Menschenrechte«, die nun in aller Welt Gültigkeit haben sollten.

Jeder darf seine Meinung sagen

Auch in Deutschland sind die Menschenrechte seit 1948 im Grundgesetz verankert und gehören zum Fundament, auf dem unser Land und sein Rechtssystem aufgebaut sind. In vielen anderen Ländern jedoch sind die Bewohner immer noch Willkür, Verfolgung und Unfreiheit ausgesetzt. Was genau folgt nun daraus, wenn die Menschenrechte gelten? Darf man in ihrem Namen alles machen, was man will? Die Antwort lautet: nein. Die Menschenrechte stärken zwar den Einzelnen, damit er nicht von einer Gruppe oder einem Mächtigeren schikaniert werden kann, geben ihm aber nicht das Recht, andere zu schikanieren. Vielmehr regeln sie das Verhältnis zwischen der Gemeinschaft und der Einzelperson, damit alle besser miteinander auskommen.

In der Familie etwa gibt es Regeln, Abkommen und auch Verbote, nach denen sich das Zusammenleben ordnet. Sie sind verhandelbar und wandeln sich mit der Zeit; zunächst einmal aber gelten sie. Damit diese Regeln ausgehandelt werden können, muss klar sein, dass jeder seine Meinung sagen darf, ohne dass er geschlagen oder gar mit dem Tode bedroht wird. Es ist also ein Menschenrecht, immer mehr Süßigkeiten zu fordern. Es ist aber leider kein Menschenrecht, sie auch zu bekommen.

Mesonen [Pl.], Elementarteilchen, deren Masse zwischen der des Elektrons und der des Protons liegt. Sie sind nicht stabil, sondern zerfallen in leichtere Elementarteilchen.

Mesopotamien [das], *Zweistromland,* die Landschaft zwischen Euphrat und Tigris vom Armenischen Hochland bis zum Persischen Golf. Im Altertum entwickelten sich hier die Reiche Babylonien und Assyrien. Heute gehört Mesopotamien mit seinem Hauptteil zum Irak, mit kleineren Teilen im Norden und Nordwesten zu Syrien und zur Türkei.

Mesozoikum [das], das Erdmittelalter, → Erdzeitalter (Tabelle).

Messe [die], **1.** in der katholischen Kirche eine Form des Gottesdienstes. Sie gliedert sich in die Eröffnung (Eingangslied und Einführung), den Wortgottesdienst (Lesung des Evangeliums und Predigt), die Eucharistiefeier (Feier des Abendmahls mit der Wandlung des Brotes und der Kommunion des Priesters und der Gemeinde) und die Schlussriten (Vermeldungen, Segen und Entlassung). Die Gesänge zur Messfeier werden ebenfalls Messe genannt. **2.** Vertonung der regelmäßig wiederkehrenden Teile einer → Messe (1.) zu einem geistlichen Chorwerk. Eine der berühmtesten Messen ist *Beethovens* »Missa solemnis«. **3.** eine Handelsmesse, Ausstellung von Warenmustern meist aus einem bestimmten Wirtschaftsbereich (z. B. Bücher, Kraftfahrzeuge), mit dem Ziel, Interessenten zu unterrichten beziehungsweise Kaufabschlüsse zu erreichen.

Messias [der, aramäisch, »der Gesalbte«], nach dem Alten Testament der von Gott verheißene Erlöser; Beiname, den die Urgemeinde *Jesus Christus* gab.

Messing [das], eine Legierung aus Kupfer und Zink. Man unterscheidet *Rotmessing* mit mehr als 80% Kupfer, das als unechtes Blattgold und Bronzefarbe verwendet wird, *Gelbmessing* mit 60–80% Kupfer, das für Maschinenteile verwendet wird, und sprödes *Weißmessing* mit einem Kupferanteil von 20–40%.

Messner, Reinhold, * 1944; italienischer Bergsteiger und Schriftsteller. Er bestieg 1978 als Erster den Mount *Everest* ohne Sauerstoffgerät und bezwang als erster Mensch alle 14 über 8000 m hohen Berge. 1990 durchquerte er zusammen mit Arved *Fuchs* zu Fuß die Antarktis.

Die Metamorphose des Schmetterlings vollzieht sich in 5 Phasen.

Metalle [Pl.], chemische Elemente, die sich durch besondere Eigenschaften auszeichnen. Sie sind bei gewöhnlicher Temperatur (20 °C) fest (mit Ausnahme von Quecksilber), undurchsichtig, glänzend und bilden Legierungen. Metalle sind gute Leiter für Wärme und Elektrizität. Man unterscheidet *Leichtmetalle* (beispielsweise Aluminium und Magnesium) und *Schwer-*

metalle (z. B. Eisen und Blei), *unedle Metalle,* die sich an der Luft mit einer Oxidschicht überziehen, und die *Edelmetalle* (z. B. Gold und Silber).

Meteor: Der Barringer-Krater in der Wüste Nordarizonas entstand vor ungefähr 50 000 Jahren durch Meteoriteneinschlag.

Metamorphose [die], *Umwandlung* oder *Verwandlung.* Bei den Pflanzen ist damit die langsame Gestaltumwandlung von Organen gemeint, wie den Wurzeln, die sich zu Luft- und Atemwurzeln oder zu Wurzeldornen weiterentwickeln. Bei Tieren versteht man unter Metamorphose die Entwicklung vom Ei über ein oder mehrere Larvenstadien zum erwachsenen Tier. Bekannt sind Metamorphosen bei Insekten, etwa bei Raupen, die sich verpuppen und Kokons bilden, aus denen bald wunderschöne Schmetterlinge schlüpfen. Auch bei Krebsen, Bandwürmern und Lurchen (von der Kaulquappe zum Frosch) findet eine Metamorphose statt. In der Gesteinskunde betrifft die Metamorphose Steine, die sich durch Druck und Temperatur verändern. Auch in der Sagen- und Märchenwelt kennt man Metamorphosen, etwa wenn Menschen verzaubert werden und sich in Tiere oder Bäume verwandeln.

Metapher, sprachlicher Ausdruck, der das Gemeinte durch eine Vorstellung (meistens ein Bild) zum Ausdruck bringt, die aus einem ganz anderen Bereich stammt, z. B. »Bett« statt »Flussrinne«.

Metastase [die], eine Tochtergeschwulst, von einer bösartigen Geschwulst (→ Krebs) ausgehender »Ableger« in einem anderen Körperteil. Metastasen entstehen durch Verschleppung von Geschwulstzellen im Blut- oder Lymphstrom.

Meteor [der oder das], Leuchterscheinung, die entsteht, wenn ein außerirdischer Kleinkörper in die Erdatmosphäre eindringt und verglüht. Besonders kleine Meteore heißen *Sternschnuppen.* Größere Meteore, die nicht völlig in der Erdatmosphäre verglühen, zerspringen oft in kleine Stücke, die dann als *Meteoriten* auf die Erde fallen (»Meteoritenschauer«). Dabei entstehen in seltenen Fällen *Meteoritenkrater* (z. B. in Arizona/USA, 1260 m Durchmesser). Der größte bisher gefundene Meteoritenkrater ist der Vredefort-Ring in Südafrika (40 km Durchmesser). Die meisten Meteoriten sind jedoch winzig klein (im Durchmesser kleiner als 0,1 mm).

Meteorologie [die], *Wetterkunde,* die Wissenschaft, die sich mit den physikalischen Vorgängen beim Wetter sowie mit der Wettervorhersage (→ Wetter) befasst.

Meter [der oder das], Kurzzeichen m, eine Längeneinheit. Das Meter wurde 1795 in Frankreich eingeführt und gilt seit 1875 international festgelegt als: 1 m = der vierzigmillionste Teil des Erdumfangs. 1983 wurde der Meter neu definiert als die Strecke, die Licht im Vakuum in $^1/_{299792458}$ Sekunden zurücklegt.

Methan [das], ein farb- und geruchloses Gas (einfachster Kohlenwasserstoff), das mit schwach leuchtender Flamme brennt. Methan findet sich vor allem im Erd- und Leuchtgas, das im Bodenschlamm von Seen bei der Fäulnis von Pflanzenresten entsteht. Es wird u. a. zu Heizzwecken verwendet.

Methode [die, griech., »Weg zu etwas«], die Art und Weise des Vorgehens, das jeweilige Verfahren der Erkenntnisgewinnung und -darstellung.

Methodisten [Pl.], Anhänger einer 1740 gegründeten Erweckungsbewegung, eine freikirchliche Gemeinde der anglikanischen Kirche.

Methusalem, eine Gestalt aus der Bibel, der Großvater Noahs. Er soll 969 Jahre alt geworden sein (»alt wie Methusalem«).

Metrik [die], die Lehre vom Versmaß, den Strophen, Reimen und dem Rhythmus einer Dichtung in gebundener Rede (z. B. Gedicht).

Metronom [das], von einem Uhrwerk getriebenes Taktmessinstrument. Es ermöglicht eine genaue Regulierung des Tempos bei Musikstücken.

Metropole [die], Mittelpunkt, Hauptstadt.

Metrum, regelt die Abfolge von betonten (Hebung) und unbetonten Silben (Senkung) eines Verses. Die kleinste metrische Einheit ist der *Versfuß* oder *Takt*, der aus einer betonten Silbe besteht, der eine oder mehrere unbetonte Silben folgen oder vorausgehen. Der Begriff Metrum wird sowohl für den Versfuß wie für das *Versmaß*, also die Anzahl und Art der Versfüße pro Zeile verwendet.

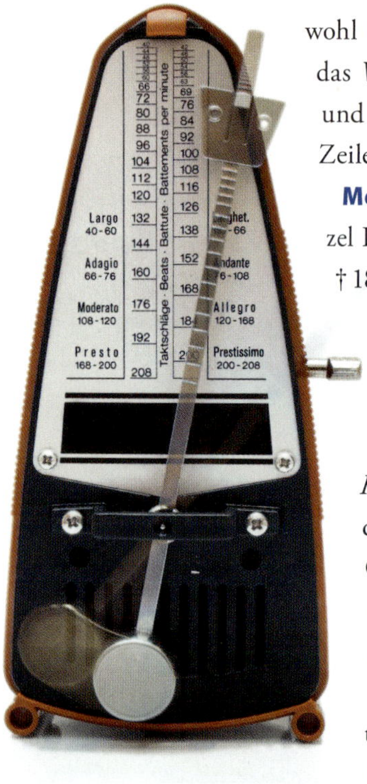

Metronom: Ein nach einer Skala verschiebbares Gewicht bestimmt die Zahl der Pendelauschläge in der Minute.

Metternich, Klemens Wenzel Lothar Fürst von, * 1773, † 1859; österreichischer Politiker, 1810 bis 1849 österreichischer Staatskanzler. Er eröffnete und leitete den *Wiener Kongress* 1814/1815, wo er den Deutschen Bund mit Österreich als Vormacht durchsetzte. In der Folgezeit wurde er Hauptvertreter der Restauration, indem er innenpolitisch die liberalen und revolutionären Kräfte hauptsächlich durch Polizeigewalt zu unterbinden suchte. Außenpolitisch strebte Metternich das Gleichgewicht zwischen den europäischen Mächten an. Nach der *März-Revolution* 1848 musste er als Hof- und Staatskanzler abdanken.

Mexico, *Ciudad de México,* Hauptstadt von Mexiko, im südlichen Hochland von Mexiko, mit Vororten rund 22,4 Mio. Einwohner. Mexico ist kultureller Mittelpunkt und bedeutendster Industriestandort des Landes. Die Stadt wurde im 16. Jh. auf den Ruinen der Aztekenstadt Tenochtitlán erbaut, die von den Spaniern zerstört wurde.

Ländersteckbrief Mexiko

Fläche:	1 964 375 km²
Einwohner:	108 Millionen = 55 je km²
Hauptstadt:	Mexico
Religion:	römisch-katholische Kirche
Amtssprache:	Spanisch
Währung:	1 Mexikanischer Peso = 100 Centavos

Mexiko, Staat in Mittelamerika.

Landesnatur: Der Kernraum ist ein 1000–2500 m hohes, von Steppen eingenommenes Hochland, das von bis über 3000 m hohen Randgebirgen (*Sierra Madre Oriental* im Osten, *Sierra Madre Occidental* im Westen) gesäumt wird. Im Hochland erheben sich die

Mexiko: Hohe Geburtenzahlen und unkontrollierte Zuwanderungen haben Mexico zu einer der größten Städte der Erde anwachsen lassen.

erloschenen Vulkanberge des *Popocatépetl* (5465 m), des *Iztaccihuatl* (5286 m) und des *Citlaltépetl* (5700 m). Südlich schließt sich die *Sierra Madre de Chiapas* (bis 2948 m) an; nach Nordosten liegen die feuchtheiße Küstenebene von *Tabasco* und die teilweise sumpfige Kalktafel der Halbinsel Yucatán. Zu Mexiko gehört auch die Halbinsel *Niederkalifornien* (Baja California). Naturkatastrophen (Erdbeben, Vulkanausbrüche, Hurrikans) treten relativ häufig auf.

Bevölkerung: Die überwiegend katholische Bevölkerung besteht zu 75% aus Mestizen; 14% sind Indianer (u. a. Maya, Nahua, Otomi, Zapoteken), 10% sind Weiße.

Wirtschaft: Die Landwirtschaft liefert Baumwolle, Obst und Gemüse, Kaffee, Kakao, Zuckerrohr, Sisalhanf und Tabak für den Export. Eisen-, Blei-, Zink-, Kupfer-, Silbererze, Gold, Quecksilber und Schwefel werden abgebaut, Kohle, Erdöl und Erdgas gefördert. Schwerpunkte der Industrie sind die Herstellung von Nahrungs- und Genussmitteln, Textilien, Stahl, Fahrzeugen, Maschinen und Chemieprodukten. Große Bedeutung hat der Tourismus. Die wichtigsten Häfen sind Veracruz und Tampico.

Geschichte: Im heutigen Mexiko lösten seit etwa 800 v. Chr. verschiedene indianische Hochkulturen einander ab. Die letzte war die der Azteken. 1519–1521 eroberte H. *Cortés* das Aztekenreich für Spanien. Als Vizekönigreich *Neuspanien* erlangte Mexiko durch seinen Silberreichtum große Bedeutung. 1821 erkämpfte es die Unabhängigkeit und wurde 1824 Republik. Im Krieg gegen die USA (1846–1848) verlor Mexiko seine gesamten Nordprovinzen. 1858–1861 kam es zum Bürgerkrieg, der das Land zahlungsunfähig machte. Napoleon III. setzte 1864 den österreichischen Erzherzog Maximilian als Kaiser in Mexiko ein, der sich aber nach Abzug der Franzosen nicht halten konnte und 1867 erschossen wurde. 1877–1911 (mit Unterbrechung) war P. *Díaz* Präsident von Mexiko. Unter seiner Diktatur erlebte Mexiko eine Periode der Stabilität und des Wirtschaftsaufschwungs. Sein Sturz leitete die mexikanische Revolution (1911–1920) ein. Die sozialistische Richtung setzte sich durch (Verstaatlichung; Bodenreform). Sie organisierte sich in der »Institutionellen Revolutionspartei« (PRI), die lange Zeit politische Stabilität sicherte und erst 2000 nach 71-jähriger Herrschaft die Regierung verlor. Ein Aufstand der indianischen Bevölkerung im Bundesstaat Chiapas erregte 1994 weltweites Aufsehen. Obwohl die Rechte der indianischen Bevölkerung in der Folgezeit gestärkt wurden, konnte der Konflikt nicht endgültig beigelegt werden. Mexikanischer Staatspräsident ist seit 2006 F. *Calderón Hinojosa*.

Mexiko: Die Indianer vom Stamm der Totonaken stellen mit ihrem fliegenden Tanz die Beziehung der Götter zur Erde dar.

Meyer, Conrad Ferdinand, * 1825, † 1898; schweizerischer Schriftsteller. Zu seinen bedeutendsten Werken zählen der historische Roman »Jürg Jenatsch« sowie die historischen Novellen »Das Amulett«, »Gustav Adolfs Page« und »Die Hochzeit der Mönchs«. In seinen Werken ließ er die Welt der italienischen Renaissance und des Mittelalters lebendig werden. Seine Themen waren die schweizerische Landschaft, die christliche Religion und die Geschichte, das Problem von Macht und Sittlichkeit.

MEZ, Abkürzung für → **M**ittel**e**uropäische **Z**eit.

Mg, chemisches Zeichen für → Magnesium.

MHP, Abkürzung für ***M**ultimedia **H**ome **P**latform*, eine hardware-unabhängige Softwareschnittstelle für digitales Fernsehen. MHP ermöglicht Dienste wie z. B. elektronische Programmführer oder den Internetzugang und unterstützt unterschiedliche Endgeräte (z. B. Multimedia-PCs).

Miami [mai'æmi], Stadt an der Südostküste der USA (Florida), 387 000 Einwohner (mit Vororten 1,95 Mio. Einwohner); das Zentrum eines großen Fremdenverkehrsgebiets.

Wer war … Michelangelo

Michelangelo (eigentlicher Name Michelangelo *Buonarroti*, * 1475, † 1564) war ein italienischer Bildhauer, Maler, Baumeister und Dichter. Er war einer der führenden Künstlerpersönlichkeiten der italienischen Hoch- und Spätrenaissance. Mit seiner Vielseitigkeit verkörperte er wie sonst nur Leonardo *da Vinci* das Ideal des universal gebildeten Menschen. Im Mittelpunkt seiner Werke steht der Mensch, den Michelangelo wie kein Künstler zuvor in all seinen Bewegungen, Gebärden und Leidenschaften realistisch abbildete. Seine Skulpturen und Bilder entsprechen in ihren Proportionen und mit ihren eleganten, kraftvollen Figuren dem klassischen Schönheitsideal der Renaissance, gleichzeitig wurde Michelangelo mit seinem Stil aber auch zum Wegbereiter des Manierismus und Barock. Seine gewaltigen Deckenfresken (1508 bis 1512) nach Themen der Schöpfungsgeschichte in der Sixtinischen Kapelle des Vatikans gelten als eines der größten Kunstwerke überhaupt.

Michelangelo wuchs in Florenz auf, wo er auch ausgebildet wurde. Nach Aufenthalten in Bologna und Rom lebte er 1501–1505 erneut in Florenz, um danach in Rom die Arbeiten an einem Grabmal für Papst *Julius II.* aufzunehmen. 1520–1534 arbeitete Michelangelo an der Medici-Grabkapelle in Florenz und war anschließend wieder dauerhaft in Rom beschäftigt, wo u. a. 1536–1541 die Fresken des Jüngsten Gericht in der Sixtinischen Kapelle entstanden. Als Maler entwickelte er einen Stil von plastisch erscheinender Körperbewegung und heller Farbigkeit. Als Bildhauer beeinflusste ihn u. a. *Donatello*, doch nahm sich Michelangelo vor allem antike Skulpturen zum Vorbild. Bedeutende Werke sind die »Pietà« und der »David«. Michelangelo leitete auch die Umgestaltung des Kapitolplatzes in Rom und den Bau des Treppenhauses der Biblioteca Laurenziana in Florenz, deren Grundformen ihn als Vater des Barocks ausweisen. Seine Dichtung, gekennzeichnet durch tiefreligiöse Innerlichkeit, betrachtete Michelangelo selbst nur als Beiwerk.

Dieser Ausschnitt aus Michelangelos berühmtesten Deckenmalereien in der Sixtinischen Kapelle in Rom zeigt die Erschaffung Adams.

Micky Mouse (rechts) und Donald Duck sind gute Freunde.

Micky Mouse [die, engl.], eine Figur aus den Zeichentrickfilmen und Comics von Walt *Disney.* Die erste Micky Maus trat 1926 in einem Stummfilm auf. Seit 1957 erscheinen in Deutschland regelmäßig Micky-Mouse-Hefte.

Mies van der Rohe, Ludwig, * 1886, † 1969; deutscher Architekt. Er war einer der führenden Vertreter der modernen Baukunst in der 1. Hälfte des 20. Jh.; mit einem einfachen und schlichten Baustil, für den er Glas, Beton und Stahl bevorzugte, revolutionierte er die Architektur. 1920–1933 war er Lehrer am Bauhaus, ab 1937 lebte und arbeitete er in den USA.

Migräne [die], anfallartig auftretende Kopfschmerzen, oft in Verbindung mit Übelkeit und Brechreiz.

Mikroben [Pl.] → Mikroorganismen.

Mikrobiologie [die], ein Teilgebiet der Biologie, das sich mit mikroskopisch kleinen Lebewesen (z. B. Mikroorganismen) befasst.

Mikroelektronik [die], Zweig der Elektronik, der sich mit der Entwicklung und dem Einsatz von *integrierten Schaltkreisen* befasst, d.h. Schaltungen, bei denen zahlreiche Bauelemente gleichzeitig auf einem gemeinsamen Halbleiterplättchen, das nur wenige Millimeter groß ist, zusammengefasst werden. Diese integrierten Schaltungen ermöglichen, dass man eine komplette Baustufe (etwa einen Verstärker) ohne jede Lötstelle auf einer Trägerplatte anordnet.

Mikrofon [das], *Mikrophon,* ein Gerät, das Schallschwingungen (z. B. die menschliche Stimme) in elektrische Schwingungen (Wechselströme) umwandelt.

Mikrokosmos [der], die »kleine Welt«, d.h. im Allgemeinen der Mensch im Gegensatz zum *Makrokosmos* (der »großen Welt«).

Mikrometer [das; griech.], Kurzzeichen µm, eine Längeneinheit, das 10^{-6}-fache des Meters; 1 µm = $^1/_{1000}$ mm.

Ländersteckbrief
Mikronesien

Fläche:	701 km²
Einwohner:	111 000 = 158 je km²
Hauptstadt:	Palikir
Religion:	Christentum
Amtssprache:	Englisch
Währung:	1 US-Dollar = 100 Cents

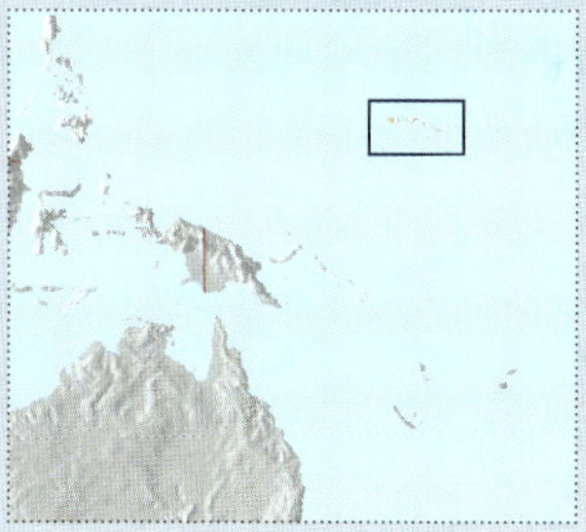

Mikronesien, Staat in Ozeanien.

Der Inselstaat umfasst den östlichen Teil der Karolinen mit rund 600 Inseln, gegliedert in die 4 Teilstaaten Kosrae, Pohnpei, Chuuk und Yap; tropisches Klima. Fischfang und Tourismus sind von Bedeutung. Das Land erhält Finanzhilfe von den USA.

Geschichte: Anfang des 16. Jh. von den Spaniern entdeckt, war das Gebiet 1899 bis zum Ersten Weltkrieg in deutschem Besitz, danach wurde es japanisches Völkerbundsmandat. 1945 wurde Mikronesien UN-Treuhandgebiet unter US-Verwaltung. 1990 endete die Treuhandverwaltung und 1991 trat Mikronesien der UNO bei.

Mikronesien: Die Inseln und kleinen Eilande ziehen sich über eine Strecke von mehr als 2500 km.

Mikroorganismen [Pl.], *Mikroben,* mikroskopisch kleine Lebewesen wie Blaualgen, Bakterien, niedere Pilze und Protozoen.

Mikroprozessor [der], ein Bauelement aus der Elektronik, das nur wenige Millimeter groß ist. Es enthält viele Schaltungen auf einem Halbleiterträger und kann als ein Standardbauteil vielfältig eingesetzt werden.

Mikroskop [das], ein optisches Gerät zur Betrachtung und fotografischen Abbildung sehr kleiner Gegenstände. Das Objektiv erzeugt ein reales (wirkliches) Bild des Gegenstandes in 5- bis 100-facher Vergrößerung. Dieses Bild wird durch das *Okular* betrachtet, das wie eine Lupe wirkt und nochmals 8- bis 20-fach vergrößert. Der zu betrachtende Gegenstand liegt auf einem verstellbaren Objekttisch und wird von unten durchleuchtet. Die Grenzen des Mikroskops liegen bei einer Vergrößerung 1:3000. Mit dem *Elektronenmikroskop,* das nicht mehr mit Lichtstrahlen, sondern mit Elektronenstrahlen arbeitet, sind über 100 000-fache Vergrößerungen möglich.

Mikrowellen [Pl.], elektromagnetische Wellen, die zwischen dem Gebiet der ultrakurzen Radiowellen und dem infraroten Bereich liegen. Ihre Wellenlängen erstrecken sich von etwa 10 cm bis herab zu 1 mm. Sie werden in der Radartechnik und der Nachrichtentechnik eingesetzt. Beim Mikrowellenherd werden elektromagnetische Strahlen zum Erwärmen von Lebensmitteln genutzt. Dabei wird die absorbierte elektromagnetische Energie in Wärme umgewandelt.

Milane [Pl.], habichtähnliche Greifvögel, die durch ihren Gabelschwanz auffallen. Sie sind weltweit verbreitet. In Europa lebt der *Rote Milan,* auch

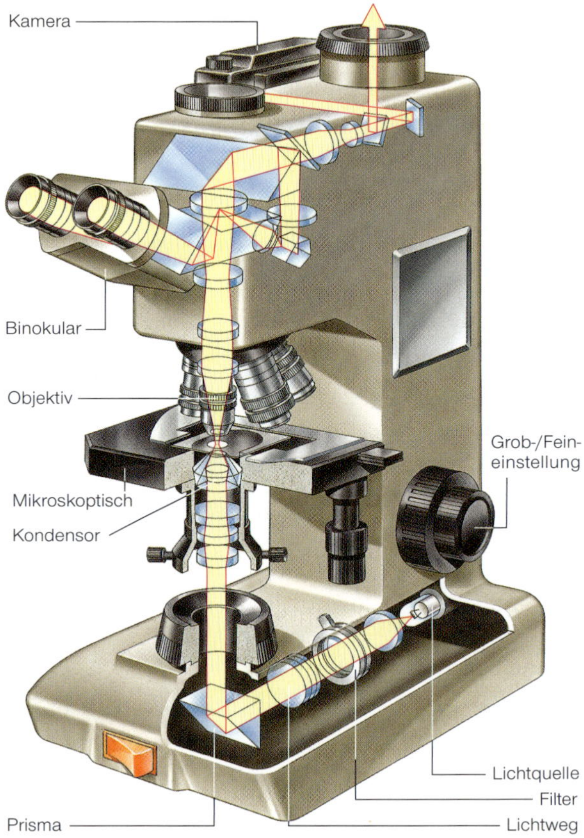

Mikroskop: Die Grafik veranschaulicht den Aufbau eines Lichtmikroskops.

Gabel- oder Königsweihe genannt. Er wird bis 60 cm lang und ernährt sich von Aas und Kleintieren. Der *Schwarze Milan* wird etwa 55 cm groß und lebt gern in Wassernähe. Beide Milane sind Zugvögel.

Milben [Pl.], Spinnentiere, bei denen Kopf und Körper verschmolzen sind. Viele der oft mikroskopisch kleinen etwa 10000 bekannten Arten leben als Pflanzen- oder Tierschmarotzer.

Milch [die], die von den Milchdrüsen weiblicher Säugetiere und der Frau abgesonderte Nährflüssigkeit. Sie enthält alle zur Aufzucht des Neugeborenen erforderlichen Stoffe (Eiweiß, Fett, Milchzucker, Mineralsalze und Vitamine). Kuhmilch ist besonders reich an Eiweiß und Mineralstoffen. Aus Milch werden Sahne, Butter, Joghurt, Quark, Käse oder Kefir hergestellt.

Milchstraße [die], ein matt leuchtendes Band von unregelmäßiger Begrenzung, das längs eines großen Kreises die Himmelskugel umspannt. Es wird durch unzählige schwache Sterne hervorgerufen, die nur durch ihre Gesamtlichtwirkung sichtbar werden. Die Milchstraße ist der von der Erde aus sichtbare Teil unseres *Milchstraßensystems (Galaxie),* zu dem auch unser Sonnensystem gehört. Das Milchstraßensystem hat die Form eines Spiralnebels, der um einen dickeren Kern angeordnet ist. Insgesamt können wir von unserem Sonnensystem nur etwa 15% der Galaxie auf optischem Wege überblicken. Außer unserem Milchstraßensystem enthält das Universum vermutlich weitere 100 Mrd. ähnliche Sternsysteme. Auch → Astronomie.

Milieu [mil'jøː, das], Umgebung, die sozialen Verhältnisse, aus denen ein Mensch kommt oder in denen er lebt.

Militär [das], die Gesamtheit aller Soldaten.

Military ['militəri, die, engl.], *Vielseitigkeitsreiten*, eine Disziplin im Pferdesport, bei der drei verschiedene Prüfungen (Dressur, Geländeritt und Springen) mit einem Pferd an drei aufeinanderfolgenden Tagen abgelegt werden müssen.

Miliz [die], eine Form der Organisation des Militärs. Sie besteht in Friedenszeiten nur aus wenigen Soldaten, die kurzfristig dienen und ausgebildet werden (z. B. die Schweizer Armee).

Milli... [lat.], Zeichen m, vor Maßeinheiten die Bedeutung tausendstel = 10^{-3}; z. B. Milligramm: 1 mg = 0,001 g.

Milliarde [die], Abkürzung Mrd., der Name für die Zahl 1 000 000 000 = 10^9 im Dezimalsystem, 1 Mrd. = 1000 Millionen.

Millimeter [der], Kurzzeichen mm, Längeneinheit: 1 mm = $^1/_{1000}$ m; 1 cm = 10 mm.

Million [die], Abkürzung Mio., auch Mill., der Name für die Zahl 1 000 000 = 10^6 im Dezimalsystem.

Milchstraße: Am nächtlichen Himmel ist die Milchstraße als ein unregelmäßiges, schwach leuchtendes Band zu erkennen.

Milz [die], allgemein ein drüsenartiges Organ bei Wirbeltieren und Mensch, das als Filter in den Blutkreislauf eingeschaltet ist. Die menschliche Milz liegt unter dem linken Rippenbogen im Oberbauch. Sie baut die roten Blutkörperchen ab und bildet in den Lymphknötchen ihres Gewebes neue weiße Blutkörperchen. Die Milz spielt bei der Abwehr von Infektionen eine wichtige Rolle.

Mimik [die], das Mienenspiel des menschlichen Gesichts, das Gedanken und Gefühle widerspiegeln kann.

Mimikry: Von einem welken Blatt kaum zu unterscheiden sind die zusammengeklappten Flügel dieses australischen Falters.

Mimikry [die], eine von manchen Tieren vorgenommene Tarnung zu ihrem Schutz. Dabei passt sich ihr Äußeres an ihre Umgebung an, um nicht aufzufallen. Manche Arten, die von Natur aus ungeschützt sind, ahmen das Aussehen gefährlicher Tiere nach, um ihre Feinde abzuschrecken (z. B. ahmt der Schmetterling Hornissenschwärmer die Hornisse nach).

Mimose [die], eine Pflanze aus dem tropischen Brasilien mit paarig gefiederten Blättern. Diese Blätter können sich nach einer Berührung sekundenschnell zusammenklappen.

Minarett [das], der Turm einer → Moschee.

Minderjährige [Pl.], Jugendliche, die noch nicht 18 Jahre alt und dadurch noch nicht volljährig sind.

Mindmapping ['maintmɛpiŋ], Methode zur Visualisierung von Ideen, Problemen, Wissen u. Ä., bei der die Informationen in einer Art Baumdiagramm und in Kombination von Wort und Bild dargestellt werden.

Mine [die], **1.** ein (oft versteckter) Sprengkörper an Land, in der Luft oder im Wasser. **2.** ein Erzflöß und auch Bergwerke, in denen Mineralien abgebaut werden. **3.** die Füllung in Kugelschreibern, Blei- oder Buntstiften.

Mineralien [Pl.], *Minerale,* alle natürlich gebildeten chemischen Substanzen der Erdkruste. Es handelt sich meist um feste Stoffe, die eine charakteristische Kristallstruktur aufweisen. Gesteine sind meist Gemenge aus verschiedenen Mineralien. Besonders wichtige Mineralien sind Erze, da sie die Rohstoffe zur Gewinnung von Metallen liefern. Mineralien können sowohl chemische Elemente (z. B. Gold, Silber) als auch Verbindungen (z. B. Quarz) sein.

Minigolf [das], ein Geschicklichkeitsspiel, bei dem ein kleiner Ball mit einem Schläger über 18 Hindernisbahnen geschlagen werden muss. Der Ball ist mit möglichst wenig Schlägen in das Zielloch jeder Bahn zu bringen.

Minijob → geringfügige Beschäftigung.

minimal, an der Untergrenze liegend, z. B. minimale Forderungen; Gegensatz: *maximal.*

Minister [Pl., lat., »Diener«], Leiter einer höchsten Staatsbehörde, eines Ministeriums. Die Regierung eines Staates wird von allen Ministern gebildet.

Ministrant [der], der Messdiener in der katholischen Kirche, der dem Priester während der Messe bestimmte Handreichungen leistet.

Minnesang [der], die höfische Liebeslyrik des Hochmittelalters, künstlerischer Ausdruck der *Minne* (Liebe) zwischen Ritter und Dame. Die Blütezeit des Minnesangs waren die Jahre um 1200. Die bekanntesten Vertreter dieser Kunst waren *Heinrich von Morungen* und *Walther von der Vogelweide.*

Minsk, Hauptstadt von Weißrussland, 1,7 Mio. Einwohner. Minsk ist kulturelles und wirtschaftliches Zentrum und eine der ältesten Städte Russlands.

Minute [die], Kurzzeichen min; eine Maßeinheit der Zeit; 1 Minute = 60 Sekunden, 60 Minuten = 1 Stunde.

Minze [die], ein Kraut, aus dessen Blättern mentholhaltige Öle hergestellt werden, die die Grundlage für Arzneien, Parfüme oder Süßwaren bilden.

Miró, Joan, *1893, †1983; spanischer Maler und Grafiker. Er entwickelte einen eigenen Stil, der Elemente des Kubismus und des Surrealismus miteinander verband. Miró malte fantasievolle und bunte Szenen mit abstrakten oder dingähnlichen Formen. Zu seinen Werken gehören außerdem Lithografien, Collagen und Skulpturen.

Mischwald [der], ein Wald aus zwei oder mehreren Baumarten.

Mission [die], allgemein Auftrag, Sendung, in den christlichen Kirchen die Verkündigung des Evangeliums in der ganzen Welt durch Missionare.

Mississippi [der, indianisch, »Vater der Ströme« oder »Großer Fluss«], der größte Strom Nordamerikas, 3766 km lang. Er entspringt im nördlichen Minnesota aus dem Itascasee, vereinigt sich oberhalb von St. Louis mit dem Missouri und mündet bei New Orleans in den Golf von Mexiko.

Missouri [der, indianisch, »Schlammfluss«], größter Nebenfluss des Mississippi, 3726 km lang.

Misstrauensvotum [das], in demokratischen Staaten eine Mehrheitsentscheidung des Parlaments gegen die Regierung beziehungsweise den Regierungschef oder einzelne Minister, um deren Rücktritt zu erzwingen. Dabei muss der deutsche Bundestag zugleich einen Nachfolger wählen *(konstruktives Misstrauensvotum).*

Mistel [die], ein baumbewohnender Schmarotzer, der mit seinen Senkwurzeln Wasser und Nährsalze aus den Zweigen seiner Wirtspflanze saugt. Der kugelförmige Halbstrauch fällt vor allem im Winter durch seine immergrünen, hellen Blätter auf. Bei Kelten und Germanen galt die Mistel als heilige Pflanze. Noch heute ist vor allem in Großbritannien der Brauch verbreitet, zur Weihnachtszeit einen Mistelzweig über die Tür zu hängen.

Mistral [der], ein kalter, stürmischer Wind in Südfrankreich.

Mitbestimmung [die], die Mitwirkung und Mitentscheidung von Arbeitnehmern durch ihre Vertreter in Betrieben und Behörden. In kleinen und mittleren Betrieben steht dieses Recht dem *Betriebsrat* zu, in größeren Betrieben wird die Mitbestimmung auch durch die Arbeitnehmervertretungen im Aufsichtsrat wahrgenommen.

Mitgift [die], die Aussteuer, die der Frau von ihren Eltern in die Ehe mitgegeben wird.

Mitlaut [der] → Konsonant.

Mitra [die], die liturgische Kopfbedeckung eines Abts oder Bischofs (»Bischofsmütze«).

Was war das …
Mittelalter

Das Mittelalter ist der Zeitraum zwischen Antike und Neuzeit.

Zeitliche Einordnung: Der Begriff Mittelalter taucht erstmals 1469 in Italien auf und erschien 1531 erstmals in einem Buchtitel. Die zeitliche Einordnung von der Völkerwanderung (375) bis zur Entdeckung Amerikas (1492) hat sich seit Ende des 18. Jh. eingebürgert. Heute gilt vielfach auch schon die Eroberung Konstantinopels durch das Osmanische Reich (1453) als Epochengrenze. In der Geschichtsschreibung ist es üblich, das Mittelalter in Frühmittelalter (bis zum 9. Jh.), Hochmittelalter (bis 1250) und Spätmittelalter (nach 1250) einzuteilen.

Epochengrundzüge: Die Völkerwanderung bestimmte die ersten Jahrhunderte des Mittelalters. Sie brachte die Errichtung germanischer Nachfolgestaaten auf dem Boden des 476 untergegangenen Weströmischen Reiches. Zum bedeutendsten Reich des frühen Mittelalters entwickelte sich das Frankenreich, das unter Karl dem Großen seinen Höhepunkt erlebte. Aus dem Frankenreich gingen seit dem 10. Jahrhundert mit Frankreich und Deutschland zwei der wichtigsten abendländischen Reiche hervor. Mit der römischen Kaiserkrönung des deutschen Königs Otto des Großen begann 962 die über das Mittelalter hinausreichende Epoche, in der nur deutsche Könige römische Kaiser waren. Auseinandersetzungen zwischen geistlicher und weltlicher Gewalt prägten einen Großteil der mittelalterlichen Geschichte. Kaiser und Papst, die höchste weltliche und die höchste geistliche Macht, beanspruchten beide für sich, kraft ihres Amtes die Einheit des christlichen Abendlandes zu verkörpern. In langwierigen Auseinandersetzungen schwächten schließlich beide ihre Position. Die Zeit der Kreuzzüge vereinigte das abendländische Rittertum im Kampf um die Rückgewinnung des Heiligen Landes. Der Niedergang von Kaisertum und Papsttum kennzeichnete die politische Situation im späten Mittelalter. Am Übergang zur Neuzeit stand die Entdeckung Amerikas und des Seewegs nach Asien, die neue Perspektiven außerhalb Europas eröffnete.

Färber beim Färben von Tuch

Gesellschaft und Kultur: Die Verwaltung der mittelalterlichen Reiche basierte auf dem Lehnswesen, das sich im 8. Jh. entwickelte. Das Rittertum erlebte seine Glanzzeit im Hochmittelalter. Der Ritterstand übernahm in fast allen europäischen Staaten eine Führungsrolle. Mit seinem Niedergang seit dem 14. Jh. ging diese Führung auf die Städte und Bürger über. Die Burg als Wehr- und Wohnanlage wurde abgelöst von der ummauerten Stadt mit ihren Kirchen und Bürgerhäusern. Aufblühen und Wachstum der Städte änderte aber wenig an der grundlegenden Bevölkerungsverteilung. Nach wie vor lebten neun Zehntel der Menschen auf dem Lande. Die Pflege der Wissenschaften erfolgte im frühen Mittelalter im Wesentlichen in Klöstern, die ersten Universitäten entstanden im 12. Jh. Durch die kriegerische Auseinandersetzung mit dem Islam in den Kreuzzügen wurde auch der Zugang zu Wissen, Kultur und Handelswaren des Orients eröffnet. Eine kulturelle Erneuerung vollzog die um 1300 in Italien einsetzende Renaissance mit der Wiederbelebung antiken Gedankenguts im Humanismus, dessen Vorstellungen mit der Erfindung des Buchdrucks durch J. *Gutenberg* Mitte des 15. Jh. schnelle Verbreitung fanden.

Mittelamerika, die Landbrücke, die Nord- und Südamerika verbindet. Die Staaten Zentralamerikas (Guatemala, Honduras, El Salvador, Nicaragua, Costa Rica, Panama und Belize), Mexiko und Westindien bilden zusammen Mittelamerika.

Mitteleuropäische Zeit [die], Abkürzung MEZ, die mittlere Ortszeit am 15. Längenkreis östlich von Greenwich. Diese Zeit liegt eine Stunde vor der Weltzeit (das ist die mittlere Zeit des Nullmeridians von Greenwich, London). Die MEZ gilt als Zonenzeit in den Ländern Skandinaviens, in Deutschland, Polen, den Niederlanden, Belgien, Frankreich, Spanien, Österreich, der Tschechischen Republik, der Slowakei, Ungarn, Kroatien, Slowenien, Bosnien und Herzegowina, Serbien, Montenegro, Schweiz, Italien und in mehreren außereuropäischen Ländern. Wenn man innerhalb dieser Länder reist, muss man seine Uhr nicht umstellen, ansonsten muss man sie der jeweiligen Ortszeit anpassen.

Mittelgebirge [das], Gebirge, deren Gipfel unter der Schneegrenze liegen; in Mitteleuropa mit Höhen bis 1000 m und mit abgerundeten Formen (z. B. Schwarzwald, Riesengebirge).

Mittelmeer [das], das Meer zwischen Südeuropa, Kleinasien und Nordafrika. Das größte Binnenmeer der Erde umfasst eine Fläche von 2,56 Mio. km^2 und erreicht eine Tiefe von bis zu 5121 m. Das Mittelmeer ist durch die Straße von Gibraltar mit dem Atlantischen Ozean, durch den Suezkanal mit dem Roten Meer (Indischer Ozean) und durch den Bosporus mit dem Schwarzen Meer verbunden.

Mittelwort [das] → Partizip.

Mitternachtssonne [die], in den Polargebieten im Sommer die auch um Mitternacht über dem Horizont stehende Sonne. An den Polen ist die Mitternachtssonne ein halbes Jahr lang sichtbar.

mm, Kurzzeichen für → Millimeter.

MMS, Abkürzung für ***M****ultimedia* ***M****essage* ***S****ervice*, 2002 im Mobilfunk eingeführter Multimedia-Nachrichtendienst, der als Nachfolger des Kurznachrichtendienstes → SMS die Übertragung von Texten, Farbbildern, Tönen und Videos erlaubt.

Mobbing [das], ungerechtfertigte, systematische Ausgrenzung und Verspottung von Einzelpersonen durch eine Gruppe, besonders in Schulklassen oder am Arbeitsplatz. Die betroffenen Personen entwickeln infolge der psychischen Probleme häufig psychosomatische Beschwerden wie Schmerzen, Müdigkeit, Depressionen und Magen-Darm-Krankheiten. Aus medizinischer, sozialer und juristischer Sicht ist es ratsam, sich im Falle von Mobbing Verbündete zu suchen, mit deren Hilfe sich das Mobbing beweisen lässt.

Mobilfunk [der], Funkdienst, der eine ortsgebundene Sprach- und Datenübertragung zwischen mobilen oder zwischen mobilen (→ Mobiltelefon) und festen Endgeräten ermöglicht.

Mobilität [die], Beweglichkeit, insbesondere der Orts- oder Positionenwechsel von Personen in der Gesellschaft. Von räumlicher Mobilität spricht man z.B. beim Wechsel des Wohn- oder Arbeitsplatzes, von vertikaler Mobilität beim Wechsel einer Person oder einer Personengruppe von einer sozialen Position in eine andere (sozialer Aufstieg oder Abstieg).

Mobiltelefon [das], ein Telefon, das an den → Mobilfunk angeschlossen ist. Für das Telefonieren mit dem Mobiltelefon benötigt man eine *SIM-Karte,* eine Chipkarte zur Identifizierung des Mobilfunkteilnehmers, auf der die notwendigen Teilnehmerdaten (u.a. Gerätekennung, Funktelefonnummer, geheime Nummern) gespeichert sind und über die auch die Gebühren abgerechnet werden. Zum Schutz vor Missbrauch sind Mobiltelefone mit einer persönlichen Geheimzahl *(PIN)* gesichert. Ein kleines »handliches« Mobiltelefon nennt man *Handy.*

Modalverb, ein Verb, das die Einstellung des Sprechers zur Äußerung charakterisiert: Befehl, Möglichkeit, Vermutung, Erlaubnis, Wille, Notwendigkeit. Die deutschen Modalverben wollen, sollen, können, dürfen, müssen, mögen; auch: brauchen + Infinitiv mit zu.

Modem [das], Kurzwort für Modulator/Demodulator; ein elektronisches Gerät, mit dem Daten über das Telefonnetz übertragen werden. Will man z. B. von einem Computer aus E-Mails, Faxe o. Ä. versenden, so wandelt der Modulator im Modem die digitalen Daten des Computers in analoge Daten um; will man

E-Mails o. Ä. empfangen, wandelt der Demodulator die analogen Daten, die über das Telefonnetz gesendet werden, wieder in für den Computer lesbare digitale Daten um.

Moderatoren [Pl.], in Rundfunk und Fernsehen Leiter einer Gesprächsrunde oder bei einer Magazinsendung diejenigen Redakteure, die die verbindenden Texte dazu sprechen.

moderner Fünfkampf → Fünfkampf.

Modersohn-Becker, Paula, * 1876, † 1907; deutsche Malerin. Sie lebte ab 1898 in der Künstlerkolonie Worpswede und malte dort Stillleben, Landschaften, Porträts der bäuerlichen Landbevölkerung sowie Selbstbildnisse. Mit ihrem flächenhaften Malstil und den harten Farbkontrasten gilt sie als Vorläuferin des *Expressionismus.*

Modifikation [die], Veränderung, Abwandlung.

Modul [das], allgemein eine Baugruppe, zu der mehrere Bauteile zusammengefasst wurden *(Modultechnik).* In der *Elektronik* eine kompakte, fest in die Isoliermasse eingebettete Schaltungseinheit aus mehreren Bauteilen.

Modulation [die], **1.** in der Musik der Übergang von einer Tonart in eine andere. **2.** in der Nachrichtentechnik eine Information, die auf eine Trägerwelle gegeben wird. Die Trägerwelle wird durch die Überlagerung einer Information in ihrer Frequenz, der Ausschlagweite (Amplitude) oder auch durch eine Unterbrechung beeinflusst (moduliert). Im Empfänger wird die Trägerwelle wieder demoduliert und damit die Information zurückgewonnen. Ein weiteres Verfahren besteht darin, Nachrichten in digitaler Form zu übertragen.

Modus [der], **1.** Art und Weise, Verfahrensweise. **2.** Eigenschaft eines Verbs, die Aussage zu gestalten. Im Deutschen unterscheidet man 3 Modi: → Indikativ (»ich stehe«), → Konjunktiv (»ich stünde«) und → Imperativ (»steh!«).

Mofa [das], die Abkürzung für Motorfahrrad, → Motorrad.

Mogadischu, Hauptstadt und Hafen von Somalia, 1,2 Mio. Einwohner, Wirtschafts- und Kulturzentrum des Landes.

Wer war ... Mohammed

Mohammed (eigentlicher Name *Abul Kasim Muhammad Ibn Abdallah*, * um 570, † 632) ist der Begründer des Islam. Er stammte aus einer verarmten Familie, war zunächst Kaufmann und seit 595 mit der wohlhabenden Kaufmannswitwe Chadidscha verheiratet, mit der er vier Töchter hatte. Während seiner Tätigkeit als Kaufmann kam er in Kontakt mit Juden und Christen und lernte deren Glaubensvorstellungen teilweise kennen. Als 40-Jähriger zog er sich zum Beten und Fasten in die Einsamkeit zurück. Dort überbrachte ihm der Erzengel

Die Miniatur aus dem 16. Jh. zeigt die Geburt Mohammeds.

Gabriel im Lauf von 23 Jahren (ab 610) die Grundsätze, Lehre, Gebote und Verbote des Islam, die er öffentlich zu verkündigen begann und die später im Koran zusammengefasst wurden. Mohammeds Glaubensvorstellungen trafen auf Widerstand der Mekkaner, die nicht von der Verehrung der verschiedenen arabischen Gottheiten lassen wollten. So sah sich Mohammed im Jahre 622 (dem ersten Jahr der islamischen Zeitrechnung) gezwungen, mit seinen Anhängern in die Nachbarstadt Medina auszuwandern (Hedschra). Da Mohammed dort bald die weltliche Herrschaft übernahm, wuchs seine religiöse Gemeinschaft rasch. 630 eroberte er Mekka und machte die dortige Kaaba zu einem zentralen Heiligtum des Islam. Die sich anschließende Unterwerfung ganz Arabiens erlebte er nicht mehr. Seine Nachfolger, die Kalifen, eroberten große Gebiete in Vorderasien, Nordafrika und Südeuropa für die neue Religion. Mohammeds Leben und Wirken wurde schon früh legendenhaft ausgestaltet und in Textsammlungen zusammengefasst. Diese Sunna genannten Sammlungen stellen neben dem Koran eine zentrale Quelle für die Ordnung des religiös-sozialen Lebens der Muslime dar. Mohammeds Grab befindet sich in der Großen Moschee in Medina. Dort wo heute der Felsendom (in Jerusalem) steht, soll er in den Himmel aufgefahren sein. Mohammed gilt als der letzte Mensch, dem Allah seine Botschaften direkt offenbarte, er ist damit der letzte Prophet.

Möglichkeitsform [die] → Konjunktiv.

Mohn [der], eine krautige Pflanze, die einen milchigen Saft hat. Zu den vielen Arten gehören der bei uns bekannte *Klatschmohn* und der *Schlafmohn,* aus dessen Milchsaft Opium gewonnen wird.

Mokassin [der], ein absatzloser Schuh aus Wildleder, der ursprünglich von den Prärieindianern getragen wurde.

Mokick [das] → Motorrad.

Molche [Pl.], *Schwanzlurche,* vorwiegend im Wasser lebende Amphibien. Als Wasserbewohner haben sie einen Ruderschwanz und die Männchen weisen häufig einen Rückenkamm auf. Die Eier werden im Wasser abgesetzt, wo sich die Larven entwickeln. Nur wenige Arten sind lebend gebärend.

Moldau [die], Nebenfluss der Elbe, 435 km lang. Sie entspringt im Böhmerwald und fließt durch Prag.

Ländersteckbrief
Moldova

Fläche:	33 800 km^2
Einwohner:	4,2 Millionen = 124 je km^2
Hauptstadt:	Chişinău
Religion:	orthodoxe Kirche
Amtssprache:	Moldawisch
Währung:	1 Moldova-Leu = 100 Bani

Moldova, Staat in Osteuropa.

Landesnatur: Die Republik Moldova nimmt den Hauptteil Bessarabiens ein. Im Norden liegt die fruchtbare Belzysteppe, in der Mitte ein bewaldetes Hügelland, im Süden ein flaches und trockeneres Steppenland. Es herrscht gemäßigt kontinentales Klima.

Bevölkerung: Die Bevölkerung setzt sich zu 64,5% aus Moldauern (Rumänen), 14% Ukrainern, 13%

Russen, ferner Gagausen und Bulgaren zusammen. Die Moldauer gehören vorwiegend der russisch-orthodoxen Kirche an.

Wirtschaft: In der Landwirtschaft wird der Anbau von Weizen, Wein, Mais, Obst und Tabak sowie Schafzucht betrieben. Moldova besitzt kaum Bodenschätze. Die Industrie beschränkt sich auf Nahrungsmittel-, Baustoff- und Konsumgüterindustrie.

Geschichte: Seit dem 16. Jh. stand der Süden Bessarabiens unter türkischer Oberherrschaft. 1812 fiel ganz Bessarabien an Russland (1856–1878 große Teile beim Fürstentum Moldau bzw. bei Rumänien), 1918 kam es zum Königreich Rumänien. 1940 zwang die UdSSR Rumänien zur Abtretung des Gebiets. Der südliche Teil wurde der Ukraine angeschlossen, der Hauptteil mit der 1924 gegründeten Moldauischen Autonomen Sozialistischen Sowjetrepublik zur Moldauischen Sozialistischen Sowjetrepublik vereinigt. Im Verlauf des Zweiten Weltkriegs kam das Gebiet zeitweise wieder unter rumänische Herrschaft. Am 27. 8. 1991 wurde Moldova unabhängig. Die Minderheiten der Russen und Gagausen riefen unabhängige Republiken aus, die aber von der Regierung Moldovas nicht anerkannt wurden. Während für Gagausien ein Autonomiestatut vereinbart wurde, entwickelte sich in der Transnistrischen Republik unter dem Schutz des russischen Militärs ein staatsähnliches Gebilde mit einem autoritären Regime. Nach dem Wahlsieg der Kommunistischen Partei 2001 wählte das Parlament W. *Woronin* zum Staatspräsidenten, erneut nach den Wahlen 2005.

Moldova: Mehr als 80% der Landesfläche werden landwirtschaftlich genutzt.

Mole [die], ein Steindamm zum Schutz eines Hafens oder einer Hafeneinfahrt gegen Sturm, Wellenschlag, Strömung und Versanden. Molen dienen auch zum Anlegen von Schiffen innerhalb des Hafens *(Landungsmolen).*

Molekül [das, lat., »kleine Masse«], das kleinste Teilchen einer chemischen Verbindung, das aus mindestens zwei Atomen (z. B. Sauerstoff O_2) besteht. Die einzelnen Atome werden im Molekül durch verschiedenartige chemische Bindungen zusammengehalten. Es gibt auch Moleküle, die aus mehreren Mio. Atomen bestehen (z. B. Kunststoffe).

Molière [mɔ'ljɛːr], eigentlich Jean Baptiste *Poquelin,* * 1622, † 1673; französischer Komödiendichter und Schauspieler. Er durchzog als Schauspieler mit einer Wandertruppe Frankreich, erwarb sich die Gunst von Ludwig XIV. und wurde dessen Hofschauspieler. Molière setzt sich in seinen Stücken kritisch und humorvoll mit den Missständen seiner Zeit und besonders mit menschlichen Schwächen auseinander. Von seinen Theaterstücken sind 32 erhalten. Einige davon werden noch heute viel gespielt: »Tartuffe«, »Der Menschenfeind«, »Der Geizige«, »Der Bürger als Edelmann«, »Der eingebildete Kranke«.

Molke [die], ein flüssiger Rückstand der Milch nach dem Abscheiden der festen Inhaltsstoffe bei der Quark- und Käsebereitung. Sie dient besonders als Viehfutter.

Moll [das, lat., »weich«], ein Tongeschlecht, für das die kleine Terz (im Gegensatz zu der großen Terz bei Dur) charakteristisch ist. Moll wird im Klang oft dunkler und trauriger als *Dur* empfunden.

Moloch [der], ursprünglich der Name eines semitischen Gottes, dem Menschenopfer dargebracht wurden; im übertragenen Sinn etwas Ungeheuerliches oder Mächtiges, dem alles zum Opfer fällt (z. B. Moloch Stadt).

Molotow [-tɔf], Wjatscheslaw Michajlowitsch, eigentlich W. M. *Skrjabin*, * 1890, † 1986; sowjetischer Politiker. Ab 1930 war er fast drei Jahrzehnte lang eine zentrale Figur der sowjetischen Politik. An der Seite von *Stalin* verfolgte er als Ministerpräsident und als Außenminister die Verwirklichung der kommunistischen Idee. 1957 wurde er aller wichtigen Ämter enthoben.

Molukken, *Gewürzinseln,* östlichste indonesische Inselgruppe zwischen Celebes und Neuguinea. Wegen ihrer wertvollen Gewürze (u. a. Nelken, Muskat) waren sie seit dem 16. Jh. das Ziel vieler Handelsreisen.

Molybdän [das], ein chemisches Element, Zeichen Mo. Molybdän ist ein silberweißes, sprödes Schwermetall, das besonders als Zusatz bei Edelstahllegierungen verwendet wird.

Monaco: Blick über den Jachthafen von Monte Carlo

Ländersteckbrief Monaco

Fläche:	2 km²
Einwohner:	36 000 = 18 000 je km²
Hauptstadt:	Monaco
Religion:	römisch-katholische Kirche
Amtssprache:	Französisch
Währung:	1 Euro = 100 Cent

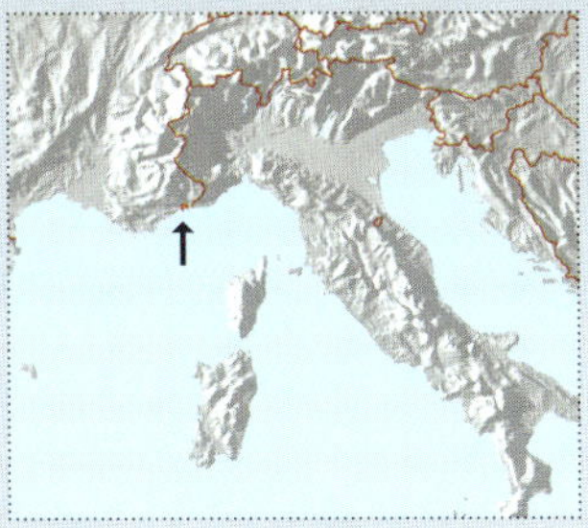

Monaco, Staat in Südeuropa.
Der Zwergstaat an der französischen Riviera besteht neben der Hauptstadt Monaco (1200 Einwohner, Schloss, Kathedrale) aus den Siedlungen Monte Carlo, La Condamine und Fontvieille; wintermildes Klima; Tourismus; Parfümerie-, Nahrungs- und Genussmittelindustrie.

Geschichte: Monaco wurde im 5. Jh. v. Chr. gegründet. Im 15. Jh. gelangte Monaco unter die Herrschaft der *Grimaldi*. Im 17. Jh. erhielten die Grimaldi den Fürstentitel. 1641 übernahm Frankreich die Schutzherrschaft. 1793 erfolgte die Vereinigung mit Frankreich. 1814 wurde das Fürstentum wieder selbstständig. 1815–1860 war es der Schutzherrschaft von Sardinien unterstellt. Diese fiel 1861 wieder an Frankreich. 1993 wurde Monaco Mitglied der UNO, 2004 des Europarates. Regierender Fürst war von 1949 bis zu seinem Tode 2005 *Rainier III.* Nachfolger wurde sein Sohn als Fürst *Albert II.*

Monarchie [die, griech., »Alleinherrschaft«], eine Staatsform, deren Staatsoberhaupt ein *Monarch* (Kaiser, König, Fürst) ist. Wird er gewählt (wie im Mittelalter im Deutschen Reich), spricht man von einer *Wahlmonarchie.* In einer *Erbmonarchie* folgt dem verstorbenen Monarchen ein Familienmitglied, meist der älteste Sohn, auf den Thron. In der *absolu-*

Genauer betrachtet ...
Monat

Monatsname	Herkunft
Januar	Janus, dem altitalischen Gott des Eingangs, Anfangs, geweiht
Februar	Monat der Reinigung, Sühne; nach dem römischen Reinigungs- und Sühnefest mensis februaris benannt
März	dem römischen Kriegsgott Mars geweiht
April	wohl vom Lateinischen »aperire« = öffnen; bezieht sich auf Knospen und Blüten
Mai	wohl nach dem italischen Gott des Wachstums (Juppiter Maius)
Juni	der römischen Himmelsgöttin Juno geweiht
Juli	zu Ehren von Julius Cäsar
August	zu Ehren von Kaiser Augustus
September	der Siebente (lateinisch; das römische Jahr begann ursprünglich mit dem 1. März)
Oktober	der Achte (lateinisch)
November	der Neunte (lateinisch)
Dezember	der Zehnte (lateinisch)

ten Monarchie übte der Monarch die unumschränkte, von keinem Parlament und keiner Regierung eingeschränkte Staatsgewalt aus. In der *konstitutionellen Monarchie* sind die Zuständigkeiten des Monarchen durch die Verfassung genau geregelt. Bei heute noch bestehenden Monarchien in Europa handelt es sich um *parlamentarische Monarchien* (z. B. in Belgien, Großbritannien, den Niederlanden), in denen der Monarch als Staatsoberhaupt nur noch repräsentative Aufgaben wahrnimmt.

Monat [der], ein Zeitraum, in dem der Mond die Erde einmal umrundet, der 12. Teil eines Jahres. Seit der Julianischen Kalenderreform 46 v. Chr. ist die Länge der Monate unverändert geblieben: 30 oder 31 Tage, der Februar hat 28, in Schaltjahren 29 Tage (ursprünglich durch die Zeit von Neumond bis Neumond 29,53 Tage bestimmt). Im 16. und 18. Jh. wurden bei uns die Monatsnamen eingeführt, die aus dem Lateinischen stammen. Vorher galten Namen nach Feldarbeiten und Naturerscheinungen, die von *Karl dem Großen* eingeführt worden waren. Auch → »Genauer betrachtet«.

Mönche [Pl.], Angehörige von Klostergemeinschaften, die nach bestimmten Ordensregeln ein von der übrigen Welt stark abgesondertes Leben führen. Als Zeichen der völligen Hingabe an den religiösen Dienst legen sie Gelübde ab. Mönche gibt es in mehreren Weltreligionen, so im Islam (Derwische) und Buddhismus, aber auch im Daoismus und Lamaismus. Besonders ausgeprägt entwickelte sich das Mönchtum jedoch in der katholischen Kirche. Vorläufer der Mönche waren die Eremiten, die sich in die Einsamkeit zurückzogen und ein Leben in Askese führten. Eigentlicher Urheber des abendländischen Mönchtums war *Benedikt von Nursia.* Der nach ihm benannte Benediktinerorden, 529 gegründet, verlangte das Gelübde der Armut, der Keuschheit und des Gehorsams. Im 10. Jh. wurde der Orden der Zisterzienser gegründet, im 11. Jh. entstanden Augustiner-, Kartäuser- und Prämonstratenserorden. Im 13. Jh. kam es zur Gründung zahlreicher Bettelorden (u. a. Franziskaner, Dominikaner), die als Abwehr gegen die Verweltlichung der Kirche nicht nur vom einzelnen Mönch, sondern auch von der Klostergemeinschaft Besitzlosigkeit verlangten.

Mond [der], allgemein der Begleiter eines Planeten. Im täglichen Sprachgebrauch der Erdmond, der die

Genauer betrachtet …
Mond

Am 20. Juli 1969 um 21.17 Uhr setzte die Landefähre »Eagle« des Raumschiffs »Apollo 11« mit den Astronauten Neil *Armstrong* und Edwin *Aldrin* auf dem Mond auf. Nach einigen Stunden Aufenthalt betrat Armstrong am 21. 7. um 3.56 Uhr als erster Mensch die Mondoberfläche. Aldrin folgte wenig später. Der Ausstieg und die folgenden Experimente wurden von rund 500 Mio. Menschen live im Fernsehen mitverfolgt. Die Astronauten hatten ein umfangreiches Arbeitsprogramm. Sie stellten wissenschaftliche Messgeräte auf und absolvierten vor der Kamera Bewegungsübungen, um Bewegung bei verminderter Schwerkraft zu demonstrieren. Anschließend führten sie mit Präsident Richard *Nixon* das erste Telefonat vom Mond aus. Die beiden Astronauten hielten sich 22 Stunden auf dem Mond auf, davon 2 Stunden außerhalb der Landefähre.

Erde als Trabant ständig umkreist. Der Mond rotiert in 27,32 Tagen um seine eigene Achse; in derselben Zeit bewegt er sich um die Erde. Daher kehrt er der Erde stets die gleiche Seite zu. Der mittlere Abstand von der Erde beträgt 384 405 km. Der Mond hat einen Durchmesser von 3476 km. Er hat keine Atmosphäre, seine Oberfläche besteht aus dunklem, festem Gestein, das von einer wenige Zentimeter dicken Staubschicht bedeckt ist. Die Mondoberfläche ist von Gebirgen und Kratern übersät, die wahrscheinlich durch Meteoriten verursacht wurden. Da der Mond von der Sonne beleuchtet wird, nehmen wir von der Erde aus verschiedene *Mondphasen* wahr. Steht der Mond zwischen Sonne und Erde, ist die der Erde zugekehrte Seite unbeleuchtet und wir können den Mond nicht erkennen *(Neumond).* Ist nur eine schmale Mondsichel erkennbar, spricht man von *zunehmendem Mond.* Die Sichel wird allmählich immer breiter, bis der Mond voll beleuchtet ist *(Vollmond).* Bei Vollmond steht die Erde zwischen Sonne und Mond. Auch → »Genauer betrachtet«.

Mondfinsternis [die], Verfinsterung des Vollmondes. Sie kommt dadurch zustande, dass die Erde sich auf einer (nahezu) geraden Linie zwischen der Sonne und dem Mond befindet und der Schatten der Erde auf den Mond fällt. Von einer *partiellen Mondfinsternis* spricht man, wenn nur ein Teil des Mondes verdunkelt wird. Bei einer *totalen Mondfinsternis* wird der Mond völlig verdunkelt.

Monet [mɔ'nɛ], Claude, * 1840, † 1926; französischer Maler und Hauptvertreter des *Impressionismus.* Monet schuf vor allem stimmungsvolle Landschaftsbilder in lockerer, tupfenartiger Pinseltechnik, in denen er besonders die verschiedenen Lichtwirkungen einzufangen verstand.

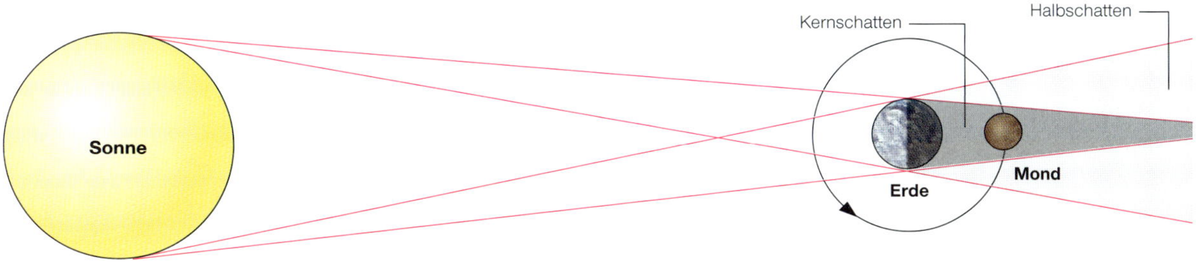

Mondfinsternis: Eine totale Mondfinsternis liegt vor, wenn der Mond vollständig in den Kernschatten eintritt.

Ländersteckbrief
Mongolei

Fläche:	1 564 100 km²
Einwohner:	2,7 Millionen = 2 je km²
Hauptstadt:	Ulan Bator
Religion:	Buddhismus
Amtssprache:	Mongolisch
Währung:	1 Togrog = 100 Mongo

Mongolei, Staat in Zentralasien.

Landesnatur: Das wüsten- und steppenhafte Hochland wird im Nordwesten von Hochgebirgen *(Khangai, Mongolischer Altai)* durchzogen. Im Süden und Südosten erstreckt sich die Wüste *Gobi*. Bis auf den Norden, der von der Selenga entwässert wird, ist der größte Teil des Landes abflusslos. Das Klima ist extrem kontinental mit trockenkalten Wintern und kurzen warmen Sommern.

Bevölkerung: Die vorwiegend buddhistische (lamaistische) Bevölkerung setzt sich zu 94% aus Mongolen, die sich in die Khalka im Osten, Kalmüken im Westen und Burjaten im Norden gliedern, und Kasachen (4%) zusammen.

Wirtschaft: Grundlage ist die Viehzucht (Schafe, Ziegen, Rinder, Pferde, Kamele). Die reichen Bodenschätze (Kupfer, Molybdän, Wolfram, Erdöl, Gold, Kohle u.a.) werden erst z.T. abgebaut. Die Industrie verarbeitet u.a. Viehzuchtprodukte, liefert aber auch Baustoffe, Textilien sowie Metalle.

Geschichte: Nach dem Zerfall des mittelalterlichen Mongolenreichs gehörte die Mongolei seit dem 17. Jh. zu China. 1911 erklärte die *Äußere Mongolei* ihre Unabhängigkeit, während die *Innere Mongolei* bei China blieb. 1924 rief die *Mongolische Revolutionäre Volkspartei* (MRV) in der Äußeren Mongolei die Mongolische Volksrepublik aus, die sich eng an die Sowjetunion anlehnte. 1950 bestätigte China die Souveränität der Mongolischen Volksrepublik. Im sowjetisch-chinesischen Konflikt stand die Mongolische Volksrepublik auf sowjetischer Seite. 1990 verzichtete die MRV auf ihr Machtmonopol. 1992 wurde die Mongolische Volksrepublik in Mongolei umbenannt. Es trat eine neue demokratische Verfassung in Kraft. Staatspräsident ist seit 2005 N. *Enkhbayar*.

Mongolen [Pl.], eine Völkergruppe in Innerasien (China, Mongolei und Russland). Sie leben vorwiegend als Steppennomaden und betreiben teilweise Ackerbau.

Mongolismus [der], veraltete Bezeichnung für das → Down-Syndrom.

Monitor [der], **1.** ein Kontrollbildschirm, wie er z.B. im Fernsehstudio zur Überwachung der Kameraaufnahme eingesetzt wird. **2.** der Bildschirm eines Computers.

Mongolei: Die Zelte (Jurten) der Nomaden bestehen aus einem Holzgerüst, über das Filzmatten gespannt werden.

Marilyn Monroe: Das wohl bekannteste Foto von ihr über einem Lüftungsschacht der U-Bahn wurde 1954 aufgenommen.

Monogamie [die] → Ehe.

Monogramm [das], Namenszeichen, oft kunstvoll gestalteter Anfangsbuchstabe von Vor- und Familiennamen.

Monokultur [die], der einseitige Anbau gleicher Pflanzenarten (z. B. Weizen, Kartoffeln, Fichten) auf großen Flächen und über längere Zeiträume. Monokultur fördert die Auslaugung des Bodens und die Ausbreitung von Schädlingen.

Monolog [der], ein Selbstgespräch. Im Schauspiel sollen durch den Monolog dem Publikum die Gedanken des Sprechers mitgeteilt werden.

Monopol [das], alleiniger Anspruch; eine Form des Markts, bei der das Gesamtangebot eines Guts *(Angebots-Monopol),* seltener die Gesamtnachfrage nach einem Gut *(Nachfrage-Monopol),* in einer Hand vereinigt ist. Durch diese Konzentration kann der Wettbewerb ausgeschaltet werden.

Monotheismus [der], der Glaube an *einen* Gott, neben dem es keine anderen Götter gibt; Gegensatz: *Polytheismus.*

monoton, eintönig, gleichförmig, langweilig.

Monroe [mən'rəu], Marilyn, eigentlich *Norma Jean Mortenson*, * 1926, † 1962 (Selbstmord); US-amerikanische Filmschauspielerin. Sie wurde in ihren Rollen als naive Blondine bereits zu Lebzeiten ein Mythos.

Monrovia, Hauptstadt von Liberia, an der Mündung des Saint Paul River in den Atlantik, 465 000 Einwohner.

Monster [das], siehe ZEIT-Beitrag → »Monster: Frankenstein und Krümelmonster«, Seite 114–117.

Monstranz [die], kostbar gestalteter Behälter (meist mit Fuß, Schaft und Aufsatz), der in der katholischen Kirche zum Aufbewahren und Zeigen der geweihten Hostie dient.

Monsun [der, arab., »Jahreszeit«], eine Luftströmung, die durch die unterschiedliche jahreszeitliche Erwärmung von Land und Meer bedingt ist. Er ist typisch für Ostasien und Indien. Im Sommer weht der Wind als feuchter Südwestmonsun mit großer Regelmäßigkeit vom Indischen Ozean landeinwärts in die überhitzten Wüsten und Steppen Innerasiens (sommerliche Regenzeit), im Winter als trockener Nordostmonsun vom Land aufs Meer.

Montanindustrie [die, lat., »Bergwerksindustrie«], alle Bergbauunternehmen einschließlich der weiterverarbeitenden Hüttenwerke und Betriebe der Schwerindustrie.

Montblanc [mɔ̃'blɑ̃, franz., »weißer Berg«], höchster Berg Europas, 4807 m. Er ist Teil eines Massivs in den Savoyer Alpen, an der französisch-italienisch-schweizerischen Grenze.

Monte Carlo, Luxuskurort im Fürstentum Monaco an der französischen Riviera, 13 200 Einwohner.

Liebenswürdige Ungeheuer: Szene aus dem Trickfilm »Monster AG«

Monster

Frankenstein und Krümelmonster

Von Susanne Gaschke

Eines der ältesten Monster, das wir kennen, ist der Minotaurus, »ein Ungeheuer von abscheulicher Abkunft, der ein Doppelwesen war, das vom Kopfe bis an die Schultern die Gestalt eines Stieres hatte, im Übrigen aber einem Menschen glich«. Dieser Stiermensch lebte, so wollen es die griechischen Sagen, vor fast 3000 Jahren auf der Insel Kreta. Und er hatte eine sehr unangenehme Angewohnheit: Alle paar Jahre fraß er sieben junge Männer und sieben Jungfrauen, die die unglücklichen Einwohner der Stadt Athen zu diesem Zweck nach Kreta schicken mussten. Erst der tapfere Held Theseus besiegte das Ungetüm, und dazu hatte er jede Menge menschliche und göttliche Hilfe nötig.

Schon seit sehr langer Zeit also erzählen sich die Menschen von Monstern – von grässlichen Wesen am Rande der ihnen bekannten Welt und am Rande ihres Vorstellungsvermögens.

Geschöpfe der Fantasie

Vor 2000 Jahren hat der römische Schriftsteller und Philosoph Plinius von »Ohneköpfen« berichtet, die das Gesicht auf der Brust tragen; von »Hundsköpfen«, Zyklopen (einäugigen Riesen) und den »Monokoloi«, den »Einschenkeligen«, deren Körper in einem einzigen großen Fuß endet. Hat Plinius an diese Geschöpfe wirklich geglaubt? Oder wollte er nur seine Leser unterhalten, indem er alte Gerüchte weiterverbreitete? Fest steht, dass demjenigen, der von Monstern erzählt, ein interessiertes Publikum gewiss ist. Warum eigentlich? Gibt es nicht schon genug Dinge auf der Welt, vor denen man Angst haben muss? So wie Naturkatastrophen, Kriege, Seuchen, Hungersnöte? Sicher. Aber das Monster hat eine ganz besondere Funktion für unsere Fantasie: Es ist so etwas wie das Sinnbild aller unserer echten Ängste.

Wer Monstergeschichten hört, kann sich der eigenen Angst stellen, kann sie tapfer an der Seite eines Helden überstehen (der fast immer zur Monstererzählung dazugehört) – und das alles, ohne selbst wirklich in Gefahr zu geraten.

Der Kampf gegen das Böse

Auch im Mittelalter traten Helden gegen schauerliche Wesen an: Ein berühmtes englisches Gedicht aus dem 10. Jahrhundert beschreibt den Kampf Beowulfs gegen das (offenbar ziemlich schleimige) Monster Grendel und dessen rachsüchtige Mutter. In diesem Fall symbolisieren die Ungeheuer das Böse, die Sünde, das Heidentum – Beowulf kämpft für den in England noch neuen christlichen Glauben. Im deutschen Nibelungenlied aus dem 13. Jahrhundert muss sich Siegfried mit einem gewaltigen Drachen auseinandersetzen.

Zur eigentlichen Blüte aber kommt die Monstererzählung im 19. Jahrhundert. Zu den berühmtesten Autoren dieser Zeit, die unvergessliche Schreckenswesen erfunden haben, gehört Mary Shelley. Mit anderen bekannten Schriftstellern verbrachte die damals erst 19-Jährige im Jahr 1816 einen verregneten Sommer in einem Schweizer Ferienhaus. Man las einander zum Zeitvertreib Gespenstergeschichten vor und versuchte, selbst welche zu verfassen – aber nur Marys wurde tatsächlich fertig. Und was für eine Geschichte! Der Wissenschaftler Dr. Frankenstein, besessen von Ehrgeiz und der Sehnsucht nach Ruhm, baut aus Leichenteilen eine Gestalt zusammen und findet einen Weg, ihr Leben einzuhauchen. Sein Geschöpf sieht grauenerregend aus, aber es hat menschliche Gefühle – es möchte geliebt werden und verflucht seinen Schöpfer dafür, dass er ihm ein Dasein aufgezwungen hat, in dem alle es fürchten und vor ihm fliehen. Shelleys Buch enthält eine deutliche Kritik an Menschen, die versuchen, sich zu Göttern aufzuschwingen und künstliches Leben zu erschaffen. Obwohl es fast

Schrecklich ist es, ein Monster zu sein! Frankenstein leidet, weil die Menschen ihn fürchten

200 Jahre alt ist, bleibt es damit sehr aktuell, wenn man an moderne Naturwissenschaften denkt: Heute befassen sich Gentechniker mit dem »natürlichen Bauplan« des Menschen – wenn auch nicht, um Menschen zu klonen: Sie wollen Heilmethoden für Krankheiten finden. Frankensteins Monster erinnert daran, dass wir dabei auch über unwahrscheinliche oder weit entfernt liegende Folgen nachdenken sollten.

Das zweite berühmte Monster des 19. Jahrhunderts hat der britische Autor Bram Stoker zu literarischem Leben erweckt: Es ist Graf Dracula, der bedeutendste aller Vampire. Er lebt in Transsilvanien, in einem unheimlichen, baufälligen Schloss, und schläft bei Tag in einem Sarg mit Friedhofserde. Alle üblichen Mittel zur Vampirabwehr wirken bei Dracula nur begrenzt. Christliche Kreuze und ganze Girlanden aus Knoblauchzehen können ihn nicht immer daran hindern, ein Zimmer zu betreten, in dem sich ängstliche Menschen verschanzt haben: Zur Not zerfällt der Graf zu Staub, der unter der Türritze hindurchweht und drinnen wieder schauerliche Gestalt annimmt.

Mit lautem Lachen die Angst überwinden

Graf Dracula wurde, wie Frankensteins Monster, das Vorbild für zahllose moderne Verfilmungen und Vampirgestalten – darunter nette, harmlose wie der spitzzähnige Graf Zahl aus der *Sesamstraße* oder Cornelia Funkes *Kleiner Vampir.* Eine solche Aufteilung beobachten wir dann bei den Monstern des 20. Jahrhunderts regelmäßig. Zum einen gibt es jene Schreckenswesen, die weiterhin als traditionelle Verkörperung der Angst auftreten: Dazu gehören der Riesenaffe King Kong, die japanische Riesenechse Godzilla (dessen Filmdarsteller in den fünfziger Jahren ein unbequemes Echsenkostüm tragen und Spielzeugstädte zertrampeln musste, wobei er oft vor Anstrengung in Ohnmacht fiel), jedwede Form von Aliens, Killerschaben und gigantischen Krabbeltieren. Oft wird mit den grässlichen Bies-

Der vielleicht berühmteste Affe der Welt: King Kong (amerikanisches Filmplakat von 1933)

Schwitzender Schauspieler im Gummikostüm: Die japanische Filmechse Godzilla

tern auch Schabernack getrieben: In dem amerikanischen Film *Men in Black* zum Beispiel sind die Außerirdischen so übertrieben hässlich, dass man darüber lachen soll. Und kann. Auch das ist ja eine Form, Angst zu überwinden.

Gute Monster, böse Menschen

Die zweite Gruppe der modernen Ungetüme ist von vornherein niedlich: Dazu gehören Steven Spielbergs Filmheld E. T., der Außerirdische, die Bewohner der *Sesamstraße* (allen voran natürlich das entzückende, gar nicht unheimliche Krümelmonster) und auch die Hauptfiguren des computeranimierten Trickfilms *Monster AG* – diese haarigen Ungetüme leben davon, dass Kinder bei ihrem Anblick entsetzt schreien, bis sie merken, dass Kinderlachen ihnen noch besser bekommt.

Auch durch die weltbekannten *Harry Potter*-Romane von Joanne K. Rowling stapft eine ganze Prozession von Drachen, Basilisken, dreiköpfigen Hunden, feuerspeienden Skorpionen und skelettartigen Pferdewesen – doch keines dieser Ungeheuer vermag auch nur annähernd so viel Schrecken zu verbreiten wie Lord Voldemort, der dunkelste aller Zauberer. Zwar hat er seine Seele fast bis zur Unkenntlichkeit zerstückelt und beinahe alle Menschlichkeit abgelegt – aber am Ende ist er eben doch ein Mensch. Und das ist leider realistisch. Denn Monster, so gern wir von ihnen erzählen hören, gibt es nicht. Menschen, die anderen Menschen Schreckliches antun, gibt es hingegen sehr wohl.

Ein Cartoon des Zeichners Gary Larson legt sogar nahe, dass sich womöglich auch Monster vor den Menschen gruseln würden. Dieser Cartoon zeigt ein Bett, unter dem, dicht gedrängt, zwei Ungeheuer liegen. Zitternd vor Angst sagt das eine zum anderen: »Du, hast du nicht auch das Gefühl, das da jemand auf dem Bett liegt?«

Ländersteckbrief Montenegro

Fläche:	13 812 km²
Einwohner:	620 000 = 45 je km²
Hauptstadt:	Podgorica
Religion:	überwiegend serbisch-orthodoxe Christen, Muslime
Amtssprache:	Serbisch
Währung:	1 Euro = 100 Cent

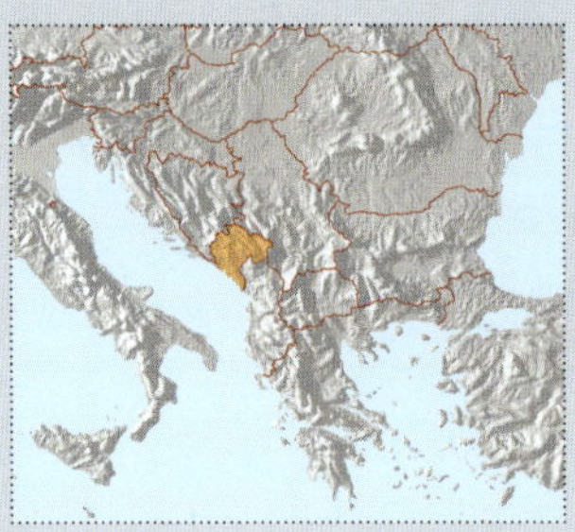

Montenegro, Staat in Südosteuropa.

Der Staat auf der Balkanhalbinsel ist überwiegend ein stark verkarstetes, nur dünn besiedeltes Gebirgsland. 43% der Einwohner sind Montenegriner, 32% Serben; ferner gibt es Minderheiten von Bosniaken und Albanern. Wichtigste Wirtschaftszweige sind Landwirtschaft und Tourismus, ferner gibt es Bauxitförderung und Aluminiumindustrie.

Geschichte: Im frühen Mittelalter war das Gebiet Schauplatz erster Einigungsversuche slawischer Stämme. Im 11. Jh. entstand das Fürstentum Zeta, das später Teil des großserbischen Reichs der *Nemanjiden* wurde. Seit 1499 unter türkische Oberhoheit konnte Montenegro eine gewisse Eigenständigkeit bewahren. Seit Ende des 16. Jh. bemühten sich die Bischöfe von Cetinje um die Errichtung einer politischen Zentralgewalt. 1852 wurde Montenegro weltliches Fürstentum. Unter Fürst *Nikola I.* erfolgte auf dem Berliner Kongress 1878 die Anerkennung der Unabhängigkeit. Nikola nahm 1910 den Königstitel an. 1918 wurde Montenegro Teil des Königreichs der Serben, Kroaten und Slowenen, des späteren Jugoslawiens. 1992 bildete es mit Serbien die neue »Bundesrepublik Jugoslawien«, die 2003 zur Staatengemeinschaft »Serbien und Montenegro« wurde. 2006 proklamierte Montenegro die neuerliche Unabhängigkeit.

Monte Rosa, zweithöchster Berg Europas, an der schweizerisch-italienischen Grenze, in den Walliser Alpen; in der *Dufourspitze* 4634 m hoch.

Montessori, Maria, * 1870, † 1952, italienische Ärztin und Pädagogin; Begründerin eines modernen Unterrichts, der der individuellen Entwicklung des Kindes Spielraum lässt.

Montesquieu [mõtɛsˈkjø], Charles de, * 1689, † 1755; französischer Schriftsteller und Staatsphilosoph. Er entwickelte im Zeitalter des Absolutismus die Idee von der Gewaltenteilung.

Montevideo, Hauptstadt von Uruguay, am Río de la Plata, 1,38 Mio. Einwohner.

Montezuma, *Motecuzoma II.*, *Moctezuma*, * 1467, † 1520; Azteken-Herrscher. Unter Montezuma erlebte das aztekische Reich seinen politischen und kulturellen

Montenegro: Das Städtchen Kotor liegt an der Boka Kotorska, einer tief ins Land greifenden Bucht des Adriatischen Meeres.

Genauer betrachtet …
Brüder Montgolfier

Die Idee für den Bau einer »Montgolfière« hatten die Brüder *Montgolfier*, als sie beobachteten, dass im Kamin aufsteigende Rauchgase verbrannte Papierfetzen in die Luft trugen. Sie wollten dieses »leichte Gas« in einer Hülle einfangen und hofften, dass es auch einen Ballon in die Luft heben würde. 1782 führten sie einen Versuch mit einem heißluftgefüllten Seidensäckchen durch, das rund 300 m hoch und 1500 m weit flog. 1783 bauten sie einen Ballon aus Leinwand und Papier und ließen ihn im Juni bei Lyon aufsteigen. Im September schickten die Brüder in Versailles einen Ballon in die Luft, der einen Käfig mit Tieren trug. Wohlbehalten landeten diese nach 8 Minuten in einem 4 km entfernten Wäldchen. Daraufhin fand am 21. November der erste bemannte freie Ballonflug statt. Diesmal hatte der Ballon neben dem Passagierraum ein mit glühenden Kohlen gefülltes Becken genau unter der Ballonöffnung und konnte erstmals ständig mit heißer Luft nachgefüllt werden. J. *Pilâtre de Roziers* und F. *d'Arlandes* gelang es, rund 1000 m hoch aufzusteigen und nach 25 Minuten sicher in Paris zu landen.

Höhepunkt und gleichzeitig seinen Niedergang. Verantwortlich für den Untergang im Jahr 1519 war der Glaube an die Rückkehr des Gottes *Quetzalcoatl*, den die Azteken in der Ankunft des spanischen Eroberers H. *Cortés* erfüllt sahen. Daher setzten sie ihm keinen Widerstand entgegen. Montezuma wurde als Geisel gefangengenommen und starb wenig später.

Montgolfier [mɔ̃gɔl'fje], Brüder Joseph-Michel (* 1740, † 1810) und Jacques-Étienne (* 1745, † 1799), Erfinder des Freiballons und des Ballonflugs. Auch → »Genauer betrachtet«.

Montreal [mɔntri'ɔ:l], französisch *Montréal,* bedeutendste Handels- und Industriestadt Kanadas, 3,4 Mio. Einwohner. Die Stadt liegt auf einer großen Flussinsel im Sankt-Lorenz-Strom. Sie wurde 1642 von Franzosen an der Stelle eines Indianerdorfes gegründet.

Moor [das], ein feuchtes, sumpfiges Gebiet mit einer Torfschicht und einer besonderen Pflanzengesellschaft. Moore bilden sich in Gegenden, wo dem Boden mehr Wasser zugeführt wird als abläuft, versickert oder verdunstet. Nach der Art der Entstehung unterscheidet man Flachmoor und Hochmoor. Das *Flachmoor* ist vom Grundwasserstand abhängig und bildet sich bei der Verlandung von Seen und Flussläufen. Das *Hochmoor* entsteht nur durch Niederschläge. Fehlendes Grundwasser bewirkt eine Nährstoff- und Kalkarmut. Hier wachsen vorwiegend Torfmoose, die dichte, wasseraufsaugende Polsterdecken bilden. Die Moose wachsen an der Oberfläche und sterben in tieferen Schichten ab, wobei sie in Torf übergehen.

Moore [mu:r], Henry, * 1898, † 1986; englischer Bildhauer und Maler. Er gilt als einer der bedeutendsten bildenden Künstler der Gegenwart. Seine riesigen Plastiken sind meist aus Bronze, manchmal auch aus Holz oder Stein. Moore gestaltet häufig den menschlichen Körper, wobei Hohlräume und vollplastische Gestaltungsweise einen spannungsreichen Gegensatz bilden, z. B. »Liegende Figur« 1957/1958 für das UNESCO-Gebäude in Paris.

Moose [Pl.], meist kleine, polsterartige Sporenpflanzen, die an Orten mit hoher Luftfeuchtigkeit gedeihen. *Laubmoose* tragen an kleinen Stielen Blättchen, *Lebermoose* bilden kriechende Lappen aus, die sich durch Wurzelhaare am Boden festhalten. Echte Wurzeln fehlen den Moosen. Sie nehmen Wasser mit Stängeln und Blättern auf und vermehren sich durch

Sporen, die in z. T. gestielten Kapseln gebildet werden. Auch → Pflanzen.

Moped [das], Kurzwort für motorisiertes Pedal oder Motorpedalfahrzeug, ein Fahrrad mit Hilfsmotor bis 50 cm^3 Hubvolumen und einer Höchstgeschwindigkeit von 40 km in der Stunde. Ein Führerschein der Klasse M ist notwendig.

Moral [die], Sittlichkeit, Sittenlehre.

Moräne [die], eine Schuttanhäufung, die von Gletschern mitgeführt wird. Man unterscheidet *Grundmoränen* (zerriebenes, unter dem Gletscher mitgeführtes Gesteinsmaterial), *Seiten-* und *Randmoränen* (an den Gletscherseiten mitgeführter Schutt) und *Endmoränen* (an der Stirnseite des Gletschers mitgeführter und nach dem Abschmelzen zu einem bis zu mehrere 100 m hohen Wall aufgetürmter Schutt).

Morgenland [das], *Orient,* → Abendland.

Morgenrot [das], dem → Abendrot entsprechende Erscheinung kurz vor Sonnenaufgang.

Mörike, Eduard, * 1804, † 1875; deutscher Dichter und Pfarrer. Mörike war einer der bedeutendsten deutschen Lyriker. In seinen klangvollen Gedichten verbindet sich klassisch Schönes mit romantisch Zwielichtigem und Märchenhaftem. Zu seinen Hauptwerken zählen der Bildungsroman »Maler Nolten« und die Novelle »Mozart auf der Reise nach Prag«.

Genauer betrachtet …

Morsezeichen

Buchstabe	Zeichen	Buchstabe	Zeichen	Satzzeichen	Zeichen	Satzzeichen	Zeichen
a	._	o	___	Punkt	._._._	Aufforderung zum	
ä	._._	ö	___.	Komma	__..__	Geben (K)	_._
b	_...	p	.__.	Fragezeichen	..__..	Kreuz, Schluss der	
c	_._.	q	__._	Doppelpunkt	___...	Übermittlung	._._.
ch	____	r	._.	Apostroph	.____.	Schluss des Verkehrs	
d	_..	s	...	Anführungsstriche	._.._.	(SK)	..._._
e	.	t	_	Bindestrich	_...._		
f	.._.	u	.._	Doppelstrich =	_..._	**Zahlen**	
g	__.	ü	..__	Klammer ( )	_.__._	1	.____
h	....	v	..._	Bruchstrich	_.._.	2	..___
i	..	w	.__	Trennung (zwischen		3	...__
j	.___	x	_.._	Zahl und Bruch ¾)	._.._	4	...._
k	_._	y	_.__	Unterstreichung	..__._	5	.....
l	._..	z	__..	Anfangszeichen	_._._	6	_....
m	__	á, å	.__._	Warten	._...	7	__...
n	_.	ñ	__.__	Irrung	....	8	___..
				Verstanden	..._.	9	____.
						0	_____

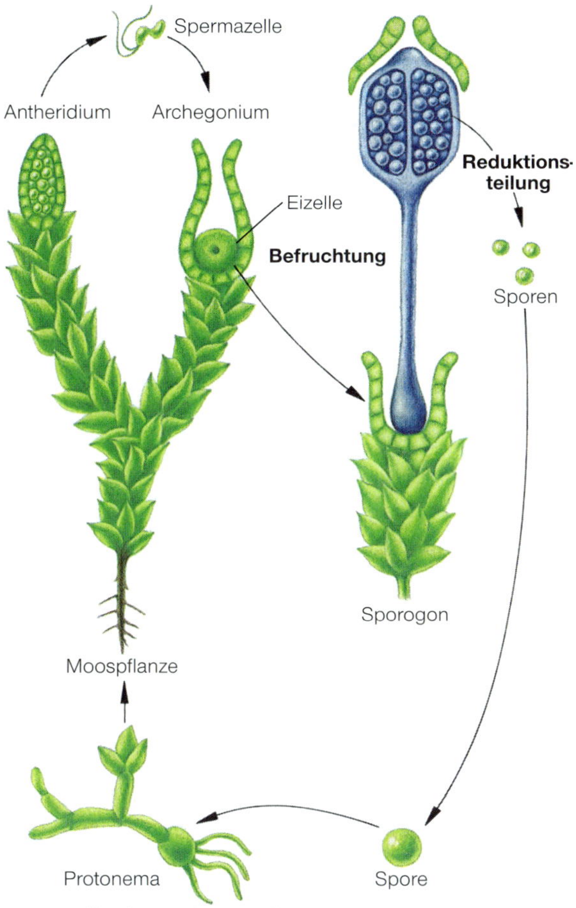

Moose vollziehen in der Fortpflanzung einen Generationswechsel: Die Moosspore keimt zur geschlechtlichen Generation aus dem grünen Vorkeim (Protonema), an dem sich die Moospflänzchen bilden. Die Moospflanze entwickelt weibliche und männliche Geschlechtsorgane (Archegonien und Antheridien). Aus der befruchteten Eizelle geht die ungeschlechtliche Generation hervor, die gestielte Mooskapsel (Sporogon), die wieder Sporen liefert.

Morphium [das, nach dem griech. Gott des Schlafes, »Morpheus«], ein Bestandteil des Opiums mit stark schmerzlindernder Wirkung. Es führt bei wiederholtem Gebrauch schnell zu seelischer und körperlicher Abhängigkeit. Auch → Drogen.

Morrison ['mɔrisən], Toni, * 1931; afroamerikanische Schriftstellerin. Sie stellt in ihren Romanen Alltag und Geschichte der schwarzen Bevölkerung in den USA dar. Zu ihren Werken gehören z. B. »Menschenkind« und »Jazz«. 1993 erhielt sie den Nobelpreis für Literatur.

Morsezeichen [Pl.], von dem Amerikaner S. *Morse* (* 1791, † 1872) geschaffene, aus Folgen und Kombinationen von Punkten und Strichen bestehende Zeichen für Buchstaben und Zahlen. Bei der Telegrafie wird ein Punkt als kurzer Stromstoß, ein Strich als längerer Stromstoß gegeben. Dieses Zeichensystem *(Morsealphabet)* wird heute noch im Seefunk und von Funkamateuren verwendet. Auch → »Genauer betrachtet«.

Mosaik [Pl.], aus bunten Stein- oder Glasstückchen zusammengefügte figürliche Bilder oder Verzierungen für Decken, Wände und Fußböden. Der Ursprung der Mosaiktechnik liegt im Orient. Die ältesten Funde sind 5000 Jahre alt. Häufig wurde das Mosaik in der altchristlichen und byzantinischen Kunst verwendet.

Ländersteckbrief
Mosambik

Fläche:	799 380 km²
Einwohner:	20,2 Millionen = 25 je km²
Hauptstadt:	Maputo
Religion:	Naturreligionen, Christentum, Islam
Amtssprache:	Portugiesisch
Währung:	1 Metical = 100 Centavos

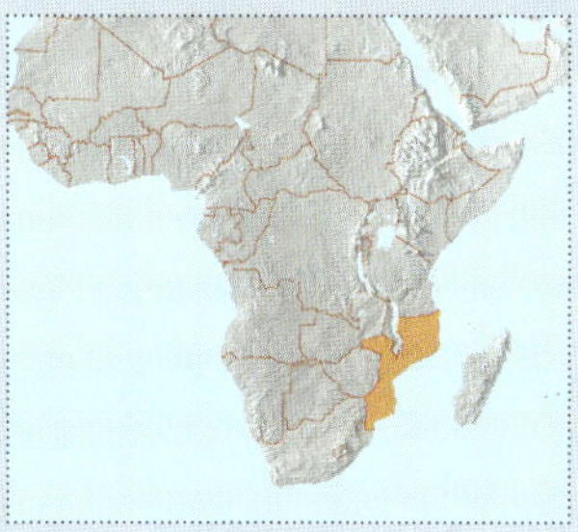

Mosambik: Gefangener Fisch wird zum Trocknen ausgelegt und so haltbarer gemacht.

Mosambik, Staat in Südafrika.

Landesnatur: Mosambik wird überwiegend von einem 1000–2000 m hohen Tafelland mit aufgesetzten Inselbergen eingenommen. An der Küste und im Süden erstreckt sich z. T. versumpftes Flachland. Das tropische Klima wird von den sommerlichen Monsunregenfällen bestimmt. Der größte Teil des Landes wird von Trockenwäldern und Savannen eingenommen.

Bevölkerung: Die Bevölkerung setzt sich aus rund 60 verschiedenen Bantustämmen zusammen. Der größte Teil gehört traditionellen Religionen an, 28% sind Christen, 23% Muslime.

Wirtschaft: Wichtigste Exportprodukte der Landwirtschaft sind Cashewnüsse, Baumwolle, Zuckerrohr. Durch den Bürgerkrieg wurden Wirtschaft und Infrastruktur völlig zerrüttet; Mosambik zählt zu den ärmsten Ländern der Erde. Der Abbau der Bodenschätze (Kohle, Erdöl, Eisen, Bauxit, Uran, Magnesit u. a.) hat erst begonnen. Haupthäfen sind Maputo, Beira und Nacala; internationale Flughäfen gibt es in Maputo und Beira.

Geschichte: 1505 besetzte Portugal die Küste Mosambiks (seit 1752 portugiesische Kolonie). Auf der Berliner Kongo-Konferenz erfolgte die endgültige Festlegung der Grenzen. 1951 wurde Mosambik zur portugiesischen Überseeprovinz erklärt. Seit 1964 führte die Guerillabewegung FRELIMO einen Befreiungskrieg gegen das Mutterland, das 1975 die Unabhängigkeit gewährte *(Volksrepublik Mosambik)*. Mosambik lehnte sich eng an die kommunistischen Staaten an. Gegen das herrschende Regime kämpfte die von Südafrika unterstützte Widerstandsbewegung RENAMO. Die Auseinandersetzungen weiteten sich zu einem blutigen Bürgerkrieg aus, der rund 1 Mio. Todesopfer forderte. 1986 wurde J. A. *Chissano* Staatspräsident, der eine politische Wende einleitete. 1990 trat eine neue Verfassung in Kraft *(Republik Mosambik)*. 1992 schlossen die RENAMO-Rebellen einen Friedensvertrag mit der Regierung. Die Präsidentschaftswahlen 2004 gewann A. *Guebuza* (FRELIMO).

Moschee [die], ein islamisches Gotteshaus, in dem sich die gläubigen Moslems zum Gebet versammeln. Es handelt sich meist um einen großen Kuppelbau mit mehreren schlanken, mit Balkonen versehenen Türmen *(Minarette)*. Vom Minarett aus ruft der *Muezzin* die Gläubigen fünfmal täglich zum Gebet. In der Moschee befindet sich auch die nach Mekka ausgerichtete Gebetsnische.

Mosel [die], linker Nebenfluss des Rheins, 545 km lang. Sie entspringt in den südlichen Vogesen und mündet bei Koblenz.

Moskau: Die Basiliuskathedrale wurde unter Iwan dem Schrecklichen 1552–1561 zur Erinnerung an den Sieg über die Mongolen errichtet.

Motocross: Bei Wettbewerben, hier mit Seitenwagengespann, werden Kurven gesteckt, um den Geländekurs zusätzlich zu erschweren.

Moses, *Mose,* nach dem Alten Testament der Empfänger der Offenbarung Gottes und der von Gott beauftragte Befreier des Volkes Israel aus ägyptischer Knechtschaft. Moses ist der Vermittler des göttlichen Gesetzes (u. a. der *Zehn Gebote).* Die 5 Bücher Moses im Alten Testament sind nach ihm benannt, wurden aber nicht von ihm verfasst.

Moskau, Hauptstadt, politisches, kulturelles und wirtschaftliches Zentrum Russlands, 10,1 Mio. Einwohner. Den Mittelpunkt der Stadt bilden der Rote Platz und der Kreml.

Moskitos [Pl.], stechende, blutsaugende Mücken in tropischen Ländern. Einige Arten übertragen Krankheiten wie Malaria oder Gelbfieber.

Moslem [der], ältere Schreibung für → Muslim.

Motiv [das], allgemein Beweggrund; in der Kunst ein Thema, Objekt; in der Musik die kleinste melodische Einheit, aus der sich das musikalische Thema entwickelt.

Motocross [der, engl.], *Moto-Cross,* Geschwindigkeitswettbewerb für Motorräder auf schwierigem Geländekurs mit Anstiegs- und Gefällestrecken, Wasserdurchfahrten u.Ä.

Motor [der], eine Maschine, die Energie in mechanische Arbeit umwandelt, z. B. → Elektromotor, → Verbrennungsmotor.

Motorrad [das], *Kraftrad, Krad,* einspuriges, zweirädriges, durch einen Verbrennungsmotor angetriebenes Fahrzeug, das außerdem mit einem Beiwagen ausgestattet sein kann. Sonderbauarten sind beispielsweise *Mofa* (ein Fahrrad mit Hilfsmotor und einer Höchstgeschwindigkeit von etwa 25 km in der Stunde) und → Moped.

Motorsport [der], alle Sportarten mit motorgetriebenen Fahr- und Flugzeugen auf dem Land, dem Wasser und in der Luft, z. B. Automobilsport, Rallye, Motorradsport.

Mountainbiking ['mauntinbaikiŋ], eine Radsportvariante mit Ursprung in den USA. Die verwendeten Geländefahrräder sind mit breiten, stark profilierten Reifen und flachen Lenkern sowie einer Schaltung mit 18–24 Gängen ausgestattet.

Mount Everest → Everest.

Möwen [Pl.], weltweit verbreitete Wasservögel. Sie haben Schwimmhäute zwischen den Zehen und sind meist auch gute Flieger. Die etwa krähengroßen Tiere haben ein weißes oder helles Gefieder, Rücken und Flügel sind grau. Möwen brüten gesellig auf kleinen Inseln oder Sandbänken. Bekannt sind bei uns *Silbermöwe, Lachmöwe* und *Sturmmöwe.*

?

Wer war …

Wolfgang Amadeus Mozart

Der österreichische Komponist Wolfgang Amadeus Mozart (* 1756, † 1791) zählt zusammen mit J. *Haydn* und L. *van Beethoven* zu den bedeutendsten Komponisten der Wiener Klassik. Seine Musik zeichnet sich durch großen melodischen Reichtum und eine vor ihm unerreichte Ausgeglichenheit in Form und Inhalt aus.

Mozarts Kindheit und Jugend wurden stark vom Vater Leopold (* 1719, † 1787) geprägt, der sich fast ausschließlich der Erziehung und der musikalischen Ausbildung seiner Kinder Wolfgang und Maria Anna (* 1751, † 1829, genannt »Nannerl«) widmete. Bereits im Alter von sechs Jahren galt Mozart als Wunderkind und wurde als Meister im Klavierspiel in Salzburg, München und Wien gefeiert. Eine Konzertreise, die der Vater 1763–1769 mit beiden Kindern unternahm, führte bis an die Höfe von Paris und London. In London schrieb der junge Mozart 1764/1765 auch seine ersten Sinfonien. Weitere Reisen, so auch nach Italien, wo Mozart die italienische Opernmusik kennenlernte, steigerten seinen Ruhm. Nach einer Tätigkeit als Konzertmeister des Erzbischofs von Salzburg, siedelte Mozart 1781 nach Wien über, wo er als freier Künstler tätig war und häufig in großen Geldsorgen lebte. 1782 heiratete er Constanze *Weber* (* 1762, † 1842). Mozart starb 35-jährig und wurde in einem Armengrab bestattet.

Zu seinen Lebzeiten musste Mozart stets um künstlerische Anerkennung kämpfen.

Mozart schuf bedeutende Werke in fast allen musikalischen Gattungen. Zu seinen bis heute vielgespielten Opern und Singspielen gehören v. a. »Die Entführung aus dem Serail« (1782), »Die Hochzeit des Figaro« (1786), »Don Giovanni« (1787), »Così fan tutte« (1790) und »Die Zauberflöte« (1791). Daneben komponierte er Sinfonien, Instrumentalkonzerte, Serenaden, Kammermusik, Klaviermusik und Lieder. Von Mozarts über 600 Werken erschienen zu seinen Lebzeiten nur 131 im Druck. 1862 gab der österreichische Musikwissenschaftler Ludwig *Ritter von Köchel* ein erstes Gesamtverzeichnis der Werke Mozarts heraus (»Köchel-Verzeichnis«).

MP3-Player, tragbare oder stationäre Geräte bzw. PC-Software zur Wiedergabe von Audiodateien im MP3-Format. Viele MP3-Player spielen neben MP3 auch andere Audiokompressionsformate wie WMA (Windows Media Audio), AAC (Advanced Audio Coding) oder Ogg Vorbis ab.

MP3-Technik, Datenkompressionsverfahren, mit dem Tondateien im Internet extrem verkleinert werden können.

Mubarak, Mohammed Hosni, * 1928; ägyptischer Politiker. Seit 1981 ist er Präsident Ägyptens. Er hat sich die Friedenssicherung zwischen den Arabern und Juden zur Aufgabe gemacht.

Mücken [Pl.], langbeinige, zart gebaute Insekten mit langen, fadenförmigen Fühlern. Ihre Larven leben meist im Wasser und treten oft massenweise auf. Sie sind wichtig als Fischfutter. Viele Mücken übertragen beim Stechen die Erreger gefährlicher Krankheiten (z. B. Malaria, Gelbfieber). Zu den Mücken gehören u. a. *Schnaken, Stechmücken* und *Gnitzen.*

Muezzin [der, arab.], früher der islamische Gemeindebeamte, der täglich fünfmal die Gebetszeiten ausrief. Heute werden die Gebetsrufe meist vom Tonband abgespielt.

Muffins ['mʌfinz], süße oder herzhafte kleine Kuchen aus Rührteig.

Muhammad Ali, eigentlich Cassius *Clay*, * 1942; US-amerikanischer Boxer. Er wurde als dreimaliger Weltmeister im Schwergewicht (1964, 1974 und 1978) zur Boxlegende und bestritt 61 Kämpfe von denen er nur 5 verlor. 1965 trat er zum Islam über und setzte sich für die Rechte der schwarzen Bevölkerung in den USA ein.

Müll [der], feste Abfallstoffe verschiedener Herkunft. Müll wird entweder verbrannt *(Müllverbrennungsanlagen),* um das Volumen zu verringern, auf Deponien gelagert oder kompostiert. Radioaktive Abfälle, Krankenhausabfälle oder Lösungsmittelrückstände u. Ä. gelten als *Sondermüll.*

Müllkompostierung [die], die Verrottung von Müll mit Hilfe von Mikroorganismen. Sie eignet sich besonders für Hausmüll, der zuvor von Eisenteilen u. a. Hartstoffen befreit wurde. Bei der Müllkompostierung wird aus Teilen des Mülls eine nährstoffhaltige Komposterde.

Müllverbrennung [die], die Beseitigung von Müll in Großverbrennungsanlagen. Die bei der Verbrennung gewonnene Energie wird in Dampfkraftanlagen genutzt, teilweise wird auch die Abwärme in ein Fernwärmenetz eingespeist *(Müllheizkraftwerk).* Bei der Müllverbrennung können gefährliche Abgase entstehen.

Multimedia [engl.], Produkte und Dienstleistungen aus dem Computer-, Telekommunikations-, Unterhaltungs- und Medienbereich, beispielsweise interaktive Spiele, Nachschlagewerke auf CD-ROM und DVD-ROM oder im Internet, Homeshopping, Videokonferenzen.

Multiple Choice, Testverfahren, bei dem man aus mehreren vorgegebenen Antworten die richtige aussuchen soll.

Multiplikation [die], das Malnehmen von Zahlen. Auch → Mathematik (Tabelle Grundrechenarten).

Mumbai → Bombay.

Mumie [die], durch Ausdörrung oder andere Konservierungsmaßnahmen vor der Verwesung geschützte Leiche. Den Brauch der Mumifizierung kannten u. a. die Ureinwohner Australiens und Neuguineas sowie die Azteken und die Inka. Im alten Ägypten pflegte

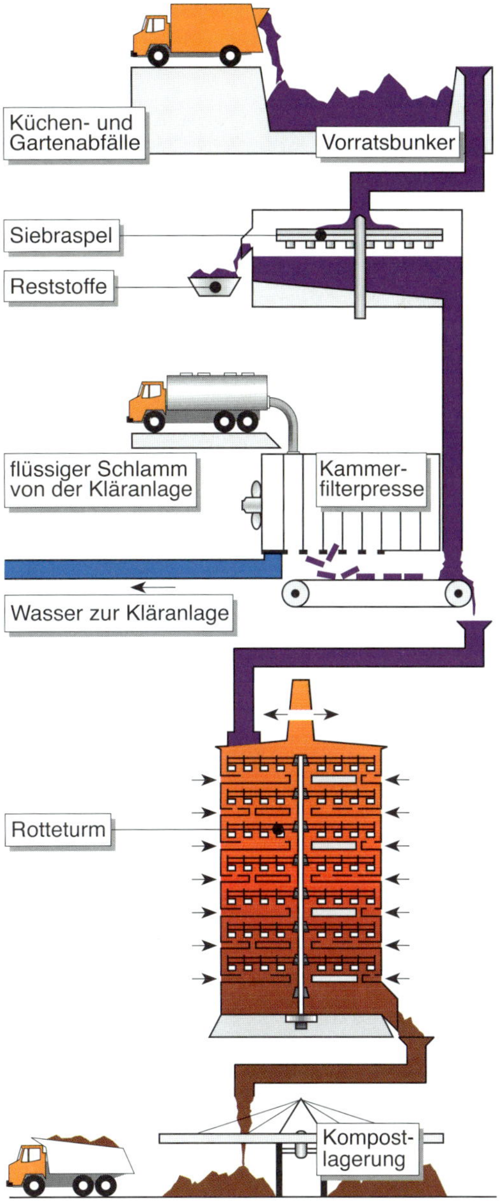

Müll: schematische Darstellung eines Kompostierwerks

man diese Sitte schon im 3. Jahrtausend v. Chr. Die Mumie wurde mit Binden umwickelt und oft mit einer gemalten Gesichtsmaske versehen, die das Bild des Verstorbenen trug. Auch → »Genauer betrachtet«.

Mumps [der], *Ziegenpeter,* eine von Viren hervorgerufene Infektionskrankheit, die vor allem bei Kindern auftritt. Schwellung der Ohrspeicheldrüse, Schluckbeschwerden, meist nur leichtes Fieber sind die Anzeichen.

Munch [muŋk], Edvard, * 1863, † 1944; norwegischer Maler und Grafiker. Er schuf besonders düster gestimmte Menschendarstellungen und Landschaften. Munch war ein Vertreter des Expressionismus.

München, Landeshauptstadt von Bayern, an der Isar, 1,2 Mio. Einwohner. München ist ein Zentrum

Genauer betrachtet … Mumie

Zuerst öffneten die Ägypter den Körper mit einem kleinen Schnitt und nahmen die inneren Organe heraus. Diese reinigten sie mit Wein und Gewürzen, und die Bauchhöhle spülten sie mit Zedernöl aus. Dann entfernten sie das Gehirn mit einer Art Pinzette, die sie durch die Nase einführten. Anschließend legten sie den gereinigten Körper und die Organe für längere Zeit in Salzlauge, damit das Wasser entzogen wurde. Danach legten sie die Organe in den Körper zurück und stopften die Bauchhöhle zusätzlich mit Harz und Leinenkissen oder Sägespänen aus. Dann rieben sie den Körper mit Salben aus Zedernholz ein. Für diese Behandlung brauchten sie 70 Tage. Abschließend umwickelten sie den Leichnam mit harzbestrichenen Leinenbinden und setzten ihm eine bemalte Maske auf.

Mumie: Mumienbildnis eines Jungen aus Hawara; 2. Jh. v. Chr.

der Kunst und Kultur mit zahlreichen bedeutenden Museen (z. B. Alte und Neue Pinakothek, Pinakothek der Moderne, Deutsches Museum) und Sehenswürdigkeiten (z. B. Frauenkirche, Residenz mit Hofgarten, Schloss Nymphenburg, Englischer Garten, Olympiapark mit Olympiaturm). – 1158 gab Herzog *Heinrich der Löwe* München die Stadtrechte. 1255 bis 1918 war die Stadt Residenz der Wittelsbacher.

Münchhausen, Karl Friedrich Hieronymus Freiherr von, * 1720, † 1797; deutscher Jäger und Offizier. Münchhausen erzählte gern abenteuerliche Erlebnisse und wurde darum auch »Lügenbaron« genannt. Seine fantasievollen Geschichten (»Wunderbare Reisen zu Wasser und zu Lande, Feldzüge und lustige Abenteuer des Freiherrn von Münchhausen«) wurden später als Volksbuch herausgegeben.

Mündel [Pl.], Minderjährige, die einen Vormund haben (unter Aufsicht des Vormundschaftsgerichts).

Münster [das], eine große Pfarrkirche, ein Dom.

Münster, *Münster (Westfalen),* Stadt in Nordrhein-Westfalen, an der Aa und am Dortmund-Ems-Kanal, 270 000 Einwohner. Münster wurde um 800 gegründet und wurde im 14. Jh. Mitglied der Hanse. 1648 wurde hier und in Osnabrück der *Westfälische Friede* geschlossen.

Münze [die], ein geprägtes Metallstück, das als Geld verwendet wird. Der Wert der Münze wurde ursprünglich von Gewicht und Edelmetallgehalt bestimmt. Heute garantiert der Staat als Inhaber der Münzhoheit den Wert der Münze. Die ersten Münzen entstanden um 650 v. Chr. in Kleinasien.

Münzer, *Müntzer,* Thomas, *um 1490, †1525; deutscher Geistlicher, Revolutionär und Bauernführer. Münzer vertrat zuerst als Prediger die Lehren Luthers, forderte aber bald eine radikale Veränderung

Muräne: Hinter den spitzen, hakenförmigen Zähnen des Tieres sitzen seine Giftdrüsen.

Muscheln – hier Teichmuscheln – filtrieren zur Nahrungsaufnahme das Wasser und erfüllen so eine wichtige ökologische Aufgabe: Sie reinigen zugleich die Gewässer.

des kirchlichen Lebens. 1525 wurde er zum Führer des Bauernkriegs in Thüringen. Nach der Niederlage seines Bauernheeres bei Frankenhausen am Kyffhäuser geriet Münzer in Gefangenschaft und wurde hingerichtet.

Muränen [Pl.], bis 1,5 m lange, aalartige Fische ohne Brust- und Bauchflossen. Muränen sind nächtliche Räuber, die warm gemäßigte bis tropische Meeresküsten bewohnen und sich tagsüber in Löchern und Spalten verbergen. Ihr Biss ist giftig und auch für den Menschen gefährlich.

Murmeltiere [Pl.], meist gesellig lebende Erdhörnchen, die in Gebirgs- und Steppenregionen Europas, Nordasiens und Nordamerikas verbreitet sind. Die etwa 50 cm langen Tiere haben einen gedrungenen Körperbau, ein Eindruck, der durch den breiten Kopf, die kurzen Beine und das dichte, raue Fell noch verstärkt wird. Murmeltiere leben in selbst gegrabenen Höhlen, sind reine Pflanzenfresser und halten einen fast 7 Monate dauernden Winterschlaf. Fühlt sich ein Murmeltier bedroht, stößt es schrille Pfiffe zur Warnung seiner Artgenossen aus.

Muscheln [Pl.], Weichtiere, deren Körper mit einer zweiteiligen Kalkschale bedeckt ist. Mit kräftigen

Genauer betrachtet ...
Museum

Ort	Name	Inhalt
Amsterdam	Rijksmuseum	Kunst
Athen	Archäologisches Museum	Archäologie
Berlin	Staatliches Museum Nationalgalerie	Kunst
	Pergamon-Museum	Archäologie
	Staatliche Museen Preußischer Kulturbesitz	Kunst
Florenz	Uffizien	Kunst
Köln	Wallraf-Richartz-Museum/Museum Ludwig	Kunst
London	National Gallery	Kunst
Madrid	Prado	Kunst
München	Alte und Neue Pinakothek	Kunst
	Deutsches Museum	Naturkunde
New York	Metropolitan Museum of Art	Kunst
Paris	Louvre	Kunst
St. Petersburg	Eremitage	Kunst
Washington	National Gallery of Art	Kunst
Wien	Albertina	Kunst

Schließmuskeln können sie die Schalen öffnen und schließen. Die meisten Muscheln leben als Meerestiere im Sand eingegraben oder an Felsen und Uferbauten angeheftet (z. B. Austern und Miesmuscheln). Muscheln ernähren sich von Kleinstlebewesen (Plankton), die sie aus dem Atemwasser herausfiltern. Einige Muscheln sind essbar, z. B. *Austern* oder *Miesmuscheln,* manche liefern Perlen.

Musen [Pl.], in der griechischen Sagenwelt die Töchter des Zeus, die Schutzgöttinnen von Musik, Gesang, Tanz, Dichtung und Wissenschaft.

Museum [das], ein allgemein zugängliches Gebäude, in dem Sammlungen von Gegenständen ausgestellt und aufbewahrt werden, die für Kunst, Geschichte, Völkerkunde, Naturwissenschaft, Technik u. a. Gebiete wichtig sind. Auch → »Genauer betrachtet«.

Musical ['mjuzikəl, das, engl.], eine um 1900 in den USA, und zwar in New York am Broadway, entwickelte Form eines Bühnenwerks, das Elemente der Operette, der Revue, des Balletts sowie der Jazz- und Popmusik enthält.

Musik [die], Musik hat schon immer zum Leben der Menschen gehört: als ursprüngliches Ausdrucksmittel von Freude und Schmerz, als Begleiter elementarer Lebenssituationen wie Geburt, Hochzeit und Tod oder Jagd und Krieg. Musik kann gesungen *(Vokalmusik)* oder von Instrumenten gespielt werden *(Instrumentalmusik).* Das Vorhandensein von Musikinstrumenten ist schon seit der Zeit der alten Ägypter durch Funde belegt. Auf Höhlenmalereien erkennt man einfache Flöten und Harfen. Der Beginn unserer abendländischen Musikgeschichte wird allgemein ins Mittelalter datiert (500–1350). Aus dieser Zeit kennen wir vor allem Kirchengesänge wie den *gregorianischen Choral*, einen einstimmigen Sprechgesang zwischen einem Vorsänger und der Kirchengemeinde. Im 12. Jh. entwickelte sich mit dem *Minnesang* die weltliche Musik. Die Minnesänger waren gleichzeitig Dichter, Komponisten und vortragende Sänger ihrer ritterlichen Liebeslieder, beeinflusst wurden sie durch die französischen Troubadours. Bis etwa 1600 gab es überwiegend Vokalmusik. Durch das Hinzufügen weiterer Stimmen gipfelte der einstimmige Gesang in der Mehrstimmigkeit *(Polyphonie)*; alle Stimmen waren gleichberechtigt und selbstständig. Die Renaissance (1350–1600) brachte Formen wie die mehrstimmige Messe und das *Madrigal*, ein mehrstimmiges weltliches Kunstlied, hervor. Gleichzeitig entstand auch die noch heute gebräuchliche *Notenschrift*, um diese Musik besser festhalten zu können. Die Instrumentalmusik trat in Deutschland relativ spät in Erscheinung. Erst seit dem 15. Jh. entwickelte sich die *Orgelkunst*. Die Barockzeit (1600–1750) bedeutete einen grundlegenden Stilwandel, der seinen musikalischen Ausdruck in weltlichen Formen wie der Oper, dem *Instrumentalkonzert* (Concerto grosso) und im *Virtuosentum* fand. Sänger, Instrumentalsolisten und Instrumentenbauer stellten sich den Anforderungen immer anspruchsvoller werdender Kompositionen. Die Klassik (1750–1830) bedeutete eine Weiterentwicklung dieser Errungenschaften. Die Ausdruckspalette erweiterte sich hinsichtlich melodischer, harmonischer, dynamischer und instrumentaler (z. B. Erfindung des Klaviers) Möglichkeiten und lebte von Kontrasten. Es entstand u. a. die *Sinfonie*, das Zusammenspiel von Instrumenten ohne Vokalstimmen. In der Oper wurden die bisher streng gesonderten Teile zu einem einheitlichen Ganzen zusammengeführt. So entwickelte sie sich zu einem durch eine Handlung zusammenhängenden Kunstwerk. In der Romantik (19. Jh.) wird die Musik zum Ausdrucksmittel persönlicher Gedanken und Gefühle, sie ist nicht mehr abstrakt, sondern mit Assoziationen verbunden. So entstand beispielsweise die besondere Form der *Programmmusik*. Diese versuchte, in der Instrumentalmusik auch außermusikalische Vorgänge, wie seelische Erlebnisse, äußere Eindrücke u. a., darzustellen. Ebenso ist dieses Jahrhundert die Zeit, in der sich jede Nation auf ihr musikalisches Erbe besinnt und eine eigene *Nationalmusik* schafft. Da bereits in der zweiten Hälfte des 19. Jh. die Musik begann, sich von dem traditionellen Denken zu lösen, und nach neuen Klangmöglichkeiten suchte, ist das 20. Jh. in seiner Vielfalt zu einem Sammelbecken verschiedenster

Museum: Skelett eines Tyrannosaurus Rex im Field Museum, Chicago (USA)

Genauer betrachtet … Musik

Arie: ein Sologesang

Etüde: ein musikalisches Übungsstück

Fuge: eine Kompositionsform, bei der ein Thema nacheinander durch alle Stimmen geführt wird

Kammermusik: das Musizieren im kleinen Kreis und die dort gespielten Stücke

Kantate: eine Kompositionsgattung für eine oder mehrere Singstimmen und Instrumente

Madrigal: die Form eines mehrstimmigen, weltlichen Liedes

Menuett: ein alter französischer Volkstanz, später am Hof beliebt

Motiv: die kleinste Einheit eines Themas, die auch selbständig sein kann

Musical: Unterhaltungstheater mit Showeinlage

Oper: ein Bühnenwerk mit festem Geschehen für Gesang und Instrumente

Operette: eine Art Singspiel mit Sprechdialogen und Musiknummern

Oratorium: ein großes Gesangswerk für Soli, Chor und Orchester ohne Bühnengestaltung

Partitur: die Niederschrift eines Musikstückes nach einzelnen Stimmen und Instrumenten; alle gleichzeitig gespielten Noten stehen übereinander

Satz: die Struktur des Komponierten, auch ein Gliederungselement

Serenade: Abendmusik, Ständchen

Sinfonie: das Zusammenspiel von Instrumenten, später ein Orchesterwerk

Sonate: ein Musikstück für ein oder zwei Instrumente

Thema: ein in sich geschlossener musikalischer Gedanke aus Motiven

Stilrichtungen geworden. Kompositionen in der Tradition der Klassik und Romantik stehen neben Werken der Zwölftonmusik oder der elektronischen Musik, die sich bewusst von der Romantik ab- und einer neuen Schlichtheit beziehungsweise Sachlichkeit zuwandten. Nicht zuletzt ist hier die *Jazzmusik* zu nennen, die oft fruchtbare Synthesen mit traditionellen Kompositionstechniken eingegangen ist. Heute unterteilt man die Musik in zwei große Gruppen: Die *U-Musik* (Unterhaltungsmusik) umfasst die populären Sparten wie Popmusik, Rock, Jazz u. a., und zur *E-Musik* (ernste Musik) rechnet man die traditionelle und die moderne Orchester- und Kammermusik. Auch → »Genauer betrachtet« sowie ZEIT-Beitrag → »Musik: Vom Grammofon zum iPod«, Seite 132–135.

Musikinstrumente [Pl.], für die ersten Musikinstrumente wurden naturgegebene Materialien wie Holzstäbe als Klappern, Fruchtkapseln als Rasseln, Tierhörner und Schneckengehäuse als Blasgeräte oder gehöhlte Baumstämme als Trommeln verwendet. Mit den meisten dieser Instrumente waren Mythos und Aberglaube verbunden. Aber auch für die frühesten Epochen antiker Hochkulturen bezeugen Funde und Ausgrabungen, dass es zahlreiche Musikinstrumente wie Harfen und Felltrommeln gab. Die Musikinstrumente werden in der Praxis eingeteilt in: 1. *Tasteninstrumente* (beispielsweise Klavier); 2. *Saiteninstrumente* (Streich- und Zupfinstrumente, z. B. Geige, Harfe); 3. *Blasinstrumente* (Holz- und Blechblasinstrumente, z. B. Flöte, Trompete); 4. *Schlaginstrumente* (mit und ohne bestimmbarer Tonhöhe, z. B. Pauke, Trommel); 5. *mechanische Musikinstrumente* (Musikwerke) und 6. *elektronische Musikinstrumente* (z. B. Synthesizer). Diese Einteilung geht von dem Instrumentarium des Abendlandes aus.

Musil, Robert Edler von, * 1880, † 1942; österreichischer Schriftsteller. Grundthema seines Werkes ist die Orientierungslosigkeit des Menschen. Zu seinem Hauptwerk gehören die Romane »Die Verwirrungen des Zöglings Törleß« und »Der Mann ohne Eigenschaften«.

Muskat [der], ein Gewürz aus der geriebenen Nuss des Muskatbaums. Der immergrüne Baum ist in Südostasien beheimatet.

Muskel [der], das fleischige Gewebe des tierischen und menschlichen Körpers, durch das die Bewegung einzelner Körperteile und die Fortbewegung ermöglicht wird. Man unterscheidet die unwillkürliche (nicht vom Willen steuerbare), *glatte* Eingeweidemuskulatur und die willkürliche (vom Willen beeinflussbare), *quer gestreifte* Skelettmuskulatur. So können wir z. B. die Bewegungen des Darms nicht mit unserem Willen beeinflussen, wohl aber die Bewegungen unserer Arme und Beine. Der Herzmuskel nimmt eine Zwischenstellung ein. Er ist zwar quer gestreift, jedoch nicht dem Willen unterworfen. Um die Muskeln zu betätigen, benötigen wir Zucker, der vom Blut herangeführt und bei der Muskelarbeit verbrannt wird. Dabei entstehen Abfallprodukte wie Kohlendioxid und Milchsäure, die durch das Blut abtransportiert werden. Besonders bei untrainierten Menschen tritt bei übermäßiger Muskelanstrengung der Muskelkater auf. Er wird durch feinste Risse im Muskelbindegewebe hervorgerufen.

Muskelkater, Schmerzempfindung in der Muskulatur nach übermäßiger Anstrengung; verursacht durch feinste Risse im Muskelbindegewebe.

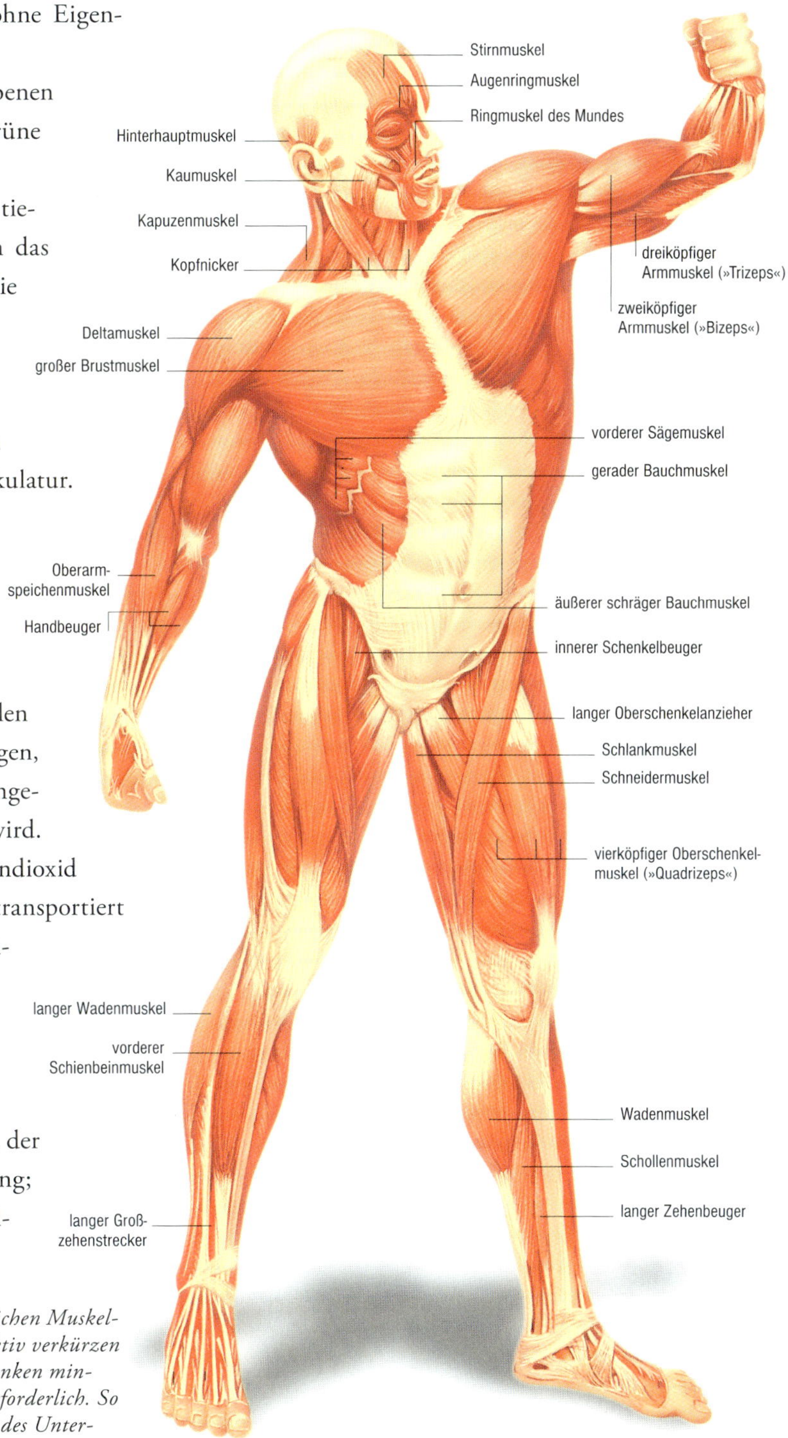

Muskel: Die Grafik zeigt den Aufbau des menschlichen Muskelsystems. Grundlegend können sich Muskeln nur aktiv verkürzen oder passiv erschlaffen. Deshalb sind an allen Gelenken mindestens zwei als Gegenspieler wirkende Muskeln erforderlich. So bewirkt z.B. im Oberarm der Bizeps die Beugung des Unterarms, der Trizeps, sein Gegenspieler, die Streckung.

Einer der Urväter des Hip-Hop: Grandmaster Flash hinter den Plattentellern

Musik

Vom Grammofon zum iPod

Von Ulrich Stock

Musik ist eine seltsame Kunst. Ein Bild kann man an die Wand hängen, und dann bleibt es Jahre da, bis es jemand abnimmt. Oder ein Denkmal: Man stellt es auf, und dann steht es. Man kann es anfassen, darauf herumturnen, es ist ziemlich robust. Wie flüchtig dagegen ist ein Lied! Man hört es, und schon ist es weg. Musik ist eine Schwingung der Luft, eine Kunst des Augenblicks, gleich vorbei.

Früher gab es Musik nur, wenn jemand sie machte, ein Lied trällerte, Geige spielte, die Trommel rührte. Und um das zu hören, musste man in der Nähe sein. Es gab kein Radio, keine CDs, keine MP3-Player. Entweder man sang selbst, oder man ging ins Konzert, das konnte in einer Kirche sein, in einem Schloss oder unter freiem Himmel, da, wo Macht und Geld waren. Draußen brauchte es schon ziemlich viele Musiker mit Pauken und Trompeten, damit man überhaupt etwas hörte, eine Militärkapelle zum Beispiel, denn damals konnte man Musik nicht lauter drehen. Sie war immer nur so laut, wie sie aus den Instrumenten kam.

Musik ohne Musiker

Die Menschen haben wohl seit jeher musiziert, aber man weiß nicht, wie sich das anhörte, weil die Klänge sofort verflogen. Vor ein paar Jahrhunderten kam dann jemand auf die Idee, den

Tönen eines Liedes Namen zu geben und sie aufzuschreiben. Das war die Notenschrift. Aber mit den Noten allein hatte man noch keine Musik, man brauchte jemanden, der sie lesen und spielen konnte. Doch hatten die Musiker nicht immer Lust zu spielen. Außerdem wollten sie Geld haben. Besonders teuer waren die großen Orchester mit mehr als 100 Musikern. Wie praktisch wäre es, Musik auch dann hören zu können, wenn gerade kein Musiker da ist!, dachten die Leute.

Eine bahnbrechende Erfindung

So fing man an, Musikmaschinen zu bauen. Sie enthielten Saiten und Schellen und ein kompliziertes Getriebe, und manche konnten schöne Stücke spielen. Nur singen konnten sie nicht. Die Stimme, die gehörte dem Menschen.

Vor gut 130 Jahren hat dann der amerikanische Erfinder Thomas Alva Edison eine Maschine gebaut, die etwas Unerhörtes konnte: die Stimme eines Menschen aufzeichnen und wiedergeben. Man brüllte in einen Trichter, an dessen Ende eine Folie war, die unter den Worten zu zittern begann und mit einer auf der Folie befestigten Nadel eine krakelige Linie in eine sich drehende Wachswalze kritzelte. Setzte man anschließend die Nadel zurück und ließ sie die krakelige Linie entlangschlittern, konnte man aus dem Trichter leise die Worte hören. Der Phonograph, so hieß die Maschine, war eine Sensation. Und bald wurde auch Musik aufgenommen.

Anfangs klang das noch ziemlich schepperig. Aber nachdem die Menschen verstanden hatten, wie mit ein wenig Mechanik Töne zu speichern waren, ließen sie nichts unversucht, den Klang zu verbessern und ihn beweglich zu machen. Sie wollten zu Hause Musik hören, beim Picknick, am Strand, eigentlich überall und zu jeder Zeit. Es sollte etliche Jahrzehnte dauern, bis es so weit war. Erst wurden Plattenspieler und Tonbandgerät erfunden, dann die Cassette und der Walkman, den man schon gut mit sich herumtragen konnte, schließlich die CD. Heute kann man die Musik sogar von fingernagelgroßen Speicherchips aus dem Computer hören oder aus einem iPod.

Die ersten Grammofone kamen ohne Strom aus; man musste kurbeln, und obwohl die Geräte riesige Schalltrichter hatten, waren die Platten sehr leise. Später erfand man große Verstärkeranlagen. Nun konnte man Diskotheken eröffnen, in denen die Musik so laut werden konnte, dass es in den Ohren wehtat. Und Musiker konnten unter freiem Himmel auch dann vor vielen Leuten spielen, wenn sie keine Militärkapelle waren. Da stehen ein Gitarrist, ein Bassist und ein Schlagzeuger auf der

Glenn Miller (links) und weitere Posaunisten seiner legendären Big Band

Bühne, machen einen Höllenlärm, und unten im Stadion jubeln ihnen Zehntausende zu. Die akustische Gitarre, ein sehr leises Instrument, wurde zur elektrischen Gitarre, und ihr machtvoller Klang hat die Menschen über viele Jahrzehnte hinweg begeistert.

Mit der Möglichkeit, Musik aufzuzeichnen, wiederzugeben, zu vervielfältigen und zu senden und sie auch vor einem großen Publikum zu spielen, gab es plötzlich etliche Lieder, die sehr viele Menschen in- und auswendig kannten: Weil diese Lieder so beliebt, so populär waren, entstand als Abkürzung dafür die Bezeichnung Pop. Man kann darüber streiten, wer der erste Popstar der Geschichte war. War es der Amerikaner Glenn Miller? Er machte mit seiner Big Band Swing-Musik, zu der die Jugendlichen damals wie verrückt tanzten. 1942 verkaufte er den Song *Chattanooga Choo-Choo* so oft, dass seine Plattenfirma ihm aus Dankbarkeit etwas Gutes tun wollte und das Lied in Gold pressen ließ: So bekam er die erste Goldene Schallplatte der Geschichte.

Tolle Melodien und schräge Einfälle: Cover des Beatles-Albums »Sgt. Peppers Lonely Hearts Club Band«

Die Zeit der Big Bands endete nach dem Zweiten Weltkrieg: 20 Musiker auf der Bühne, das war zu teuer, man konnte dank der elektrischen Verstärkung nun auch mit weniger Leuten auskommen. So schlug die Stunde von Elvis Presley. Er trug die Haare zu einer Tolle frisiert und hatte einen irren Hüftschwung. Man nannte ihn scherzhaft Elvis the Pelvis, *pelvis* heißt »Becken«.

Beatles und Stones

Dann, in den Sechzigern, kamen die Beatles und die Rolling Stones, zwei Bands aus England. Mit ihnen fing der Pop so richtig an. Den Beatles flogen schöne Melodien und schräge Einfälle nur so zu. Die Stones dagegen liebten es rauer; noch heute, mit über 60 Jahren, spielen sie *I can't get no satisfaction:* die Hymne der Lebenshungrigen, die nie genug bekommen können. In den Sechzigern stritten sich die jungen Leute, ob die Beatles oder die Stones besser seien; die Popmusik-Szene war noch recht klein. Seither aber hat sich die Zahl der Gruppen und Stile so sehr vermehrt, dass kaum noch einer alles kennt.

Pop, das reicht vom Jazz der Schwarzen bis zu indischer Filmmusik. Pop, das beginnt bei sanften Liedermachern und endet bei Gothic, dem Sound der Grufties, die sich ganz in Schwarz kleiden, weil sie alles mit Tod ziemlich gut finden. Über die Jahre sind aber drei musikalische Stile entstanden, die den Pop insgesamt verändert haben.

Die erste Revolution war der Punk, 1976 in London. Für Punk brauchte man nicht viel: Spielen wollen war wichtiger als spielen können; alles

In Wachs geritzte Töne: Der Erfinder Thomas Alva Edison mit seinem Phonographen (1877)

Verschnörkelte und Kunstvolle kam weg. Der Punk war gegen alles, was langweilig war. Und alles war ja irgendwie langweilig!

Hip-Hop und Techno

Ungefähr zur selben Zeit, in New York, entstand der Rap, auch Hip-Hop genannt. Weil in den Armenvierteln der Stadt teure Instrumente knapp waren, machten die schwarzen Jugendlichen Musik mit Plattenspielern – aber ihre eigene Musik. Sie drehten die Platten hin und her und zogen die Nadel quer zur Rille, und es hörte sich ziemlich heftig an. Dann rappten sie, das heißt, sie sangen nicht, sondern erzählten etwas im Rhythmus der Musik. Und irgendjemand kam dann noch auf die Idee, nicht zwei verschiedene, sondern zwei gleiche Platten aufzulegen und bruchlos immer dieselbe, besonders gelungene Passage zu spielen: Sample (Ausschnitt) und Loop (Schleife) waren erfunden!

Mitte der achtziger Jahre kam dann aus den amerikanischen Städten Chicago und Detroit der Techno über die Welt: elektronische Tanzmusik mit maschinenhaften Rhythmen. Auch hier machen DJs die Musik, allerdings quasseln sie nicht, sondern mischen verschiedene Platten so gekonnt zusammen, dass ein stundenlanges Stück entsteht. Die Leute tanzen die ganze Nacht und manchmal auch noch den Vormittag.

Heute kann man – dank all des technischen Fortschritts – so viel und so verschiedene Musik hören, wie noch nie zuvor in der Geschichte. Viele Jugendliche entdecken dabei die Musik in der Pubertät als einen Quell der Freude. Einige wenden sich später anderen Künsten zu, andere werden alt mit der Musik ihrer Jugend und streiten sich noch im Altersheim, ob die Beatles oder die Stones besser waren. Und wieder andere sind neugierig auf alles, was sie noch nicht gehört haben: Die haben es richtig gut.

Muslim [der], *Moslem*, Anhänger des Islam.

Mussolini, Benito, * 1883, † 1945; italienischer Politiker, Begründer des → Faschismus. Mussolini gründete 1919 die erste faschistische Gruppe und wurde 1922 vom italienischen König mit der Regierungsbildung beauftragt. Als »Duce« (Führer) schaltete er seine Gegner aus und trat 1940 in den Zweiten Weltkrieg ein. Seit dieser Zeit wurde Mussolini immer stärker von Hitler abhängig. Nachdem sich die Lage Italiens verschlechtert hatte, wurde er seiner Ämter enthoben und auf Befehl des Königs gefangen gesetzt. Von den Deutschen befreit, gründete er in den von deutschen Truppen besetzten italienischen Gebieten eine faschistische Republik. Kurz vor Kriegsende wurde er von Partisanen erschossen.

Mustang [der], ein verwildertes Pferd in den Prärien Nordamerikas. Mustangs sind Abkömmlinge der Indianer- bzw. spanischen Militärpferde; sie sind vom Aussterben bedroht.

Mutation [die], spontan auftretende oder durch Mutagene ausgelöste Änderung des Erbguts; kann in Körperzellen auftreten *(somatische Mutation)* oder in Keimzellen *(generative Mutation)* und wird in letzterem Fall an die Nachkommen weitergegeben. Die Veränderungen betreffen meist einzelne Gene *(Genmutation),* seltener die Struktur *(Chromosomenmutation)* oder Anzahl der Chromosomen *(Genommutation).* Mutationen haben meist veränderte Eigenschaften oder Organismen zur Folge und spielen eine zentrale Rolle in der biologischen Evolution.

Myanmar: ein Fischer auf dem Inle-See im Schanhochland

Mutterkuchen [der], *Plazenta,* das Nährgewebe, das sich während einer Schwangerschaft in der Gebärmutter entwickelt.

Ländersteckbrief
Myanmar

Fläche:	676 578 km²
Einwohner:	51 Millionen = 75 je km²
Hauptstadt:	Naypyidaw
Religion:	Buddhismus
Amtssprache:	Birmanisch
Währung:	1 Kyat = 100 Pyas

Myanmar, Staat in Südostasien.

Landesnatur: Zwischen den Randgebirgen im Westen und dem Schanhochland im Osten liegen die fruchtbaren Tiefländer des *Irrawaddy.* In den vom Monsun beregneten Landschaften und an den Berghängen wächst Regenwald, im Regenschatten der Gebirge breiten sich Trockenwälder und Steppen aus.

Bevölkerung: Die Bewohner sind v. a. Birmanen, daneben auch Karen, Schan, Tschin, Kachin, Kaya u. a. 87% sind Buddhisten, 6% Christen.

Wirtschaft: Wichtigster Wirtschaftszweig ist die Landwirtschaft; die Industrie ist noch wenig entwickelt. Die wichtigsten Exportgüter des Landes sind Erdgas, Teakholz, Fisch und Reis. An Bodenschätzen gibt es Erdgas, Erdöl, Blei, Zink, Kupfer, Zinn, Wolfram, Edelsteine u. a.

Geschichte: Seit dem 11. Jh. existierten auf dem Gebiet verschiedene Reiche der *Birmanen*. 1886 wurde Birma britische Provinz. 1937 erhielt es Selbstverwaltung und wurde 1948 unabhängig. 1974 wurde das Land sozialistische Republik und erhielt eine neue Verfassung. Unter dem seit 1988 regierenden General *Saw Maung* wurde der Staatsname *Birma* in *Union von Myanmar* geändert. Die 1990 abgehaltenen Wahlen gewann die bis dahin unterdrückte demokratische Opposition. Das Militär verweigerte jedoch die Machtübergabe. 1992 trat Saw Maung zurück. Nachfolger wurde General *Than Shwe*.

Mykene: Als Überrest einer früheren Besiedlung blieb der Mauerring mit dem Löwentor, um 1250 v. Chr., erhalten.

Mykene, eine altgriechische Stadt auf dem Peloponnes. Nach der Sage war die Burg der Sitz des Königs Agamemnon. 1874 entdeckte Heinrich *Schliemann* hier bei Ausgrabungen Spuren einer Besiedlung aus dem 3. Jahrtausend v. Chr., darunter königliche Gräber mit Gold- und Silberfunden. Nach Mykene bezeichnet man die griechische Kultur des 16.–11. Jh. v. Chr. als *mykenische Kultur.*

Myriade [die], die Zahl 10 000, allgemein auch eine große Menge.

Myrrhe [die], *Myrre,* das Harz aus der Rinde des Balsamstrauches, der in Südarabien und Somalia heimisch ist und schon von den Ägyptern zum Einbalsamieren von Leichen (→ Mumie) und bei Gottesdiensten verwendet wurde. Myrrhe wirkt keimtötend und wird heute bisweilen Zahnreinigungsmitteln zugesetzt.

Myrte [die], immergrüner Strauch der Mittelmeerländer und Südamerikas mit weißen, wohlriechenden Blüten. Myrte wird oft als Brautschmuck verwendet.

Mysterium [das], heiliges Geheimnis, etwas Geheimnisumwittertes. Religiöse Geheimkulte im griechischen Altertum, die im 7. Jh. v. Chr. an Bedeutung gewannen, werden als Mysterien bezeichnet.

Mystik [die], eine Form religiösen Erlebens, bei der gläubige Menschen nach Abwendung von allem Weltlichen und Versenkung in die eigene Seele eine innige Verbindung mit dem Göttlichen suchen. Mystik gibt es in fast allen Religionen. In Europa war sie besonders im Mittelalter verbreitet.

Mythos [der, Pl. Mythen], eine überlieferte, oft sagenhafte Darstellung aus der Götter-, Menschen- und Naturwelt eines Volkes. Die *Mythologie* ist die Gesamtheit aller Mythen eines Volkes.

N

N, **1.** 14. Buchstabe des Alphabets (Konsonant). **2.** Abkürzung für Norden. **3.** Kurzzeichen für Newton. **4.** chemisches Zeichen für das Element → Stickstoff.

Na, chemisches Zeichen für → Natrium.

Nabe [die], der Mittelteil eines Rads, mit dem es auf der Welle sitzt.

Nabel [der], eine vernarbte Stelle in der Mitte des Bauchs, wo sich die Ansatzstelle der Nabelschnur befand, die den Embryo während der Entwicklung im Mutterleib mit dem Mutterkuchen verband.

Nachfrage [die], das Verlangen nach Gütern, das von der Anzahl der Käufer auf dem Markt abhängig ist. Angebot und Nachfrage sind wichtige Faktoren zur Bildung des Preises.

Nachgeburt [die], die Ausstoßung der Eihäute und des Mutterkuchens mit dem Rest der Nabelschnur nach der Geburt.

nachhaltige Entwicklung, ein entwicklungspolitisches Konzept, das sozial- und umweltverträgliche Produktions- und Konsummuster fordert; Wirtschafts- und Entwicklungspolitik sollen so ausgerichtet sein, dass die Befriedigung der Bedürfnisse der heutigen Generation nicht die Chancen künftiger Generationen beeinträchtigt.

Die Nachtigall wird auch »Königin der Singvögel« genannt, weil der Balzgesang der Männchen von eindrucksvoller Schönheit ist.

Nachlass [der], das Vermögen an Geld und Sachwerten, das ein Verstorbener seinen Erben hinterlässt.

Nachrichtenagentur [die], ein öffentliches oder privates Unternehmen, das aktuelle Nachrichten sammelt und gegen Bezahlung an Presse, Rundfunk und Fernsehen verbreitet.

Nachrichtensatellit [der], ein künstlicher Erdsatellit zur Übertragung von Telefonaten, Daten, Bildern und Fernsehsendungen. Die heutigen Nachrichtensatelliten im Rundfunk- und Fernsehdienst übertragen Sendungen zwischen der Sende- und der Empfangsstation oder zwischen der Sendestation und einer Spezialantenne (Schüsselantenne) zu Hause. Die Energie, die die Nachrichtensatelliten benötigen, wird von Sonnenbatterien oder kleinen Atomreaktoren geliefert.

Nachrichtentechnik [die], ein Teilgebiet der Elektrotechnik, zu dem die Verarbeitung und Übertragung von Signalen (wie Sprache, Daten, Zeichen und Bilder) auf elektronischem Weg gehört.

Nachsilbe [die] → Suffix.

Nachtigall [die], ein rötlich brauner, unscheinbarer Singvogel, der durch seinen Gesang von außerordentlicher Klangfülle und Vielseitigkeit der Motive berühmt geworden ist. Zwar singt die Nachtigall auch tagsüber, doch ist sie einer der wenigen Vögel, die auch nachts singen. Dabei handelt es sich um den Revier- und Balzgesang des Männchens. Er ist von Mitte April bis Mitte Juni bei uns zu hören. Nachtigallen sind Zugvögel, die in den tropischen Gebieten Afrikas überwintern.

Nachtwandeln [das], *Schlafwandeln,* das nächtliche Herumwandern wie im Traum, d. h. ohne Bewusstwerden der dabei vorgenommenen Handlungen.

Nadelhölzer [Pl.], Bäume oder Sträucher mit schuppen- oder nadelförmigen, meist mehrjährigen Blättern (Nadeln). Mit Ausnahme der Lärche zählen sie zu den immergrünen Gewächsen. Die weiblichen Blütenstände (Zapfenblüten) entwickeln sich zu Samenzapfen, bei denen der Samen frei auf der Fruchtschuppe liegt. Darum zählt man die Nadelhölzer zu den *Nacktsamern* im Gegensatz zu den übrigen Pflanzen, deren Samen in einen Fruchtknoten eingeschlossen ist und die man deshalb als *Bedecktsamer* bezeichnet. Zu den Nadelhölzern gehören Fichte, Kiefer, Lärche, Tanne, Wacholder, Mammutbaum, Zeder, Zypresse, Araukarie und Eibe.

Nadir [der], *Fußpunkt,* der Gegenpunkt des Zenits an der Himmelskugel; die Richtung senkrecht nach unten.

Nagasaki, eine japanische Hafenstadt an der Westküste von Kyushu, 423 000 Einwohner. Nagasaki wurde am 9. 8. 1945 durch die zweite amerikanische Atombombe zerstört.

Nagel [der], **1.** Drahtstift mit zugespitztem Schaft und flachem Kopf zur Verbindung von Teilen. **2.** Horngebilde der Oberhaut, das den Spitzen der Finger und Zehen beim Greifen Halt und Festigkeit gibt.

Nagetiere [Pl.], eine Ordnung der Säugetiere mit starken meißelförmigen Nagezähnen (je ein Paar im Ober- und Unterkiefer). Die Zähne haben keine Wurzeln und wachsen (je nach Beanspruchung) ständig weiter. Nagetiere sind u. a. Mäuse, Ratten, Hamster, Hörnchen, Biber, Stachelschweine, Nutria.

Nahe [die], linker Nebenfluss des Rheins, 116 km lang. Die Nahe entspringt im Hunsrück und mündet bei Bingen.

Naher Osten, *Nahost, Vorderer Orient,* die Länder des östlichen Mittelmeerraums bis einschließlich Iran. Der Nahe Osten war in jüngster Zeit oft ein politischer Krisenherd. Ursache war meist der Konflikt zwischen Arabern und Juden, der seit der Gründung eines jüdischen Staates in Palästina besteht.

Nähmaschine [die], eine mechanische Vorrichtung zur Verbindung von Nähgut (Textilien, Leder, Folien usw.). Eine Nähmaschine arbeitet mit zwei Fäden: dem in die Nadel eingefädelten Oberfaden und dem in einem rotierenden Schiffchen untergebrachten Unterfaden. Beim Steppstich bildet der Oberfaden eine Schlinge, die das Schiffchen mit dem Unterfaden verschlingt.

Was ist der … Nahostkonflikt

Der Begriff Nahostkonflikt bezeichnet die internationalen Auseinandersetzungen im Nahen Osten, die vor allem durch die Gründung eines jüdischen Staates in Palästina ausgelöst wurden (Israel), zu denen aber auch andere Ursachen beitrugen.

Israelisch-arabische Kriege und Krisenherd Libanon: 1947 stimmte die UNO-Vollversammlung für die Teilung des britischen Mandatsgebiets Palästina in einen jüdischen und einen arabischen Staat. Die jüdische Bevölkerung begrüßte den Beschluss, die arabischen Staaten und die Vertreter der arabischen Palästinenser lehnten ihn ab. Der 1948 gegründete Staat Israel wurde sofort von fünf arabischen Nachbarstaaten angegriffen. Dieser 1. israelisch-arabische Krieg endete 1949 mit Waffenstillständen ohne Friedensschluss. 1956 stieß Israel im 2. israelisch-arabischen Krieg bis an den Suezkanal vor, musste sich aber unter dem Druck der USA und der

Eine palästinensische Straßensperre an der Gebietsgrenze des Westjordanlandes zum israelischen Kernland

UdSSR zurückziehen. Im 3. israelisch-arabischen Krieg (Sechstagekrieg) 1967 eroberte Israel die ägyptische Sinaihalbinsel, den von Ägypten verwalteten Gazastreifen, die syrischen Golanhöhen und das von Jordanien besetzte Westjordanland mit Ostjerusalem. Zum Wortführer der Palästinenser wurde die PLO, die in ihrem Programm die Vernichtung Israels forderte. Sie gewann seit 1967 an internationalem Einfluss; ihre Kampfverbände wurden jedoch 1970 aus Jordanien vertrieben. 1973 begann mit einem ägyptisch-syrischen Angriff der 4. israelisch-arabische Krieg (Jom-Kippur-Krieg). Die Ägypter konnten sich am Ostufer des Suezkanals festsetzen. Nach einem Appell des UN-Sicherheitsrats wurden Waffenstillstände geschlossen. 1977 nahmen Ägypten und Israel direkte Verhandlungen auf, die 1979 zu einem Friedensvertrag führten. Israel gab die Sinaihalbinsel an Ägypten zurück. Die meisten arabischen Staaten und die PLO lehnten den Friedensschluss ab. Ein weiterer Krisenherd des Nahostkonflikts entstand im Libanon, wo seit 1976 ein Bürgerkrieg im Gange war. 1982 besetzten israelische Truppen den Süden des Libanons und erzwangen den Abzug von PLO-Kampfverbänden, die von dort aus Überfälle auf Israel unternahmen. Ein Friedensabkommen mit Israel musste der Libanon unter syrischem Druck rückgängig machen. 1985 zog Israel seine Truppen aus dem Libanon ab; einige Einheiten verblieben allerdings bis 2000 im Süden des Landes.

Die Entwicklung seit Ende der 1980er Jahre: Seit 1987 entwickelte sich in den von Israel besetzten Gebieten eine Aufstandsbewegung (Intifada). Meist jugendliche Palästinenser errichteten Barrikaden, warfen mit Steinen und Molotow-Cocktails und riefen zum Generalstreik auf. In den 1990er Jahren lockerten sich die starren Fronten zunächst auf. 1993 erkannten Israel und die PLO gegenseitig ihr Existenzrecht an und unterzeichneten 1994 das Gaza-Jericho-Abkommen über eine Teilautonomie der Palästinenser im Gazastreifen und in Jericho. Israel begann im selben Jahr mit dem Abzug seiner Truppen aus diesen Gebieten, wo eine begrenzte palästinensische Selbstverwaltung errichtet wurde, und schloss Frieden mit Jordanien. 1995 begann Israel mit der Räumung weiterer Städte im Westjordanland. 1996 wählte die palästinensische Bevölkerung eine palästinensische Autonomiebehörde unter Vorsitz des PLO-Führers J. *Arafat*.

In der Folgezeit stockte der Friedensprozess trotz weiterer israelisch-palästinensischer Abkommen und Verhandlungen. Nach einem Besuch des israelischen Politikers A. *Scharon* auf dem Tempelberg in Jerusalem brachen im September 2000 schwere Unruhen in den palästinensischen Autonomiegebieten aus, die sich zu einer 2. Intifada ausweiteten. Palästinensische Terrorakte und israelische Vergeltungsangriffe verschärften die Lage. 2002 begann Israel damit, das Westjordanland durch einen Trennzaun vom israelischen Kernland abzuriegeln. 2003 legte das sogenannte Nahost-Quartett (EU, USA, Russland und UNO) einen Stufenplan für eine umfassende Friedenslösung vor (Roadmap).

2005 wurde M. *Abbas* als Nachfolger des verstorbenen Arafats zum Präsidenten der palästinensischen Autonomiebehörde gewählt. Im selben Jahr wurden die israelischen Siedlungen im Gazastreifen geräumt. Der Sieg der radikalislamischen Hamas bei den Wahlen in den Palästinensischen Autonomiegebieten 2006 rief in Israel negative Reaktionen hervor. Nach Entführungen israelischer Soldaten 2006 eskalierte der Konflikt erneut. Die israelische Armee ging militärisch gegen die radikalislamische Hizbollah-Miliz im Libanon (Libanonkrieg) vor und marschierte auch wieder in den Gazastreifen ein, um die radikalislamische Hamas zu bekämpfen. Ein blutiger Machtkampf zwischen den palästinensischen Al Fatah- und Hamas-Milizen 2006/2007 führte zur Machtübernahme der Hamas im Gazastreifen, während sich die zur PLO gehörende Al Fatah im Westjordanland behaupten konnte. Durch diese Spaltung der Palästinenser wurde die Suche nach einer Friedenslösung für den Nahostkonflikt weiter erschwert.

Nahrungskette [die] → Ökologie.

Nairobi, Hauptstadt der Republik Kenia, 2,1 Mio. Einwohner.

naiv, einfältig, treuherzig, unbefangen, kindlich.

naive Malerei [die], ein volkstümlicher Malstil, der sehr wirklichkeitsnah, oft mit bunten Farben, bilderbuchartig darstellt.

Namenstag [der], der Kalendertag des Heiligen, dessen Namen man trägt. Nach katholischem Brauch wird er ähnlich wie ein Geburtstag gefeiert.

Namib [die], eine Sand- und Geröllwüste an der Südwestküste von Afrika mit bedeutenden Diamantenvorkommen. Charakteristisch sind extrem geringe Niederschläge.

naive Malerei: Die Bilder zeigen oft volkstümliche, bäuerliche Motive, so auch bei der amerikanischen Malerin Anna Mary Robertson-Moses.

Ländersteckbrief Namibia

Fläche:	824 269 km^2
Einwohner:	2,1 Millionen = 2 je km^2
Hauptstadt:	Windhuk
Religion:	protestantische Kirchen
Amtssprache:	Englisch
Währung:	1 Namibia-Dollar = 100 Cents

Namibia, Staat in Südwestafrika.

Landesnatur: Das Land steigt von der Küstenwüste der *Namib* zum Südwestafrikanischen Hochland (1000–1500 m) an. Im Osten erstreckt sich das *Kalaharibecken*. Im Norden liegt die Etoschapfanne, eine der größten Salzpfannen Afrikas. Die geringen Niederschläge fallen unregelmäßig. Das Landesinnere und der Nordosten werden von Dorn- und Trockensavannen eingenommen.

Bevölkerung: Die vorwiegend christliche Bevölkerung umfasst Bantuvölker (Ovambo, Okavango, Herero), Bergdama, Nama, Buschleute, 100 000 Weiße und Mischlingsgruppen.

Wirtschaft: In der Landwirtschaft überwiegt die Viehzucht; nur im Norden wird Hackbau betrieben. Die Fischerei ist ein wichtiger Wirtschaftszweig. Der Bergbau liefert den Hauptteil des Exports, v. a. Diamanten, ferner Uran, Kupfer, Zink, Blei, Zinn, Silber,

Namibia: Die Buschleute Namibias leben von der Jagd und vom Sammeln von Feldfrüchten.

Wolfram und Lithium. – Die beiden einzigen Naturhäfen sind die Walfischbucht und Lüderitz. Windhuk hat einen internationalen Flughafen.

Geschichte: 1884 wurde Namibia, noch unter dem Namen »Südwestafrika«, deutsche Kolonie. Im Ersten Weltkrieg eroberten südafrikanische Truppen das Land; es wurde 1919 der Südafrikanischen Union als Mandat des Völkerbunds überlassen. 1966 erklärte die UN-Vollversammlung das Mandat für erloschen; 1968 gab sie dem Land den Namen Namibia; später erkannte sie wiederholt die Unabhängigkeitsbewegung *SWAPO (South West African People's Organization)* als einzige legitime Vertreterin des Volkes von Namibia an. 1985 wurden – ohne Teilnahme der SWAPO – aus Vertretern von acht Parteien eine Nationalversammlung und eine mehrheitlich schwarze Interimsregierung gebildet. 1988 vereinbarten Südafrika und die UNO eine gemeinsame Verwaltung Namibias bis zur völligen Souveränität des Landes. 1990 wurde das Land als Republik Namibia unabhängig. Die SWAPO wurde Regierungspartei. Ihr Führer S. *Nujoma,* seit 1990 Präsident, bemühte sich zunächst um eine demokratische Entwicklung, später regierte er zunehmend autokratisch. Bei den Wahlen 1994 und 1999 bestätigte ihn die Bevölkerung im Amt. 2004 wurde Hifikepunye *Pohamba* zum neuen Staatspräsidenten gewählt.

Nanga Parbat, der höchste Gipfel des westlichen Himalaya, 8126 m hoch.

Nanjing, *Nanking,* eine Stadt im Osten Chinas am unteren Chang Jiang, 3,2 Mio. Einwohner. Nanjing war 1368–1421 und 1928–1949 Hauptstadt Chinas.

Nanometer, Kurzzeichen *nm*, Längeneinheit: 1 *nm* $= 10^{-9}$ m = 1 milliardstel m = 10 Ångströmeinheiten.

Nansen, Fridtjof, * 1861, † 1930; norwegischer Polarforscher, Zoologe und Diplomat. Er durchquerte 1888/1889 als Erster Grönland über das Inlandeis von Osten nach Westen. 1893–1896 unternahm er eine spektakuläre Driftfahrt durch das Nordpolarmeer. Nansen wurde später Professor für Meeresbiologie und erhielt 1922 den Friedensnobelpreis für seinen unermüdlichen Einsatz für die Opfer des Ersten Weltkrieges.

Napalm [das], verdicktes Benzin, das in Brandbomben abgeworfen wird. Die Bomben zünden selbst und entwickeln eine sehr große Hitze (über 2000 °C), die alles vernichtet. Napalmbomben wurden im Korea- und im Vietnamkrieg eingesetzt.

Wer war ... Napoleon I.

Napoleon I. (* 1769, † 1821) war 1804–1814/1815 Kaiser der Franzosen. Er schuf mit der Vollendung und Überwindung der Französischen Revolution wesentliche Voraussetzungen für die Entwicklung der jüngeren Geschichte Europas. In Verwaltung und Rechtsprechung prägte er das moderne Frankreich entscheidend.

Napoleon entstammte der korsischen Familie Bonaparte. Er gewann in der Zeit der Französischen Revolution als Offizier schnell großes Ansehen. 1795 eroberte der Revolutionsgeneral Napoleon die Lombardei und besiegte Österreich. Sein Versuch, England entscheidend in Ägypten zu treffen (1798), scheiterte an der

Überlegenheit der Engländer zur See. 1799 machte sich Napoleon durch einen Staatsstreich zum Ersten Konsul und errichtete eine Militärdiktatur. 1804 krönte er sich zum erblichen Kaiser der Franzosen. Durch immer neue Kriege wurde er zum Herrn über das europäische Festland. Er erhob seine Brüder Joseph, Ludwig und Jérôme sowie J. *Murat*, den Ehemann seiner Schwester Carolina, zu Königen in Spanien, Holland, Westfalen und Neapel und krönte sich selbst in Mailand 1805 zum König von Italien (Oberitalien). 1806 bildete er den Rheinbund deutscher Fürsten unter seiner Führung, zwang den deutschen Kaiser, die Krone des Reiches niederzulegen, eroberte Preußen und zog als Sieger in Berlin ein. Um England, das er zur See nicht besiegen konnte, vom Festland abzusperren, zwang er die europäischen Staaten zur Kontinentalsperre. Mehrere Aufstandsversuche gegen seine Herrschaft schlug er rücksichtslos nieder. Im Feldzug gegen Russland (1812) konnte der sieggewohnte Eroberer (seine »Große Armee« zählte an die 600 000 Soldaten) zwar bis Moskau vorstoßen und die Stadt einnehmen, doch setzte mit dem Brand Moskaus und dem Einbruch des Winters der Rückschlag ein, der das Ende seiner Herrschaft herbeiführte. Auf dem Rückzug fanden Hunderttausende von Soldaten den Tod.

Napoleon I., dargestellt als Staatsmann in seinem Studierzimmer

In den Befreiungskriegen von 1813/1814 erlag Napoleon der Koalition von England, Russland, Österreich, Preußen und Schweden. Der Kaiser musste abdanken und bekam die Insel Elba als Fürstentum und Zwangsaufenthalt zugewiesen. Am 1. 3. 1815 kehrte er überraschend auf das Festland zurück und riss die Herrschaft wieder an sich. Sie dauerte aber nur hundert Tage und endete mit der Niederlage von Waterloo am 18. 6. 1815 und seiner Internierung auf St. Helena im Südatlantik, wo er starb. Seit 1840 ist Napoleon im Invalidendom in Paris begraben.

Narbe [die], **1.** bei Blütenpflanzen der oberste Teil des Fruchtknotens, der bei der Bestäubung zur Aufnahme des Pollens dient. Von der Narbe wachsen Pollenschläuche, die bis in den Fruchtknoten hineinreichen, wo die Befruchtung stattfindet. **2.** in der Medizin ist es das Gewebe, das bei der Wundheilung entsteht.

Narkose [die], die allgemeine Betäubung des Körpers durch künstlichen Schlaf, besonders vor Operationen. Dieser Schlaf wird durch narkotische

Mittel hervorgerufen, die auf das Gehirn wirken. Auch → »Genauer betrachtet«.

Narziss, in der griechischen Sage ein schöner Jüngling, der die Liebe der Nymphe *Echo* nicht erwiderte. Dafür wurde er von den Göttern damit bestraft, dass er sich unstillbar in sein Spiegelbild verliebte. Er wurde von der Erdmutter in eine Narzisse verwandelt.

Narzisse [die], ein Zwiebelgewächs aus dem Mittelmeerraum. Von ihr stammt die *Osterglocke* ab.

NASA, Abkürzung für englisch **N**ational **A**eronautics and **S**pace **A**dministration, die amerikanische Behörde für Luft- und Raumfahrtforschung. Sie wurde 1958 gegründet und führte zahlreiche Raketenstarts und Raumflüge durch.

Nase [die], ein Sinnesorgan der Wirbeltiere, das zur Aufnahme von Geruchsreizen dient. Diese werden bei Landtieren und dem Menschen mit der Atemluft, bei Wassertieren mit dem Wasser transportiert. Die menschliche Nase springt mit dem Nasenrücken in der Gesichtsmitte vor. Den Eingang bilden die *Nasenlöcher,* die aus den beiden *Nasenflügeln* und der *Nasenscheidewand* gebildet werden. Die Scheidewand ist zum größten Teil knöchern, im vorderen Teil knorpelig. Im oberen Teil der *Nasenhöhle* befinden sich in der Riechschleimhaut die Geruchsnerven. Die schleimige Innenhaut der Nase mit den feinen Flimmerhärchen dient der Reinigung, Vorwärmung und Anfeuchtung der Atemluft. Außerdem bildet die Nasenhöhle gemeinsam mit der Mundhöhle und dem Nasenrachenraum den Schallraum für das Stimmorgan. Die Nasenhöhle ist durch feine Kanäle direkt mit den Nasennebenhöhlen verbunden.

Nashörner: Beim Spitzmaulnashorn dient die Spitze der Oberlippe zum Greifen.

Genauer betrachtet … Narkose

Am 16. 10. 1846 führte der US-amerikanische Zahnarzt William *Morton* bei einer Operation in Boston erstmals die Anästhesie (= Ausschaltung der Schmerzempfindung) eines Menschen durch. Es handelte sich um die erste öffentliche Demonstration einer Narkose mit Äther. Nach der erfolgreichen schmerzfreien Zahnbehandlung wurden auch größere Operationen unter Betäubung durchgeführt. 1847 ersetzte der Engländer James Young *Simpson* den Äther durch Chloroform, da es rascher, in kleineren Mengen und länger wirkte. Das Zeitalter der modernen Anästhesie hatte begonnen.

Nashörner [Pl.], *Rhinozerosse,* eine Familie der Unpaarhufer. Nashörner sind massige Tiere, die auf der Nase beziehungsweise dem Stirnbein ein oder zwei Hörner aus verhornter Oberhaut tragen, die ständig

Nationalpark: Der Arches Nationalpark liegt in der Nähe von Moab in Utah im Westen der USA. Bekannt ist er für seine natürlichen Steinbögen.

nachwachsen. Zu den Nashörnern gehören: *Indische Panzernashörner, Sumatranashörner, Breitmaulnashörner* und *Spitzmaulnashörner*. Alle Arten sind vom Aussterben bedroht wegen der starken illegalen Bejagung. Erbeutet wird von den Wilderern vor allem das Horn, das in Afrika und Asien als Wundermittel zur Potenzsteigerung gilt.

Nassau, die Hauptstadt der Bahamas, auf der Insel *New Providence*, 211 000 Einwohner.

Nation [die, lat. natio, »Volk«], eine bewusste und gewollte politische Gemeinschaft, die zwar in vielen Fällen von einer Mehrheit eines Volkes mit gleicher Sprache getragen wird, aber darüber hinaus auch fremdstämmige und anderssprachige Volksteile und Rassen aufnehmen kann. Prägend für die Nation ist u. a. die gemeinsame Geschichte.

Nationalhymne [die], ein Lied, das die staatliche Zusammengehörigkeit einer Nation symbolisieren soll und bei feierlichen oder offiziellen Anlässen, z. B. bei Sportveranstaltungen oder Staatsbesuchen, gesungen oder gespielt wird.

Nationalismus [der], ein übersteigertes Nationalgefühl, das oft das Eigeninteresse einer Nation über alles andere stellt und dazu neigt, andere Nationen gering einzuschätzen.

Nationalität [die], die Zugehörigkeit zu einer Nation, Staatsangehörigkeit.

Nationalpark [der], eine großräumige Landschaft, die wegen ihrer Schönheit und ihrer Naturschätze an Pflanzen und Tieren nationale Bedeutung hat. Darum wird sie geschützt und gepflegt.

Nationalrat [der], in Österreich die Volksvertretung. In der Schweiz bildet der Nationalrat zusammen mit dem Ständerat die Volksvertretung. In beiden Ländern bezeichnet man auch die einzelnen Abgeordneten als Nationalrat.

Was war der … Nationalsozialismus

Der Nationalsozialismus ist die maßgeblich von A. *Hitler* begründete und geführte Bewegung, die 1933–1945 Deutschland beherrschte. Die politische Umsetzung ihrer Ziele schuf die Diktatur des »Führerstaates«, löste den Zweiten Weltkrieg aus und führte zum millionenfachen Judenmord (Holocaust). Oft wird der Nationalsozialismus als eine radikale Abart des Faschismus angesehen, was in der politikwissenschaftlichen Forschung umstritten ist.

Wesen und Ziele: Wesen und Ziele des Nationalsozialismus und die Mittel und Methoden haben u. a. in Hitlers Buch »Mein Kampf« ihren Niederschlag gefunden. Der Nationalsozialismus war jedoch kein geschlossenes, in Lehrbüchern niedergelegtes Gedankensystem wie etwa der Marxismus, sondern eine »Weltanschauung«, eine Mischung von Ansichten, die zu Beginn des 20. Jh. weit verbreitet waren. Hitler hatte sich diese Ideen in den ersten dreißig Jahren seines Lebens aus unterschiedlichen Quellen zu eigen gemacht und aufs Äußerste zugespitzt.

Eine zentrale Rolle spielte die wissenschaftlich nicht haltbare Lehre von der Ungleichheit der Menschenrassen. Sie besagte, dass allein die »arische« Rasse zu schöpferischen Leistungen imstande sei; ihre edelsten Vertreter seien die Germanen, und unter diesen wiederum stünden die Deutschen am höchsten. Als minderwertig galten alle farbigen Völker, dazu auch die Slawen, vor allem aber die Juden, denen ausschließlich negative Eigenschaften zugeschrieben wurden. Ein fanatischer Antisemitismus erfüllte Hitler seit seiner Jugend und führte ihn zu seinem größten Verbrechen, dem Holocaust.

Eine weitere Grundvorstellung Hitlers war die, dass das deutsche Volk auf zu engem Raum lebe und als »Herrenvolk« berechtigt und verpflichtet sei, sich neuen »Lebensraum« zu erobern. Dafür kämen nur die weiten Gebiete in Osteuropa, vor allem in Russland, in Betracht. Ein Eroberungskrieg sei also unvermeidlich. Hitler betrachtete aber den Krieg nicht nur als Mittel zum Zweck; Krieg war für ihn »die stärkste und klassische Ausprägung des Lebens«. Deshalb begann er sofort nach seiner Machtübernahme 1933 mit dem Aufbau einer gewaltigen Kriegsmaschinerie, und nach den ersten Siegen in dem von ihm entfesselten Zweiten Weltkrieg steckte er sein Ziel noch höher: Jetzt ging es nicht mehr nur um Eroberung von »Lebensraum«, sondern um die Weltherrschaft.

Der Nationalsozialismus war radikal antidemokratisch und antiliberal. Im Mittelpunkt seiner Herrschaftstechnik stand das »Führerprinzip«. Diskussionen, Parteienvielfalt, Mehrheitsbeschlüsse, Parlamente und Wahlen galten als »dekadent« und »undeutsch«. Nach Hitlers Machtantritt wurde im gesamten öffentlichen Leben Deutschlands das militärische Prinzip von Befehl und Gehorsam eingeführt. Amtsträger wurden nicht gewählt, sondern ernannt, und sie hatten sich nicht vor einem Gremium zu verantworten, sondern vor dem nächsthöheren Vorgesetzten. An der Spitze der Machtpyramide stand

Massenaufmärsche wie hier beim Reichsparteitag der NSDAP in Nürnberg 1934 sollten das Volk auf den »Führer« einschwören.

Hitler, der »Führer«, dessen Entscheidungen als unfehlbar und unanfechtbar durchgeführt wurden.

Der Nationalsozialismus lehnte jede Form von persönlicher Eigenständigkeit ab. Die Parolen »Du bist nichts, dein Volk ist alles« und »Gemeinnutz geht vor Eigennutz« wurden ständig wiederholt. Der Einzelne sollte völlig in der Gemeinschaft aufgehen. In der »Volksgemeinschaft«, so lehrte es die offizielle Propaganda, seien alle Klassen- und Standesschranken aufgehoben. In Wirklichkeit wurden die Eigentumsverhältnisse nicht angetastet, und die Wirtschaft blieb in privater Hand, musste allerdings in gewissem Umfang eine staatliche Lenkung hinnehmen. Alle Menschen, die im Machtbereich des Nationalsozialismus lebten, waren der gleichen Gewaltherrschaft unterworfen. Es gab keine Rechtssicherheit; die bürgerlichen Freiheitsrechte hatte das Regime außer Kraft gesetzt.

Politische Entwicklung: Allgemeine Voraussetzungen für das Aufkommen des Nationalsozialismus waren die als nationale Demütigung empfundene deutsche Niederlage im Ersten Weltkrieg und die damit verknüpften Versailler Friedensbestimmungen. Die Gegnerschaft bürgerlich-konservativer Kreise gegen die Weimarer Republik sowie die Zerrüttung des Sozialgefüges in Deutschland durch wirtschaftliche Dauerkrisen wie Inflation und Massenarbeitslosigkeit kamen hinzu. Zum Träger der nationalsozialistischen Bewegung wurde die seit 1921 von Hitler geführte Nationalsozialistische Deutsche Arbeiterpartei, die NSDAP. Nachdem der »Hitler-Putsch« von 1923 gescheitert war, geriet die Bewegung zunächst in eine Krise (Verbot der NSDAP), die aber mit der Neugründung der Partei durch Hitler nach seiner Rückkehr aus der Festungshaft in Landsberg schnell überwunden wurde. Ein Ergebnis dieses Rückschlags war auch die Umstellung der Parteipolitik von der Taktik der direkten Machteroberung durch Gewalt zur Taktik der rechtmäßigen Machteroberung durch den Stimmzettel bei Wahlen.

Mit der Ernennung Hitlers zum Reichskanzler am 30. 1. 1933 gelangte der Nationalsozialismus in Deutschland zur Macht. Im Interesse einer möglichst straffen Konzentration und Steigerung der staatlichen Macht wurde das Reich als Einheitsstaat durchorganisiert (»Gleichschaltung«). Die Länderparlamente und die Selbstverwaltung der Gemeinden wurden beseitigt. Die NSDAP durchdrang alle Gebiete des öffentlichen, wirtschaftlichen, geistigen und privaten Lebens durch ein System von oben gesteuerter Organisationen (u.a. NS-Frauenschaft, NS-Dozentenbund). Ihr besonderes Augenmerk widmete die NSDAP der Gewinnung der Jugend, die in der Hitler-Jugend zusammengefasst und geschult wurde. An die Stelle der Meinungsbildung durch öffentliche Diskussion trat die Meinungsformung durch einen gewaltigen Propagandaapparat. Mit sozialstaatlichen Maßnahmen zielte das Regime auf die Steigerung der politischen Zustimmung in der Bevölkerung. Hauptunterdrückungsmittel des nationalsozialistischen Staates wurden immer mehr die SS und die von ihr beherrschten Organe (Sicherheitsdienst [SD] und Gestapo), vor deren Zugriff und Spitzelsystem schließlich niemand mehr sicher war. Der Rassenwahn des Nationalsozialismus führte zum Massenmord an den Juden und zur planmäßigen »Ausmerzung« anderer als »minderwertig« eingestufter Bevölkerungsgruppen. Außenpolitisch beschritt das NS-Regime den Weg einer militärischen Expansionspolitik, die über mehrere Stufen (Rheinlandbesetzung 1936, Anschluss Österreichs und des Sudetenlandes 1938, Einfall in Polen 1939) in den Zweiten Weltkrieg und 1945 zum Zusammenbruch Deutschlands führte.

Die überlebenden Führer des nationalsozialistischen Systems wurden in den Nürnberger Prozessen zum Tode oder zu langjährigen Freiheitsstrafen verurteilt, ein Teil seiner Anhänger durch die Entnazifizierung aus Ämtern und Stellungen entfernt. Gegen das Fortleben oder Wiederaufleben des Nationalsozialismus wurden durch die Siegermächte des Zweiten Weltkriegs und im Grundgesetz der Bundesrepublik Deutschland viele Vorbeugungsmaßnahmen getroffen. Die Verbreitung nationalsozialistischer Ideen und die Wiedergründung von der NSDAP ähnlichen Organisationen sind unter Strafe gestellt.

NATO [die], Abkürzung für englisch **N**orth **A**tlantic **T**reaty **O**rganization, Nordatlantikpakt, ein 1949 gegründetes westliches Verteidigungsbündnis. Das Hauptquartier ist in Brüssel. Oberstes Organ ist der Nordatlantikrat. Der NATO gehören an: Belgien, Bulgarien, Dänemark, Deutschland, Estland, Frankreich, Griechenland, Großbritannien, Island, Italien, Kanada, Lettland, Litauen, Luxemburg, Niederlande, Norwegen, Polen, Portugal, Rumänien, Slowakei, Slowenien, Spanien, Tschechische Republik, Türkei, Ungarn und die USA. Die Mitglieder sind verpflichtet, sich gegenseitig zu unterstützen.

Nattern: In Südamerika ist die baumbewohnende Riemennatter verbreitet.

Natrium [das], ein chemisches Element mit dem Zeichen Na. Natrium ist ein silberweißes, weiches, an feuchter Luft schnell anlaufendes Alkalimetall. Es wird daher in Petroleum aufbewahrt. Wegen seiner Reaktionsfähigkeit kommt Natrium nur gebunden u. a. in Form von Steinsalz und Kochsalz (NaCl), Natronfeldspat und Chilesalpeter vor. Große Mengen NaCl sind im Meerwasser gelöst. Natrium gehört zu den häufigsten Elementen. Natriumverbindungen werden u. a. zur Seifenherstellung und als Backpulver benutzt.

Nattern [Pl.], meist ungiftige Schlangen, die geschickt klettern und gut schwimmen. Sie sind über alle Erdteile verbreitet. In Europa ist die *Ringelnatter* heimisch.

Naturalismus [der], eine Kunstrichtung in der Malerei und in der Literatur, besonders in der zweiten Hälfte des 19. Jh., die ein möglichst genaues Abbild des wirklichen Lebens schaffen wollte. Der Naturalismus schilderte den Menschen in seiner Abhängigkeit von dem Milieu, in dem er lebte. Er stellte auch das Alltägliche und Hässliche dar und richtete sich gegen die idealistische Kunstauffassung, die nur dem Edlen, Schönen, Guten einen Platz in der Kunst gewährte (Idealismus). Bekannte Vertreter des Naturalismus sind der Maler W. *Leibl* und die Schriftsteller F. M. *Dostojewskij,* G. *Hauptmann,* H. *Ibsen,* L. N. *Tolstoj* und É. *Zola.*

Naturheilkunde [die], eine Form der Krankenbehandlung, die sich auf die dem Körper innewohnende natürliche Heilkraft beruft. Sie strebt daher v. a. eine Stärkung und Steigerung der natürlichen Abwehrkräfte des Menschen an.

Naturreligionen [Pl.], Religionen oder Kultformen, in denen Naturerscheinungen (z. B. die Sonne) angebetet oder Tiere, Bäume, Seen und Ähnliches verehrt werden.

Naturschutz [der], alle Maßnahmen zur Erhaltung, Gestaltung und Pflege der natürlichen Umwelt von Mensch, Tier und Pflanze. Zum Naturschutz gehören u. a. der Schutz von Naturdenkmälern (beispielsweise alte Bäume, charakteristische Felsen), die Festlegung von Naturschutzgebieten, in denen ohne besondere Genehmigung keine Veränderungen vorgenommen werden dürfen, sowie der Schutz bedrohter Tiere oder Pflanzen in der Naturlandschaft. Die Anlage von Nationalparks oder Naturparks, in denen geschlossene Landschaftsteile mit ihrer Tier- und Pflanzenwelt nicht nur erhalten werden, sondern auch den Menschen als Erholungsgebiete zur Verfügung stehen, ist eine weitere wichtige Maßnahme des Naturschutzes.

Naturvölker [Pl.], eine im 18. Jh. geprägte Bezeichnung für Menschengruppen mit kaum entwickelter Technik. Sie wurden mangels einer ausgebildeten Schrift auch als schriftlose Völker bezeichnet. Der Gegensatz zwischen Kultur- und Naturvölkern ist heute wissenschaftlich nicht mehr vertretbar.

Naturwissenschaften [Pl.], die Wissenschaften, die sich mit der Beobachtung und Beschreibung der Naturerscheinungen und -gesetze befassen; z. B. Physik, Chemie, Biologie, Geologie, Astronomie.

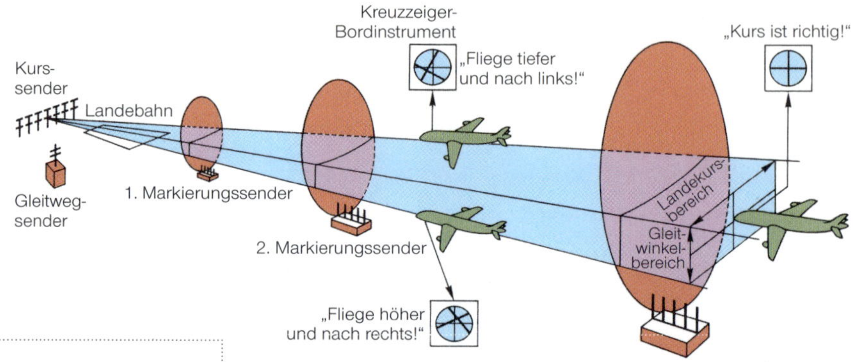

Navigation: schematische Darstellung des Landeanflugs mit Hilfe des Instrumenten-Landesystems (ILS)

Ländersteckbrief
Nauru

Fläche:	21 km²
Einwohner:	14 000 = 667 je km²
Hauptstadt:	Yaren
Religion:	Christentum
Amtssprache:	Englisch, Nauruisch
Währung:	1 Australischer Dollar = 100 Cents

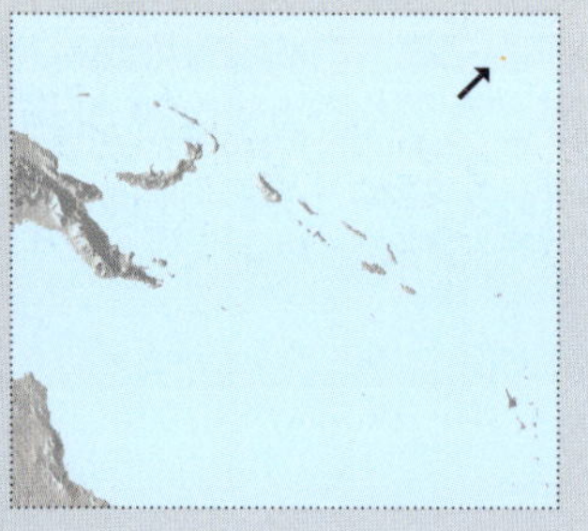

Nauru, Staat in Ozeanien.

Nauru ist eine Koralleninsel mit vulkanischem Kern, nahe am Äquator. Durch den Phosphatabbau (Vorräte fast völlig erschöpft) ist die Insel weitgehend verwüstet.

Geschichte: Nauru wurde 1798 von Briten entdeckt. 1888 wurde es Teil des deutschen Kolonialreiches. 1914 besetzte Australien Nauru und verwaltete es ab 1920 als Völkerbundmandat. Während des Zweiten Weltkriegs eroberte Japan die Insel, die 1947 als UN-Treuhandgebiet wieder Australien unterstellt wurde. 1968 erhielt Nauru die Unabhängigkeit.

Nautik [die], *Schifffahrtskunde,* sie umfasst alle für die Schifffahrt wichtigen Sachgebiete wie Schiffsführung, Navigation, Wetterkunde, Astronomie, Mathematik, Physik und Geographie.

Navigation [die], die Führung von See-, Luft- und Raumfahrzeugen mit Hilfe von Karte, Kompass, Sextant und Peilverfahren. Wichtigste Anhaltspunkte für

Nauru umfasst eine Fläche von nur etwa 21 km².

die Navigation waren früher die Gestirne. Heute arbeitet die Navigation mit funktechnischen Verfahren wie Radar, Funkpeilung, Navigationssatelliten und Ähnlichem.

Nazareth, eine Stadt in Israel, 62 500 Einwohner. Nach den Evangelien war Nazareth der Wohnort Jesu Christi und seiner Eltern.

n. Chr., Abkürzung für *nach Christus* (nach Christi Geburt).

Ne, chemisches Zeichen für das Element → Neon, ein Edelgas.

Neandertaler [Pl.], vor etwa 100 000 Jahren in West-, Mittel- und Südeuropa ansässige und in der Eiszeit ausgestorbene Menschenrasse. Sie wurde nach den 1856 im Neandertal bei Düsseldorf gefundenen Skelettresten benannt. Ihre Kennzeichen waren eine niedrige, zurückweichende Stirn, starke Überaugenwülste, breite Nase, kein Kinnvorsprung. Auch → Mensch.

Neapel, die drittgrößte Stadt Italiens nach Rom und Mailand, 1,1 Mio. Einwohner. Neapel war schon 450 v. Chr. als griechische Kolonie und Hafen von Bedeutung. Vor Neapel liegen im Meer die Inseln *Capri* und *Ischia*. Unweit Neapels liegt der noch tätige Vulkan Vesuv.

Nebel [der], eine Erscheinung besonders in feuchten Niederungen, in der Nähe von Flüssen oder in Küstengebieten; er entsteht, wenn warme, feuchte Luft vom Erdboden aufsteigt und sich durch einströmende Kaltluft besonders stark abkühlt; dabei entsteht Wasserdampf (Nebel), der sich nun mit der kühlen Luft bis in Bodennähe absenkt.

Nebensatz [der], ein unselbstständiger Satz, der allein nicht sinnvoll bestehen kann und mit einem *Hauptsatz* verbunden werden muss.

Nebukadnezar II., † 562 v. Chr., seit 605 v. Chr. König von Babylonien. Er eroberte Syrien, vernichtete den Staat Juda (Einnahme Jerusalems) und führte viele Juden in die »Babylonische Gefangenschaft«.

Neandertaler: Diese nachgebildete Figur zeigt die wesentlichen Merkmale des Neandertalers wie fliehende Stirn, Überaugenwülste und breite Nase.

Neckar [der], der rechte Nebenfluss des Rheins, 367 km lang, er mündet bei Mannheim.

Negation [die], Verneinung.

negativ, ablehnend, verneinend, ungünstig, ergebnislos. Gegensatz: *positiv.*

Negativ [das] → Fotografie.

Negev [der oder die], *Negeb,* eine große Wüste im Süden Israels, zwischen Elat, Totem Meer und dem Mittelmeer.

Nehrung [die], schmale, lang gestreckte Landzunge, die die dahinterliegende Meeresbucht *(Haff)* vom offenen Meer abschließt.

Horatio Nelson starb kurz nach Beginn der Schlacht 1805 durch die Kugel eines französischen Schützen.

Neiße [die], zwei linke Nebenflüsse der Oder. Die Lausitzer Neiße ist 252 km lang und entspringt im Isergebirge. Sie ist ein Grenzfluss zwischen Polen und Deutschland *(Oder-Neiße-Linie).* Die Glatzer Neiße ist 182 km lang und entspringt in den Sudeten.

Nekrophobie [die], krankhafte Angst vor dem Tod oder vor Toten.

Nektar [der], eine zuckerhaltige Flüssigkeit, die von besonderen Drüsen der Blütenpflanzen abgeschieden wird, um Insekten zur Bestäubung anzulocken. Nektar wird von Bienen zur Honigerzeugung verwendet.

Nelke [die], Gattung der Nelkengewächse, mit weiter Verbreitung in Europa, Asien und Afrika, besonders im Mittelmeergebiet. Nelken sind auch in Deutschland bekannte Wiesen- und Gartenpflanzen, z. B. *Steinnelke, Federnelke* und *Kartäuser-Nelke.*

Nelson ['nɛlsən], Horatio, Viscount of (1801), * 1758, † 1805; britischer Admiral. Der Sieg seiner Flotte am 21. Oktober 1805 über die vereinten Seestreitkräfte von Frankreich und Spanien sicherte Großbritannien für ein Jahrhundert die Vorherrschaft zur See. Heute erinnert ein Denkmal auf dem Trafalgar Square mitten in London an ihn und seinen Sieg.

Nemesis, in der griechischen Sagenwelt die Göttin, die dem Menschen das rechte Maß an Glück und Unglück zuteilt (Göttin der ausgleichenden Gerechtigkeit) und Selbstüberheblichkeit straft.

Neon [das], ein chemisches Element mit dem Zeichen Ne, ein Edelgas. Neon ist ein geruchloses und farbloses Gas, das nur in geringen Mengen in der Atmosphäre und in einigen Mineralien enthalten ist. Es ist außerordentlich reaktionsträge. Es wird besonders in Leuchtröhren (Neonröhren) für Beleuchtungs- und Reklamezwecke verwendet, wo es beim Durchgang von Strom rot aufleuchtet.

Ländersteckbrief
Nepal

Fläche:	147 181 km²
Einwohner:	27,7 Millionen = 188 je km²
Hauptstadt:	Katmandu
Religion:	Hinduismus
Amtssprache:	Nepali
Währung:	1 Nepalesische Rupie = 100 Paisa

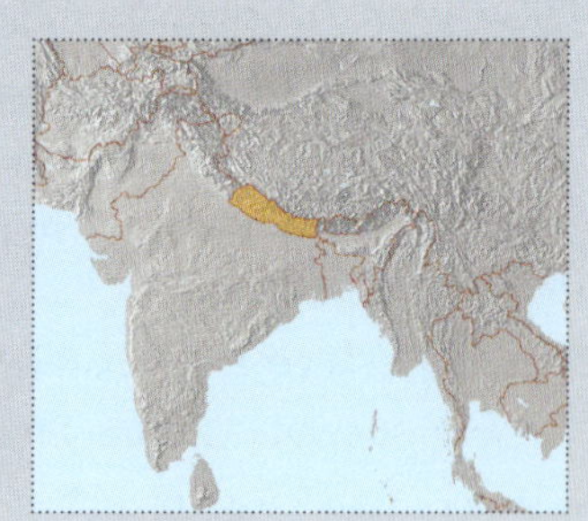

Nepal, Staat in Südasien.

Landesnatur: Zwischen den Hauptketten des Hima-

Nepal gehört zu den ärmsten Ländern der Welt. Rund 90% seiner Bevölkerung lebt von der Landwirtschaft.

laya (im Mount Everest 8846 m hoch) und seinen südlichen Vorbergen gelegen, hat Nepal ein gemäßigtes Monsunklima.

Bevölkerung: Die Bevölkerung besteht aus Nepali und tibetisch-mongolischen Stämmen. Die Staatsreligion ist der Hinduismus; 11% sind Buddhisten und 4% Muslime.

Wirtschaft: Angebaut werden für den Export Reis und Jute. Die Viehzucht exportiert Lebendvieh, Häute und Felle. Die ehemals wichtigen Waldbestände sind stark zurückgegangen. Wichtigste Industriezweige sind Textil- und Teppichindustrie. Der Tourismus weist hohe Zuwachsraten auf. Internationaler Flughafen ist Katmandu.

Geschichte: 1768 eroberten die Gurkhas das Land und begründeten ein Königreich. 1846 übernahm die Adelsfamilie Rana die Herrschaft, führte das Amt des erblichen Ministerpräsidenten ein und reduzierte die Macht des Königs. Mit indischer Hilfe wurde 1951 die Macht der Ranas gebrochen und Nepal wurde konstitutionelle Monarchie. 1959/1960 gab es ein demokratisches Mehrparteiensystem, 1962 eine Verfassung, die keine Parteien mehr zuließ *(Panchayat-System)*. Nach blutigen Unruhen 1990 stimmte der König *Birendra Bir Bikram* (seit 1972) schließlich einer neuen Verfassung zu. Nepal erhielt ein Mehrparteiensystem.

1996 bildete sich die maoistische Guerillaorganisation *Jana Yudha* (»Volkskrieg«). 2001 wurden König Birendra, seine Frau und weitere Mitglieder der königlichen Familie ermordet. Neuer König wurde *Gyanendra Bir Bikram*, ein Bruder Birendras. Gyanendra übernahm 2005 die alleinige Regierungsgewalt. Nach Massenprotesten 2006 entzog ihm das Parlament die Machtbefugnisse. Im selben Jahr konnte ein Friedensabkommen mit den maoistischen Rebellen geschlossen werden.

Neptun, **1.** in der römischen Sagenwelt der Meeresgott. **2.** ein Planet unseres → Sonnensystems. Im Fernrohr sieht Neptun grünlich aus, Einzelheiten sind kaum zu erkennen.

Nero, Claudius Drusus Germanicus Cäsar, *37, † 68; römischer Kaiser 54–68. Er galt als unberechenbar und war wegen seiner Grausamkeit gefürchtet, wahrscheinlich war er wahnsinnig. Er ließ seine Mutter und seine erste Frau ermorden und war schuldig am Tod seiner zweiten Frau. Den Verdacht, den Brand Roms selbst verursacht zu haben, wälzte er auf die Christen ab, die er verfolgen und in großer Zahl hinrichten ließ.

Statue des jungen Nero

Neruda [ne'ruθa], Pablo, eigentlich *Neftali Ricardo Reyes Basoalto*, * 1904, † 1973; chilenischer Schriftsteller. Er bezog mit seiner Lyrik öffentlich Stellung zu politischen Missständen. Sein Hauptwerk »Der große Gesang« ist eine Gedichtsammlung von 15 000 Versen über die Natur und Geschichte Südamerikas. 1971 erhielt er den Nobelpreis für Literatur.

Nerven [Pl.], ein fein verzweigtes Netz faser- beziehungsweise strangartiger Gebilde, das bei Mensch und Tier den Körper durchzieht. Nerven bestehen aus zahlreichen gebündelten Nervenfasern und dienen zur Erregungsleitung, etwa von einem Sinnesorgan zu einem Muskel. Die Nerven bilden alle zusammen das → Nervensystem.

Nervensystem [das], alle Nervenzellen in einem Körper, die sämtliche Körperfunktionen (im Zusammenspiel mit den → Hormonen) steuern. Es hat die Fähigkeit zur Reizaufnahme, zur Erregungsleitung und Erregungsverarbeitung. Bei niederen Tieren ist es als einfaches Nervennetz ausgebildet, bei höheren Tieren und auch beim Menschen besteht es aus über- und untergeordneten Teilen. Die Steuerzentrale ist das *Zentralnervensystem*. Es wird aus dem Gehirn und dem Rückenmark gebildet. Das Rückenmark enthält die Nerven, die zum Gehirn ziehen und vom Gehirn kommen. Im Gehirn werden die Reize, die von den Sinnesorganen aufgenommen werden, verarbeitet und mit entsprechenden Befehlen an die Organe beantwortet. Das Gehirn reguliert alle dem Willen unterworfenen Organe. Die vom Gehirn kommenden Gehirnnerven und die vom Rückenmark zu den Organen ziehenden Nerven bilden das *periphere Nervensystem.* Daneben existiert noch das *vegetative Nervensystem (Eingeweide-Nervensystem),* das die Tätigkeit der inneren Organe steuert, die ohne unseren Willen und ohne unser Bewusstsein abläuft (beispielsweise Atmung, Verdauung, Blutkreislauf). Es besteht aus Sympathikus und Parasympathikus. Der *Sympathikus* aktiviert die Funktionen von Herz, Lunge und anderen Organen. Der *Parasympathikus* dämpft die Funktionen der Organe und sorgt für Entspannung und Erholung.

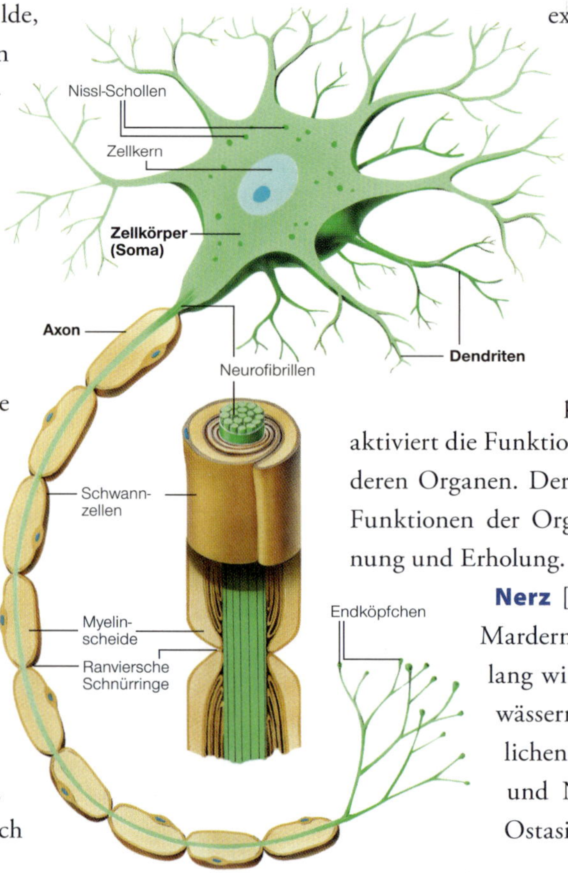

Nervenzellen können zwei Arten erregungsleitender Nervenfasern haben: kurze, stark verästelte Dendriten, v. a. zur Verbindung der Nervenzellen untereinander, und lange, unverzweigte Neuriten, die die Erregung an andere Nervenzellen und Organe leiten. Die Neuriten besitzen einen durchgehenden Fortsatz, das Axon, das bei den markhaltigen Nerven von der isolierenden Myelinscheide umgeben ist. Die Axone spalten sich am Ende in dünne Fasern, die die Erregung über besondere Schaltstellen (Synapsen) zu anderen Nervenzellen, Drüsen oder Muskeln leiten.

Nerz [der], ein Pelztier, das zu den Mardern gehört und etwa 45 cm lang wird. Es lebt räuberisch an Gewässern, ist aber in seinem ursprünglichen Verbreitungsgebiet Mittel- und Nordeuropa und Nord- und Ostasien fast ausgerottet. In Amerika wird der Nerz durch den *Mink* vertreten, der landesweit in Pelztierfarmen gezüchtet wird.

Nestor, weiser Ratgeber der Griechen im Trojanischen Krieg; allgemein ein alter, kluger Berater.

netto, eine Ware ohne Verpackung, ein Preis nach Abzug von Rabatt oder Steuern. Der Nettolohn ist der Lohn nach Abzug der Steuern und sonstiger Abgaben. Gegensatz: *brutto.*

Netzhaut [die], ein Teil des → Auges.

Neu-Delhi, Stadtteil der indischen Stadt *Delhi,* Sitz der Regierung.

Neue Hebriden, eine Inselgruppe im Pazifischen Ozean östlich von Australien, die seit 1980 den selbstständigen Staat → Vanuatu bildet.

neue Medien [Pl.], Sammelbezeichnung für verschiedene Techniken im Bereich der Unterhaltungselektronik, der Datenverarbeitung und der Nachrichtentechnik sowie für Neuentwicklung bei der Informationsspeicherung und -übertragung, im weiteren Sinne auch die neuen Formen der Massenkommunikation. Typische Beispiele für neue Medien sind CD-ROM (→ Compactdisc) und das → Internet.

Bei den neuen Medien werden die Informationen im Gegensatz zu den klassischen Medien Buch und Zeitung durch elektronische Signale dargestellt. Diese sind wesentlich schneller zwischen beliebigen Orten auf der ganzen Welt zu übermitteln. Durch neue Entwicklungen wie *Telekommunikations-Satelliten* oder *Glasfaserkabel* können immer größere Datenmengen gleichzeitig übertragen werden. Im Unterschied zu den gedruckten Medien können die neuen Medien nur noch mit technischen Hilfsmitteln (z. B. Computer) genutzt werden. Eine deutliche Tendenz bei den neuen Medien ist die zunehmende Digitalisierung der Daten. *Digitale Daten* werden dabei im Gegensatz zu *analogen Daten* als Folge der Ziffern »1« und »0« (binäres Zahlensystem) dargestellt.

Neuguinea: Die Krieger vom Stamm der Dani haben sich bis heute Ahnenkult und Geisterglauben in ihrer Kultur bewahrt. Der Stamm wurde erst 1938 entdeckt.

Neues Testament, Abkürzung N.T., der zweite Teil der Bibel, der unter dem Einfluss der Lehre Jesu Christi und seiner Jünger etwa im 1. Jh. aus der christlichen Gemeinde entstanden ist. Das N.T. ist eine Sammlung von 27 verschiedenen Schriften: den vier Evangelien des Matthäus, Markus, Lukas und Johannes, der Apostelgeschichte, den Briefen und der Offenbarung.

Neufundland, eine kanadische Insel vor der Ostküste von Nordamerika.

Neuguinea, nach Grönland die zweitgrößte Insel der Erde. Sie liegt nordöstlich von Australien, ist 771 900 km^2 groß und hat über 7 Mio. Einwohner. Politisch gliedert sich die Insel in *Papua* (ein indonesisches Verwaltungsgebiet) im Westen und *Papua-Neuguinea* im Osten. Neuguinea wird von einem Gebirge durchzogen, das bis 5030 m hoch ist. Im tropisch-heißen Klima der Insel herrscht bis in eine Höhe von 3000 m Regenwald vor.

Neukaledonien, eine Inselgruppe im westlichen Pazifischen Ozean, zwischen Neuseeland und den Salomonen, ein französisches Überseeterritorium.

Neumann, Balthasar, * 1687, † 1753; bedeutender Baumeister des *Barock.* Die Würzburger Residenz, die Abteikirche in Neresheim bei Aalen (Württemberg) und die Wallfahrtskirche Vierzehnheiligen bei Staffelstein (Oberfranken) sind einige der von ihm geschaffenen Bauwerke.

Neurodermitis [die], eine meist chronische Hauterkrankung, die mit starkem Juckreiz verbunden ist. Sie tritt häufig schon im Säuglingsalter auf und verschwindet manchmal nach der Pubertät. Die Krankheit verschlimmert sich oft unter seelischer Belastung, sie verläuft in Schüben.

Neurologie [die], *Nervenheilkunde,* die Lehre der Erkennung und Behandlung von Nervenkrankheiten, die organische Ursachen (also keine seelischen Ursachen) haben.

Neurose [die], die gestörte, krankhafte Verarbeitung seelischer Erlebnisse, die mit körperlichen oder seelischen Leiden verbunden sein kann.

Neuseeland: Die Maori sind berühmt für ihre traditionellen Tätowierungen im Gesicht sowie für den Körperschmuck aus geflochtenen Blättern.

Ländersteckbrief
Neuseeland

Fläche:	270 500 km²
Einwohner:	4,1 Millionen = 15 je km²
Hauptstadt:	Wellington
Religion:	protestantische Kirchen
Amtssprache:	Englisch, Maori
Währung:	1 Neuseeland-Dollar = 100 Cents

Neuseeland, Staat in Ozeanien.

Landesnatur: Die kleinere Nordinsel weist lebhaften Vulkanismus und einzelne Höhen über 2500 m auf, während die Südinsel in den teilweise vergletscherten *Südlichen Alpen* bis 3764 m (*Mount Cook*) aufsteigt. Vom subtropischen Norden abgesehen, ist das Klima warmgemäßigt und an der Westküste sehr feucht.

Bevölkerung: Die überwiegend evangelische Bevölkerung ist bis auf die 550 000 *Maori* vorwiegend britischer Herkunft. ¾ wohnen auf der Nordinsel.

Wirtschaft: Beherrschende Wirtschaftszweige sind die Viehzucht und die auf ihr beruhende Verarbeitungsindustrie; Wolle, Fleisch, Butter, Käse u. a. Viehzuchtprodukte werden exportiert. Die Industrie (Stahl- und Aluminiumerzeugung, Maschinenbau, Nahrungsmittel-, Textil-, Holzindustrie) ist auf die

Nordinsel konzentriert. Der Tourismus nimmt an Bedeutung zu. Die wichtigsten Häfen sind Auckland, Wellington und Lyttelton bei Christchurch.

Geschichte: 1642 entdeckte A. *Tasman* Neuseeland, das seit 1769 von J. *Cook* erkundet wurde. Die Besiedlung durch Europäer begann Ende des 18. Jh. Die Briten erwarben 1840 durch den Waitangi-Vertrag mit den einheimischen Maori die Souveränität über Neuseeland. Konflikte zwischen Siedlern und Maori führten zwischen 1860 und 1872 zu kriegerischen Auseinandersetzungen, in denen die Maori dezimiert wurden. 1893 erhielt Neuseeland als erstes Land der Welt das Frauenwahlrecht. 1907 wurde Neuseeland selbstregiertes Dominion innerhalb des Commonwealth. An beiden Weltkriegen nahm Neuseeland auf britischer Seite teil. Das politische System Neuseelands ist nach britischem Vorbild gestaltet. Seit 1999 ist H. *Clark* (Labour Party) Premierministerin.

Neusiedler See [der], ein flacher, schwach salzhaltiger See an der Grenze zwischen Österreich und Ungarn, im Mittel nur 1 m tief. Er ist von einem breiten Schilfgürtel umgeben, der eine reiche Vogelwelt beherbergt und zum Schutzgebiet erklärt wurde.

neutral, unparteiisch, unabhängig, in der Chemie weder sauer noch alkalisch. Neutrale Staaten verhalten sich in bewaffneten Auseinandersetzungen unparteiisch und mischen sich nicht ein.

Neutron [das], zusammen mit dem Proton ein Baustein von Atomkernen; es ist ein elektrisch neutrales Elementarteilchen.

Neutrum [das], in der Grammatik das sächliche Geschlecht *(Genus).*

Was ist die … Neuzeit

Neuzeit wird der auf das Mittelalter folgende Zeitraum genannt, der sich vom Beginn der europäischen Ausdehnung nach Übersee im 15. Jh. bis zur Gegenwart erstreckt. Die Epoche der Neuzeit wird weiter untergliedert in frühe Neuzeit (ca. 1450 bis 1789) und daran anschließende jüngere Neuzeit. Die jüngere Neuzeit teilt sich in neuere oder neueste Zeit (1789–1917/1918) und in die anschließende Zeitgeschichte.

Entdeckungen und Reformation: Ein durch Handel und neue Wirtschaftsformen erstarkendes städtisches Bürgertum löste sich in der frühen Neuzeit von geistlichen und weltlichen Herren. Humanismus und Renaissance überwanden das mittelalterliche Denken. Die Erfindung des Buchdrucks (um 1455) beschleunigte dabei die Verbreitung neuer Ideen. 1453 eroberten die Osmanen Konstantinopel. Nach der Entdeckung Amerikas (1492) und des Seewegs nach Indien (1498) erschlossen im frühen Kolonialismus vor allem Portugal und Spanien die Handelswege und weiteten ihre Besitzungen in Übersee aus. Die großen religiösen Auseinandersetzungen erfassten mit dem Beginn der Reformation (1517) fast den gesamten europäischen Kontinent. Die aus diesen Entwicklungen resultierenden Spannungen gipfelten in der ersten Hälfte des 17. Jh. im Dreißigjährigen Krieg.

Vom Absolutismus zur Industrialisierung: Mit dem Absolutismus in Frankreich unter Ludwig XIV. begann seit der Mitte des 17. Jh. eine neue Phase europäischer Politik. Wechselnde Bündnissysteme führten zu immer neuen militärischen Auseinandersetzungen. Diese griffen dabei erstmals von Europa aus auch auf die überseeischen Besitzungen Englands und Frankreichs über und kündigten eine neue Entwicklung an, die durch die fortschrittlichen und freiheitlichen Ideen der Aufklärung beschleunigt wurde. In Nordamerika erkämpften die englischen Kolonien die Unabhängigkeit. Schließlich führte die Französische Revolution von 1789 eine Neuordnung herbei, die bald den gesamten europäischen

Kontinent erfasste. Nach der Niederlage Napoleons schien es, als würde Europa ab 1815 dauerhaft zu den alten vorrevolutionären Ordnungen zurückkehren. In den Revolutionsjahren 1830 und 1848/1849 brachen sich jedoch Freiheitsdrang und Nationalbewusstsein endgültig Bahn. Gleichzeitig wirkte sich die industrielle Revolution auf die wirtschaftlichen Verhältnisse aus und führte zu sozialen Spannungen. Vor dem Hintergrund neuer Weltanschauungen (Sozialismus, Marxismus) bildete sich die Arbeiterbewegung. Im letzten Drittel des 19. Jh., im Zeitalter des Imperialismus, entstanden neue Rivalitäten der Mächte um Kolonialbesitz, die in den Ersten Weltkrieg führten.

Vom 20. ins 21. Jahrhundert: Die russische Oktoberrevolution (1917) und das Ende des Ersten Weltkriegs (1918) bildeten einen Einschnitt. Die jungen Demokratien in Europa vermochten die Chancen einer Neuordnung nicht oder nur kurze Zeit wahrzunehmen. Es entstanden diktatorische Herrschaften. Die UdSSR erstickte unter der Terrorherrschaft des Stalinismus. Hitlers nationalsozialistisches Regime stürzte die Welt in den Zweiten Weltkrieg mit über 50 Mio. Toten. Die Nachkriegsjahrzehnte waren geprägt vom wachsenden Ost-West-Konflikt (Kalter Krieg), der Entkolonialisierung sowie von Spannungen im Mittleren und Nahen Osten (Nahostkonflikt). Die von den alleinigen Führungsmächten USA und UdSSR geprägte Weltordnung endete mit dem Zusammenbruch des Ostblocks ab 1989. Die sich beschleunigende Globalisierung mit dem wirtschaftlichen Aufstieg der Volksrepublik China und der Kampf gegen den internationalen Terrorismus bestimmten die jüngste zeitgeschichtliche Entwicklung am Beginn des 21. Jh.

New Age [nju: 'ɛidʒ, engl., »neues Zeitalter«], eine weltanschauliche Bewegung, die im letzten Drittel des 20. Jh. in den USA aufkam und die von ihren Anhängern als ein Wegweiser in ein neues Zeitalter verstanden wird. Die Bewegung richtet sich gegen eine rein verstandesmäßige Wissenschaft, die heute unser Weltbild bestimmt. Sie ist gekennzeichnet von der Sehnsucht nach einer Einheit des Menschen mit der Natur.

New Orleans [nju: ɔ:'li:nz], eine Stadt in den USA, im Staat Louisiana, am Ostufer des Mississippi, 496 000 Einwohner.

?

Wer war …
Isaac Newton

Der englischer Physiker, Mathematiker und Astronom Sir (ab 1705) Isaac Newton (* 1643, † 1727) begründete die moderne Physik, insbesondere Mechanik und Optik, und leistete wesentliche Beiträge zur Weiterentwicklung der Mathematik. Newton gilt als einer der größten Wissenschaftler aller Zeiten. Das von ihm geprägte Weltbild hatte mehr als 200 Jahre Gültig-

Sir Isaac Newton gelangte zu zahlreichen bahnbrechenden Erkenntnissen.

keit und erfuhr erst durch Einsteins Relativitätstheorie Anfang des 20. Jh. eine Änderung. Newton wurde 1669 Professor an der Universität Cambridge, die ihn 1689 als ihren Vertreter in das englische Parlament entsandte. 1699 wurde er Vorsteher der königlichen Münze und 1703–1727 war er Präsident der Royal Society (Akademie der Wissenschaften) in London. Seine nach eigener Aussage intensivste Schaffensperiode war 1665–1667. In dieser Zeit entwickelte er u. a. die Infinitesimalrechnung (»Fluxionsrechnung«, die fast gleichzeitig auch durch G. W. *Leibniz* entdeckt wurde) und entdeckte das Gravitationsgesetz, nach dem sich alle Körper gegenseitig anziehen, egal, ob sie sich auf der Erde befinden oder im Weltraum. Das war eine geradezu revolutionäre Idee, denn bis dahin galt die Lehrmeinung, dass im Himmel ganz eigene Gesetze herrschten. In seinem 1687 erschienenen Hauptwerk »Philosophiae naturalis principia mathematica«, kurz »Principia« genannt, fasste Newton seine physikalischen Erkenntnisse zusammen. Neben dem Gravitationsgesetz formulierte er u. a. die heute als Newton'sche Axiome bekannten Gesetze: 1. Ein Körper, auf den keine äußere Kraft wirkt, verharrt im Zustand der Ruhe oder der gleichförmig geradlinigen Bewegung (Trägheitsgesetz). 2. Wirkt eine Kraft auf einen Körper, so ist die dadurch erfolgende Bewegungsänderung zur wirkenden Kraft proportional und ihr gleichgerichtet (dynamisches Grundgesetz, Kraft = Masse · Beschleunigung). 3. Zwei Körper üben aufeinander immer entgegengesetzt gleiche Kräfte aus (Wechselwirkungsprinzip, actio = reactio). Damit war die moderne Physik geboren. Im Rahmen optischer Experimente entdeckte Newton die Dispersion (Abhängigkeit des Brechungsindex von der Wellenlänge) und die Zerlegung des weißen Sonnenlichts durch ein lichtbrechendes Prisma in die Spektralfarben. Um den Farbfehler der Linsenfernrohre durch Dispersion zu vermeiden, baute er 1668 als Erster ein Spiegelteleskop (Newton-Teleskop). Ferner untersuchte er die farbigen, ringförmigen Interferenzerscheinungen (Newton'sche Ringe), die z. B. am dünnen Luftspalt zwischen einer schwach gekrümmtem Sammellinse und einer Glasplatte auftreten. Diese optischen Experimente beschrieb er – neben anderen – in dem 1704 erschienenen Werk »Opticks«.

Newton ['nju:tən], Helmut, * 1920, † 2004; australischer Fotograf deutscher Herkunft. Er arbeitete als Porträt-, Mode- und Werbefotograf und wurde besonders bekannt durch seine monumentalen schwarzweißen Aktfotografien.

New York [nju: 'jɔ:k], die größte Stadt der USA, 8,1 Mio. Einwohner. Sie liegt an der Mündung des Hudson River in den Atlantik. New York umfasst die Bezirke Manhattan, Brooklyn, Bronx, Queens und Staten Island (Richmond). Die Bevölkerung setzt sich aus vielen Nationalitäten zusammen, größere Gruppen haben sich in eigenen Vierteln zusammengeschlossen

New York: Die Brooklyn Bridge (vorn) und die Manhattan Bridge verbinden die beiden gleichnamigen Stadtteile.

Niagara: der kanadische Hufeisenfall (rechts) und der kleinere US-amerikanische Fall

wie z. B. in Chinatown, Harlem oder der Bronx. Das Zentrum von New York ist die 21 km lange und etwa 3 km breite Insel Manhattan. Hier konzentrieren sich Geschäftsleben und Kultur, z. B. im Bankenviertel um die Wall Street, am Broadway u. a. Die vielen Hochhäuser (bis 2001 auch das *World Trade Center*) machen das typische Bild der Stadt aus.

Ni, chemisches Zeichen für das Element → Nickel.

Niagara [der, indianisch, »donnerndes Wasser«], der Grenzfluss zwischen den USA und Kanada. Er ist 40 km lang und verbindet den Eriesee mit dem Ontariosee. Der Fluss bildet die *Niagarafälle,* die im kanadischen Teil 790 m breit und 50 m hoch, im amerikanischen Teil 300 m breit und 51 m hoch sind.

Niamey [nia'mɛː], Hauptstadt der westafrikanischen Republik Niger, mit rund 675 000 Einwohner.

Nibelungenlied [das], ein um 1200 entstandenes mittelhochdeutsches Heldenepos von einem unbekannten Dichter aus dem Donauraum. Der erste Teil berichtet vom Werben Siegfrieds um Kriemhild und von seiner Ermordung durch Hagen von Tronje. Dieser kann Siegfried nur töten, weil er seine einzige verwundbare Stelle am Rücken kennt: Auf diese war ihm während des Badens im Blut eines getöteten Drachens ein Blatt gefallen. Der zweite Teil befasst sich mit dem Untergang der Burgunden und der Rache Kriemhilds an Hagen.

Ländersteckbrief
Nicaragua

Fläche:	119 838 km^2
Einwohner:	5,6 Millionen = 47 je km^2
Hauptstadt:	Managua
Religion:	römisch-katholische Kirche
Amtssprache:	Spanisch
Währung:	1 Córdoba = 100 Centavos

Nicaragua, Staat in Mittelamerika.

Landesnatur: Den Kern des Landes bildet die Zentralamerikanische Kordillere (bis 1963 m). Nach Osten schließt sich eine breite Küstenebene, nach Südwesten die *Nord-Senke* an. Klimatisch ist Nicaragua in einen tropischen immerfeuchten Bereich im Osten und einen tropischen wechselfeuchten Bereich im Südwesten geteilt.

Bevölkerung: Die vorwiegend katholische Bevölkerung besteht zu 69% aus Mestizen, 13% sind Schwarze, Mulatten oder Zambos, 14% Weiße, 4% Indianer.

Wirtschaft: Die Landwirtschaft liefert v.a. Kaffee, Baumwolle, Zuckerrohr und Bananen. Die Zucht von Rindern und der Fischfang sind von Bedeutung. Die Waldbestände sind durch Raubbau stark zurückgegangen. Wirtschaftliche Bedeutung hat der Abbau von Kupfer, Gold, Silber.

Geschichte: Das 1502 von Kolumbus entdeckte Land gehörte nach Ende der spanischen Kolonialzeit 1823 zur Zentralamerikanischen Konföderation und wurde 1838 selbstständige Republik. 1912–1932 war Nicaragua von US-amerikanischen Truppen besetzt. Seit 1937 bestand die Diktatur der Familie Somoza, die das Land auch wirtschaftlich beherrschte. Präsident A. *Somoza* wurde 1979 nach einem verlustreichen Bürgerkrieg gestürzt. Die *Sandinistische Befreiungsfront* wurde zur beherrschenden Kraft Nicaraguas. Ihr Führer D. *Ortega* wurde 1984 zum Präsidenten gewählt. Gleichzeitig bildete sich eine antisandinistische Guerilla (»Contras«), die das Ortega-Regime bekämpfte und von den USA unterstützt wurde. Ende der 1980er Jahre setzte ein politischer Wandel ein, der den Bürgerkrieg schließlich beendete. Seit 1990 regierten konservative bzw. liberale Politiker. 2007 konnte der Sandinistenführer D. Ortega ins Präsidentenamt zurückkehren.

Nickel [das], ein chemisches Element mit dem Zeichen Ni, ein silberweißes, schwach magnetisches Schwermetall. Hauptabnehmer für Nickel ist die Stahlindustrie: Schon der Zusatz von geringen Nickelanteilen macht Stahl härter.

Nicosia, die Hauptstadt von Zypern, 201 000 Einwohner. Seit 1974 verläuft durch Nicosia die Grenze zwischen dem türkischen und dem griechischen Teil Zyperns (2003 Grenzöffnung).

Nicotin [das], *Nikotin,* ein Bestandteil der Tabakpflanze und eines der stärksten Pflanzengifte, die es gibt. Es kann durch Rauchen, Schnupfen und Kauen aufgenommen werden. Nicotin verengt die Blutgefäße und wirkt in geringen Dosen leicht anregend, bei längerem Gebrauch führt es zur Gewöhnung und schließlich zur Sucht, wobei das Zigarettenrauchen auf die Dauer schwere Gesundheitsschäden hervorruft. Siehe auch → rauchen.

Ländersteckbrief
Niederlande

Fläche:	33 873 km²
Einwohner:	16,4 Millionen = 483 je km²
Hauptstadt:	Amsterdam; Den Haag (Regierungssitz)
Religion:	protestantische Kirchen, römisch-katholische Kirche
Amtssprache:	Niederländisch, Friesisch
Währung:	1 Euro = 100 Cent

Niederlande, Staat in Westeuropa.

Landesnatur: Das Land ist zu seinem allergrößten Teil die westliche Fortsetzung des Norddeutschen Tieflands; ⅓ der Fläche liegt unter dem Meeresspiegel, hinter schützenden Deichen und Dünen, von Entwässerungskanälen durchzogen, fruchtbar und dicht besiedelt. Im Südosten greifen die Grenzen auf die Randgebiete des Rheinischen Schiefergebirges über

(*Vaalser Berg*, 322 m). Das stark ozeanische, mildfeuchte Klima bietet in dem waldarmen Land (8% Wald) v. a. der Viehzucht gute Möglichkeiten.

Bevölkerung: Die etwa zu gleichen Teilen evangelische und katholische Bevölkerung besteht zu 96% aus Niederländern und zu rund 3% aus Friesen. 89% der Bevölkerung wohnen in Städten.

Wirtschaft: Die Landwirtschaft exportiert Erzeugnisse der Viehzucht und des Blumen-, Gemüse- und Obstanbaus. Die wichtigsten Industriezweige sind Metall-, Maschinen-, Werft-, elektrotechnische, Nahrungs- und Genussmittel-, Textil-, Glas-, keramische, Holz- und chemische Industrie. Der Bergbau fördert Erdöl, Erdgas und Steinsalz. Der Tourismus ist von Bedeutung. – Wichtig ist die Schifffahrt auf dem Rhein und seinen Nebenflüssen sowie auf Kanälen. Rotterdam ist der zweitgrößte Hafen der Welt; wichtigster Flughafen der Niederlande ist Amsterdam-Schiphol.

Geschichte: Das germanisch besiedelte Gebiet wurde im 8. Jh. von den *Franken* erobert. Im 10. Jh. kam es an Deutschland. Eine Reihe seiner z. T. selbstständigen Territorien waren im Mittelalter Kultur- und Wirtschaftszentren: Flandern, Brabant u. a. Im 14. und 15. Jh. gehörte fast der ganze niederländische Raum zu *Burgund*. Durch Heirat erwarben die *Habsburger* 1477 die Niederlande, und bei der Teilung der habsburgischen Länder kamen sie an die spanische Linie.

1568 begann unter Führung *Wilhelms von Oranien* der Freiheitskampf gegen die spanische Herrschaft. 1579 bildeten die sieben nördlichen (calvinistischen) Provinzen die *Utrechter Union*, die südlichen (katholischen) Provinzen blieben bei Spanien (*Spanische Niederlande*). 1581 lösten sich die Staaten der Utrechter Union als *Republik der Vereinigten Niederlande* von der spanischen Herrschaft und ernannten Wilhelm von Oranien zu ihrem Statthalter. Die förmliche Anerkennung der Unabhängigkeit dieser Republik erfolgte erst 1648 (Westfälischer Friede). Nach der Entdeckung Amerikas erwarben die Niederlande im 17. Jh. in Südostasien, Indien, Amerika und Afrika Kolonialbesitz.

Die südlichen (katholischen) Niederlande, die bei Spanien geblieben waren, fielen 1713 an Österreich. In der napoleonischen Zeit kamen beide Niederlande unter französische Herrschaft. Durch den Wiener Kongress wurden sie 1815 zum Königreich der Vereinigten Niederlande zusammengeschlossen. 1830 löste sich der südliche Landesteil aus dem Staatenverband und wurde als Belgien unabhängig. 1848 erhielten die Niederlande eine liberale Verfassung.

In beiden Weltkriegen war das Land neutral; trotzdem wurde es 1940 von deutschen Truppen überrannt. Gegen die Besatzungsmacht erhob sich eine Widerstandsbewegung. Nach dem Krieg verloren die Niederlande bis auf geringe Reste (Niederländische Antillen) ihre Überseegebiete. Das Land wurde Gründungsmitglied von NATO und EU und bildete mit Belgien und Luxemburg die Benelux-Union. Auf dem niederländischen Königsthron haben seit über 100 Jahren stets Frauen gesessen: 1890–1948 *Wilhelmina*, 1948–1980 *Juliana*, seit 1980 *Beatrix*. Ministerpräsident ist seit 2002 der Christdemokrat J. P. *Balkenende*. Die Niederlande sind eine konstitutionelle Monarchie, die parlamentarisch regiert wird. Das Parlament, die

Niederlande: Windmühlen und Grachten gelten als Wahrzeichen des Landes.

»Generalstaaten«, besteht aus zwei Kammern: »Eerste Kamer« (indirekt von den Provinzialstaaten gewählt) und verfassungspolitisch wichtiger »Tweede Kamer« (nach allgemeinem gleichem, direktem und geheimem Wahlrecht in Verhältniswahl gewählt). Die wichtigsten Parteien sind der *Christlich-Demokratische Appell*, die *Partei der Arbeit*, die *Sozialistische Partei* und die *Volkspartei für Freiheit und Demokratie.*

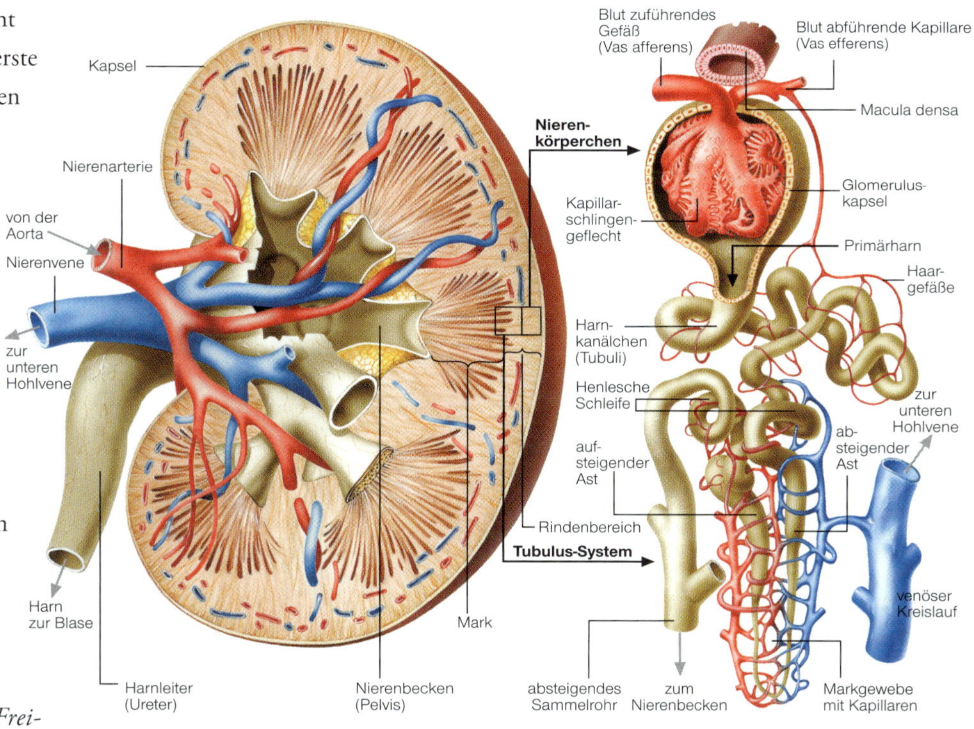

Aufbau einer menschlichen Niere. Die zuführenden Nierengefäße teilen sich in der Nierenrinde in Haargefäßknäuel (Glomeruli) auf, durch die das Blutwasser in vorgebildete Kanälchen filtriert und von Schlacken befreit wird. Dabei nehmen die Zellen dieser Kanälchen die für den Körper noch brauchbaren Stoffe und den größten Teil des Wassers wieder auf. Der restliche Harn (Urin) tropft dann aus den Harnkanälchen in das fächerförmige Nierenbecken.

Niederösterreich, größtes österreichisches Bundesland, das historische Kernland von Österreich; Hauptstadt ist *St. Pölten.* Es grenzt im Norden an die Tschechische Republik und im Osten an die Slowakei. In seinem Gebiet liegt die österreichische Landeshauptstadt Wien.

Niedersachsen, zweitgrößtes Bundesland Deutschlands; Hauptstadt ist *Hannover.* Es ist nach dem Zweiten Weltkrieg aus den früheren Ländern Braunschweig, Oldenburg und Schaumburg-Lippe sowie der Provinz Hannover entstanden. Niedersachsen reicht von der Nordsee bis zu den mitteldeutschen Gebirgen mit Weserbergland, Deister, Elm, Solling und dem westlichen Harz. Es ist 47 618,24 km^2 groß und hat 8,0 Mio. Einwohner.

Niemann-Stirnemann, Gunda, *1966; deutsche Eisschnellläuferin. Sie ist mit insgesamt 19 Weltmeister- und 8 Europameistertiteln sowie mit 98 Weltcupsiegen die erfolgreichste Rennläuferin aller Zeiten. 2005 trat sie vom aktiven Sport zurück.

Nieren [Pl.], Organe zur Ausscheidung von Harn. Die menschlichen Nieren sind bohnenförmig und befinden sich beiderseits der Lendenwirbelsäule an der hinteren Bauchwand, sie sind etwa 12 cm lang, 6 cm breit und 3–4 cm dick. Die Nieren dienen vor allem der Ausscheidung von Abbauprodukten des Stoffwechsels und regeln den Wasser- und Salzhaushalt des Körpers. Sie bilden den Harn (Urin), der die ausgeschiedenen Giftstoffe aufnimmt. Er wird im *Nierenbecken* gesammelt und über Harnleiter, Harnblase und Harnröhre ausgeschieden.

Nietzsche, Friedrich, *1844, †1900; deutscher Philosoph und Dichter. In seinen Werken, wie z. B. in »Also sprach Zarathustra«, lehnte er die christliche Religion der Nächstenliebe als eine Religion der Schwachen ab und entwarf das Bild eines neuen, freien, gottähnlichen Menschen, des »Übermenschen«. Nietzsche beeinflusste die Philosophie und Literatur des 19. und 20. Jh.

Niger [der], der drittlängste Fluss Afrikas, 4168 km lang. Er entspringt in Guinea und mündet mit über 20 Armen eines 25 000 km² großen Deltas in den Golf von Guinea.

Ländersteckbrief
Niger

Fläche:	1 267 000 km²
Einwohner:	14,4 Millionen = 11 je km²
Hauptstadt:	Niamey
Religion:	Islam
Amtssprache:	Französisch
Währung:	CFA-Franc

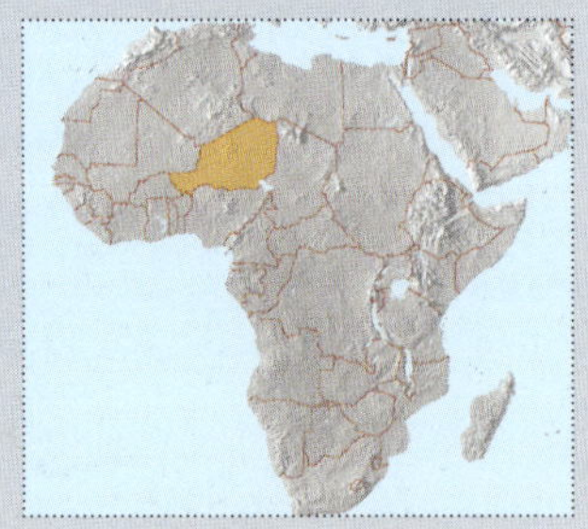

Niger: Die Sahara-Oase Bilma ist ein wichtiger Lagerplatz für Karawanen.

Niger, Staat in Westafrika.

Das Nigerbecken im Südwesten wird durch die Aïrschwelle (bis 1944 m) vom Tschadbecken im Südosten getrennt. Der tropische Süden mit Trockensavanne geht nach Norden über die breite Sahelzone mit spärlicher Dornsavanne in die Sahara über. – Die vorwiegend islamische Bevölkerung besteht im Süden v. a. aus den Sudanstämmen der Hausa; in den Weidegebieten leben die nomadisierenden Fulbe und Tua-reg. – In der Wirtschaft liefert der Hackbau Erdnüsse für den Export. Wichtig ist die vorwiegend nomadisch betriebene Viehzucht. Der Bergbau liefert vor allem Uran (wichtiges Exportprodukt). Die Industrialisierung beschränkt sich auf die Verarbeitung von Agrarprodukten.

Geschichte: Das Gebiet war seit 1890 französisch und seit 1911 ein Teil von Französisch-Westafrika. 1958 wurde Niger autonome Republik innerhalb der

Französischen Gemeinschaft. Seit 1960 ist Niger unabhängig. Nach dem Staatsstreich im Jahre 1974 regierte das Militär. 1993 gewann M. *Ousmane* freie Präsidentschaftswahlen. Nach innenpolitischen Auseinandersetzungen übernahm 1996 kurzfristig wieder die Armee die politische Macht. 1999 trat eine neue demokratische Verfassung in Kraft, Mamadou *Tandja* wurde zum Präsidenten gewählt. Er wurde 2004 im Amt bestätigt.

Ländersteckbrief Nigeria

Fläche:	923 768 km²
Einwohner:	134,4 Millionen = 145 je km²
Hauptstadt:	Abuja
Religion:	Islam, Christentum, Naturreligionen
Amtssprache:	Englisch
Währung:	1 Naira = 100 Kobo

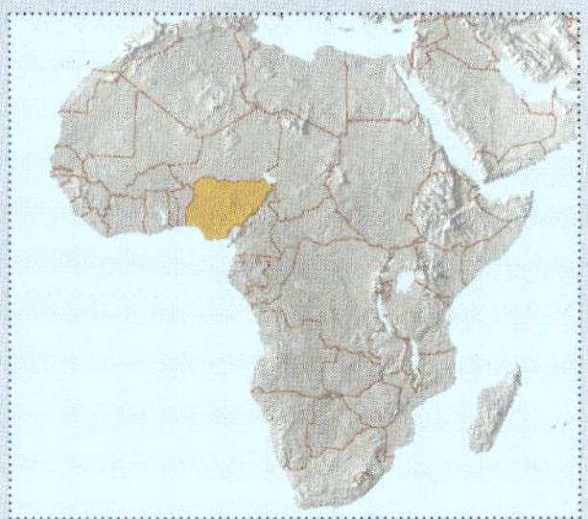

Nigeria, Staat in Westafrika.

Landesnatur: Bis auf die Küstenebene wird das Land von Berg- und Hügelländern eingenommen, die im *Bauchiplateau* (2010 m) gipfeln. Der Süden ist von dichten Regenwäldern bedeckt, die nach Norden über Feucht- und Trockensavanne in die Dornbuschsavannen der Sahelzone übergehen.

Bevölkerung: Nigeria ist das volkreichste Land Afrikas. Die im Norden vorwiegend islamische, im Süden dagegen großenteils christliche Bevölkerung gehört über 400 verschiedenen Stämmen an (Hausa, Yoruba, Ibo, Fulbe).

Wirtschaft: Die Landwirtschaft liefert für den Export Erdnüsse und Erdnussöl, Kakao, Kautschuk und Palmprodukte. Viehzucht wird v.a. im Norden betrieben. Erdöl und Erdgas machen über 90% der Gesamtausfuhr aus. Nigeria verfügt über Steinkohle, Zinn, Blei, Zink, Wolfram und Eisenvorkommen. Die Industrie umfasst v.a. Nahrungsmittel-, Textil-, chemische, Metall- und Zementindustrie. – Die wichtigsten Seehäfen sind Lagos, Calabar, Warri, Port Harcourt und der Erdölhafen Bonny. In Lagos, Kano und Port Harcourt gibt es internationale Flughäfen.

Geschichte: Seit 1500 trieben europäische Staaten Sklaven- und anderen Handel im heutigen Nigeria. Im 19. Jh. setzte sich Großbritannien als Kolonialmacht durch, 1914 errichtete es eine einheitliche Kolonialverwaltung. 1960 wurde das Land unabhängig und 1963 Republik innerhalb des Commonwealth. Die Abspal-

Nigeria: Reste der einstigen Stadtmauer von Kano, das im 9. Jh. gegründet wurde.

tung der Ostregion (Biafra) am 30. 5. 1967 führte zu einem Bürgerkrieg, der 1970 mit der Kapitulation Biafras endete. Lange Zeit lag die Macht in den Händen des Militärs. General *Abdulsalam Abubakar* übernahm 1998 die Staatsführung und leitete eine Demokratisierung ein. 1999 wurde O. *Obasanjo* zum neuen Präsidenten gewählt, 2003 im Amt bestätigt. Im Nigerdelta kam es zu blutigen Auseinandersetzungen um die Beteiligung der Region an den hohen Erdöleinnahmen. Nach den von Manipulationen überschatteten Präsidentschaftswahlen 2007 wurde U. M. *Yaradua*, Kandidat der Regierungspartei PDP, zum Sieger erklärt.

Nihilismus [der, lat. nihil, »nichts«], eine philosophische Anschauung, die alle Werte, Ziele und Glaubensinhalte verneint. So lehnt der Nihilismus auch die Suche nach dem Sinn des menschlichen Lebens ab.

Nikolaus, wahrscheinlich 4. Jh., Bischof von Myra (Kleinasien). Der Legende nach soll er zahlreiche Wundertaten vollbracht haben (u. a. Errettung der Stadt Myra vor einer Hungersnot). Nikolaus ist ein Heiliger der katholischen und orthodoxen Kirche. Sein Namenstag ist am 6. Dezember. An diesem Tag

Nikolaus II. auf einer Fotografie von 1910

Nil: Fischer mit ihren Feluken bei Assuan

werden vielerorts die Kinder beschenkt. Ausgehend von der Funktion des Heiligen als Schutzpatron der Schüler, stand ab dem 12./13. Jh. die Überprüfung von erlernten Kenntnissen sowie die Belohnung bzw. Bestrafung im Zentrum des Brauchtums. Daher galt bis zum 19. Jh. der Nikolaus als Gabenbringer, der *Nikolaustag* als eigentlicher Tag der Bescherung; → Weihnachtsmann.

Nikolaus II., *Nikolaus II. Alexandrowitsch*, * 1868, † 1918, Zar von Russland 1894–1917. Nikolaus war der letzte Zar aus der Dynastie *Romanow-Gottorf*. Er führte 1905 unter dem Druck der Revolution widerstrebend eine Volksvertretung und das allgemeine Wahlrecht ein, dankte in der Februarrevolution 1917 ab und wurde nach der Oktoberrevolution 1918 zusammen mit seiner Familie ermordet.

Nikotin [das] → Nicotin.

Nil [der], der längste Strom Afrikas, 6671 km lang. Er entspringt als Kagera-Nil in Rwanda, durchfließt den Victoriasee und den Albertsee und wechselt mehrmals den Namen: z. B. Victoria-Nil, Albert-Nil. Der Nil vereinigt sich als *Weißer Nil* bei Khartum mit dem *Blauen Nil*, der aus dem Tanasee im Hochland von Äthiopien kommt. Im weiteren Verlauf wird der Nil mehrmals gestaut, u. a. zum Nasser-Stausee bei Assuan, und bildet damit die Grundlage für den Bewässerungsfeldbau in Ägypten. Erst durch die Ablagerung des Nilschlamms entstand die fruchtbare Oase entlang seiner Ufer, die das Hauptsiedlungs- und Hauptanbaugebiet Ägyptens ist. Unweit von Kairo bildet der Nil ein weit ausgedehntes Delta und mündet in mehreren Armen zwischen Alexandria und Damietta in das Mittelmeer.

Nilpferd [das] → Flusspferde.

Nîmes [ni:m], eine Stadt in Südfrankreich, nahe der Rhônemündung, mit vielen Bauwerken aus der römischen Zeit, 150 000 Einwohner.

Nirvana [das], die völlige Ruhe, das Erlöschen der Gefühle und Wünsche für das Diesseits, das Aufhören des unheilvollen Daseinsdrangs und damit auch das Aufhören immer neuer Wiedergeburten. Das Nirvana ist das Heilsziel des Buddhismus.

Nissen [Pl.], die Eier von Läusen.

Nitrate [Pl.], die Salze der Salpetersäure. Sie werden als Düngemittel und zur Herstellung von Sprengstoff verwendet. Wegen der Überdüngung der Äcker sind Nitrate heute oft im Trinkwasser und in Lebensmitteln enthalten. Sie können durch Mikroorganismen in die giftigen → Nitrite umgewandelt werden.

Nitrite [Pl.], die giftigen Salze der salpetrigen Säure. Nitrite werden als Korrosionsschutz und in geringer Menge im Nitritpökelsalz zum Haltbarmachen von Fleisch und Wurst verwendet.

Noah hält Ausschau nach der Taube; aus einer Kölner Bibel von 1478.

Nitrofen, $C_{12}H_7Cl_2NO_3$, gesundheitsschädliches Unkrautvernichtungsmittel, das sich bei Mensch und Tier im Fettgewebe anreichert. In Lebensmitteln gilt eine tolerierbare Höchstmenge von 0,01 mg/kg.

Nitroglycerin [das], *Nitroglyzerin,* eine leicht explodierende ölige Flüssigkeit. Nitroglycerin wird zur Herstellung von Dynamit verwendet sowie in kleinen Mengen in der Medizin zur Erweiterung der Blutgefäße bei Arterienverkalkung und Verengung der Herzkranzgefäße.

Niveau [ni'vo, das], **1.** *übertragen:* Entwicklungsstufe, Bildungsstufe, geistige Höhe; Lebensstandard. **2.** Oberfläche, horizontale Ebene, (gleiche) Höhe. **3.** Energiezustand eines Atoms, Moleküls oder Atomkerns. **4.** Wasserwaage, Libelle.

Nixen [Pl.], in der germanischen Überlieferung Wassergeister in Quellen. Sie können männlich (Nix, Nöck, Wassermann) oder weiblich (Nixe, See- bzw. Meerjungfrau) sein und haben einen menschlichen Oberkörper und einen Fischschwanz.

NN, Abkürzung für → **N**ormal**n**ull.

Noah, eine biblische Gestalt. Er wurde von Gott wegen seiner Frömmigkeit mit seiner Familie in der »Arche Noah« vor der Sintflut gerettet.

Nobel, Alfred, * 1833, † 1896; schwedischer Ingenieur und Erfinder. Er erfand das Dynamit und gründete die Nobelstiftung, die die *Nobelpreise* vergibt.

Nobelpreise [Pl.], jährlich verliehene Preise für die besten Leistungen auf den Gebieten der Physik, Chemie, Medizin/Physiologie, Literatur und Wirtschaftswissenschaften. Die Träger werden durch verschiedene schwedische Akademien ermittelt. Außerdem benennt ein Ausschuss des norwegischen Parlaments alljährlich den Träger des *Friedensnobelpreises.* Die Geldmittel für die Nobelpreise stammen aus einer Stiftung des schwedischen Ingenieurs und Erfinders Alfred *Nobel.* Siehe auch ZEIT-Beitrag → »Nobelpreise: Zum Nutzen der Menschheit«, Seite 168–171.

Die Jury tat sich oft schwer mit deutschen Autoren. Günter Grass erhielt den Preis für Literatur trotzdem, 1999 in Stockholm

Nobelpreise

»Zum Nutzen der Menschheit«

Von Nina Grunenberg

Jedes Jahr am 10. Dezember, dem Todestag des Erfinders und Ingenieurs Alfred Nobel, wird im Stadthaus von Stockholm ein märchenhaftes Fest gefeiert. Pünktlich um 19 Uhr kündigen Fanfaren den Einzug der Ehrengäste an. Junge Schwedinnen in weißen Gewändern und mit einer Lichterkrone im Haar geleiten ehrwürdige alte Herren im Frack und ihre Damen im Abendkleid an die lange Tafel.

Die Zuschauer erheben sich andächtig von ihren Plätzen, Champagnergläser klirren leise. Die Festversammlung trinkt auf das Wohl der Wissenschaftler, die am Nachmittag aus der Hand des schwedischen Königs den schönsten aller Preise entgegengenommen haben: Den Nobelpreis, »das Höchste, was einem Wissenschaftler passieren kann«, fand der deutsche Professor Hartmut Michel, der 1988 den Nobelpreis für Chemie erhielt. Kein Wunder, mit dem Preis wird nicht nur Ehre verliehen, sondern auch viel Geld – 1,1 Millionen Euro pro Preis.

Fünf Wissenschaftspreise

Die Nobelpreise werden seit 1901 verliehen. Später wurden noch andere Preise für die Wissenschaft gestiftet, aber bis heute hat keiner das Ansehen des Nobelpreises erlangt. Wie hat Alfred Nobel das erreicht? Erlebt hat er seinen Ruhm nicht mehr. Er starb 1896 mit 63 Jahren an einem

Gehirnschlag. In seinem Testament verfügte er, dass der Hauptteil seines Vermögens gut anzulegen sei, damit die Zinsen als Preise »jenen zuerteilt werden, die im verflossenen Jahr der Menschheit den größten Nutzen geleistet haben«. Gefunden werden sollen sie in der Physik, Chemie, der Physiologie oder der Medizin, der Literatur und unter denen, die sich »für die Verbrüderung der Völker« einsetzen (Friedenspreis).

Nobel, der »Dynamitkönig«

Gestiftet habe Alfred Nobel den Preis nur, so wird unter Wissenschaftlern gelästert, um sein schlechtes Gewissen zu beruhigen: Als Erfinder des Dynamits verdiente Alfred Nobel nämlich an Krieg und Terror und wurde dabei steinreich. Auch die weltweite Verbreitung des Eisenbahnnetzes kam Nobels Geschäften zugute. Für den Bau der Gleise, Tunnel und Trassen konnte man seinen neuen Sprengstoff gut gebrauchen. Dazu war der Schwede ein talentierter Unternehmer, der seine Erfindungen weltweit erfolgreich vermarktete. Überall standen seine Dynamitfabriken, die erste baute er übrigens in Krümmel an der Elbe, dort wo heute ein Atomkraftwerk steht.

Seinen Zeitgenossen war Nobel unheimlich. Die vielen Explosionen in seinen Fabriken beunruhigten sie. Dass er nie ein Wort des Mitgefühls für die vielen Opfer tödlicher Unfälle äußerte (auch einer seiner Brüder kam bei einem Experiment ums Leben), war den Leuten unsympathisch, wie sie die Persönlichkeit des »Dynamitkönigs« überhaupt schwer verständlich fanden. Einerseits war er ein robuster Praktiker, andererseits zeigte er sich auch als ein zarter und sensibler Schöngeist, der Orchideen züchtete; als Liebhaber der Literatur. Das passt nicht zusammen? Aber vielleicht konnte nur ein *mad scientist,* ein »verrückter Wissenschaftler«, sich einen solch bedeutenden Preis ausdenken.

Natürlich spielen in seinem Leben auch Frauen eine Rolle. Alfred Nobel war nie verheiratet, aber immer unglücklich verliebt – am meisten in Berta von Suttner, eine österreichische Friedenskämpferin und Schriftstellerin, deren Roman *Die Waffen nieder!* damals die Gemüter bewegte. Ihrem Einfluss verdankt sich der Friedensnobelpreis, der jedes Jahr in der norwegischen Hauptstadt Oslo verliehen wird.

Für das Stockholmer Nobelpreiskomitee ist es nicht leicht, jedes Jahr die Genies zu finden, die »der Menschheit den größten Nutzen gebracht« haben. Für den guten Ruf des Nobelpreises war

Alfred Nobel (1833 bis 1896) verdiente sein großes Vermögen mit der Herstellung von Dynamit

es deshalb ein Glück, dass mit dem ersten Preis für Physik gleich ein Volltreffer gelang: Er traf Wilhelm Conrad Röntgen, der 1895 »eine neue Art von Strahlen« entdeckt hatte und mit einer Durchleuchtung seiner eigenen Hand großes Aufsehen erregte. Die »X-Strahlen«, wie Röntgen sie nannte, waren der Segen für die Menschheit, nach dem die Juroren suchten. Mühsam mussten sie Röntgen dazu überreden, sich den Preis in Stockholm persönlich abzuholen. Einen Vortrag über seine Entdeckung zu halten hielt er für eine Zumutung, die er entschieden ablehnte.

Von Albert Einstein glaubt noch heute jeder, dass er seinen Nobelpreis für die Relativitätstheorie erhalten habe, denn damit wurde er weltberühmt. Aber das Nobelpreiskomitee traute sich nicht, weil seine Theorie in der wissenschaftlichen Welt noch zu umstritten war. Er selbst hatte nie daran gezweifelt, dass ihm der Preis zustand, und verplante ihn schon 1919, als er sich von seiner Frau Milena scheiden ließ. Weil er ihr keine Abfindung zahlen konnte, vereinbarte er mit ihr schriftlich, dass sie das Geld bekäme, sobald er den Preis erhielte. Der wurde ihm 1922 für eine Arbeit aus dem Jahr 1905 über die Quantennatur des Lichts zugebilligt – die war anerkannt.

In den Naturwissenschaften wurden nur wenige Nobelpreise verliehen, die sich später als nicht wirklich treffend erwiesen haben. Aber in Physik, Chemie und Medizin ist es auch leichter, allgemeingültige Maßstäbe anzulegen.

Streit um die besten Romane

Schwieriger wird es schon bei dem 1969 von der schwedischen Reichsbank »zum Andenken von Alfred Nobel« gestifteten Preis für die Wirtschaftswissenschaften. Fast aussichtslos ist die Hoffnung auf Einigkeit beim Literatur- und beim Friedensnobelpreis, weil bei der Auswahl die unterschiedlichen Meinungen und Geschmäcker kilometerweit auseinandergehen. Die Preisträger sind oft heftig umstritten, viele sind schon wieder vergessen, und wirklich wichtige Künstler und Politiker wurden schnöde ignoriert.

Die Geschichten über die Urteilsfindung beim Literaturnobelpreis sind oft sehr unterhaltsam. Als Gerhard Hauptmann 1924 Thomas Mann vorschlug, hatten die Juroren in Stockholm Zweifel am literarischen Rang der *Buddenbrooks,* einem der berühmtesten Romane in deutscher Sprache. Sie warteten deshalb auf ein neues Werk. Das erschien 1928: *Der Zauberberg.* Aber auch damit konnte man in Stockholm nichts anfangen. 1929 erhielt Mann dennoch den Preis – ausdrücklich für die *Buddenbrooks,* die jetzt als »ein Höhepunkt der zeitgenössischen Romandichtung« gerühmt wurden.

König Carl Gustaf von Schweden überreicht den Preis an den türkischen Autor Orhan Pamuk (2006)

Immer sehr feierlich: 1957 nahm der französische Schriftsteller Albert Camus (1913 bis 1960) den Nobelpreis für Literatur entgegen

Viele bedeutende deutschsprachige Schriftsteller hatten es schwer: Karl Kraus wurde 1926 vom Komitee als »dunkel und abstoßend« abgelehnt. Lion Feuchtwanger hatte nach Meinung der Juroren nur Erfolg, der auf »brutalen Effekten und Bluff« beruhte. Hugo von Hofmannsthals Werk wurde als »frivol, gekünstelt und effekthaschend« abqualifiziert.

Amerika führt die Hitliste an

Der amerikanische Schriftsteller John Steinbeck, auch er ein Nobelpreisträger, war der Meinung, dass der Preis bei den Geehrten zu Schreibhemmung oder sogar zum Selbstmord führe, und nannte ihn den »Todeskuss«.

Tatsächlich brachten sich der Japaner Yasunari Kawabata und der Autor Ernest Hemingway kurz nach der Preisverleihung um. Von dem englischen Dichter T. S. Eliot ist das Wort überliefert: »Der Nobelpreis ist das Ticket zur eigenen Beerdigung. Niemand hat danach noch etwas Gescheites produziert.« So harsche Urteile sind von Naturwissenschaftlern kaum zu hören. Ihre Nobelpreise stellen nach wie vor den Maßstab dar, an dem eine Nation die Qualität ihrer Wissenschaft misst. Bis 1933, vor allem aber bis zum Ersten Weltkrieg 1914, heimsten die Deutschen die wichtigsten Nobelpreise ein. Heute dominieren die Amerikaner und Engländer.

Die Preise zirkulieren auch meistens in den gleichen Forscherkreisen. Zur Hundertjahrfeier des Nobelpreises 2001 wurde gezählt, dass 27 Preise nach Amerika an die Harvard University gingen, 20 in das englische Cambridge und 18 an die Max-Planck-Gesellschaft. Fast alle Preisträger der letzten Jahre haben in den USA gearbeitet. Das lässt sich als Spiegelbild der wissenschaftlichen Wirklichkeit verstehen. Die Forscher gehen am liebsten dorthin, wo sie die besten Arbeitsmöglichkeiten haben.

Nobile, Umberto, * 1885, † 1978; italienischer General und Polarforscher. Nobile überflog 1926 mit *Amundsen* den Nordpol. Beim zweiten Nordpolflug strandete 1928 sein Luftschiff »Italia« bei Spitzbergen. Nobile und seine Mannschaft wurden gerettet. Bei dem Suchunternehmen ist Amundsen verschollen.

Noether, Emmy, * 1882, † 1935; deutsche Mathematikerin. Ihre Arbeiten zur modernen Algebra wurden grundlegend für die Zahlentheorie. 1933 emigrierte sie in die USA, nachdem ihr als Jüdin in Deutschland die Lehrerlaubnis entzogen worden war.

Nofretete [ägyptisch, »die Schöne ist gekommen«], Gemahlin des ägyptischen Königs *Amenophis IV.* (später Echnaton; 1364–1347 v. Chr.). Ihre Büste aus bemaltem Kalkstein wurde 1912 bei Ausgrabungen in Tell Al Amarna gefunden und steht heute im Ägyptischen Museum in Berlin.

Nofretete: Ihre Büste steht heute im Ägyptischen Museum in Berlin (Schloss Charlottenburg).

Nolde, Emil, eigentlich Emil *Hansen,* * 1867, † 1956; deutscher Maler und Grafiker; einer der Hauptmeister des deutschen *Expressionismus.* Schwerpunkte seines Werkes sind Landschaftsbilder, Blumenbilder und religiöse Darstellungen, bei denen er leuchtende Farben bevorzugte.

Nomaden: Tuareg-Nomaden der Sahel-Zone tränken ihre Tiere.

Nomaden [Pl.], Völker ohne festen Wohnsitz, Hirtenvölker, die mit ihren Viehherden zu immer neuen Weideplätzen ziehen.

Nomen [das, Pl. *Nomina*; lat.], Sammelbezeichnung für deklinierbare Wortarten (im Deutschen: Substantive, Adjektive, Pronomina, Artikel, z. T. auch Numeralien).

Nominativ [der] → Kasus.

nominell, dem Namen nach, nur auf dem Papier, angeblich.

nominieren, benennen, namhaft machen, vorschlagen (z. B. Nominierung eines Kandidaten).

Nonnen [Pl.], weibliche Angehörige eines katholischen Ordens, die in Frauenklöstern nach besonderen Regeln leben.

Nordatlantikpakt [der] → NATO.

Norden, Abkürzung N, eine Himmelsrichtung.

Norderney, eine der → Friesischen Inseln.

Nordfriesland, fruchtbare Marschlandschaft an der Westküste Schleswigs *(Schleswig-Holstein)*, zwischen Husum und der dänischen Grenze.

Nordic Walking ['nɔrdik 'wɔ:kiŋ], eine Ausdauersportart, bei der zusätzlich zum Bewegungsablauf des → Walking zwei Armstöcke auf den Boden aufgesetzt werden.

Nordirland, englisch *Northern Ireland*, Teil des Vereinigten Königreichs *Großbritannien und Nordirland*, im Nordosten der Insel Irland, 14 144 km², 1,7 Mio. Ew. (53% Protestanten, 44% Katholiken); Hauptstadt *Belfast*; von zahlreichen Flüssen durchzogenes Bergland; Viehwirtschaft, Anbau von Hafer, Kartoffeln und Flachs; Textil-, Elektro- u. a. Industrie, Schiffbau.

Geschichte: 1921 erreichten die Iren ihre Unabhängigkeit mit der Proklamation des *Freistaats Irland*; die ehemalige Provinz *Ulster* wurde von Irland getrennt und blieb unter dem Namen Nordirland bei Großbritannien. Seit dieser Trennung beider Teile der irischen Insel kämpfte in Nordirland die katholische Minderheit für politische, soziale und wirtschaftliche Gleichberechtigung und für den Anschluss Nordirlands an Irland. Die Auseinandersetzungen im Nordirland-Konflikt nahmen seit 1969 bürgerkriegsähnliche Formen an, besonders durch den Terror der katholischen IRA *(Irisch Republikanische Armee)* und den Gegenterror der protestantischen UDA *(Ulster Defence Association; Ulster Verteidigungsbündnis)*. 1972 entsandte die britische Regierung starke Truppenverbände nach Nordirland und übernahm die direkte Regierungsgewalt. Erst 1998 schaffte die Verabschiedung eines Friedensabkommens *(Karfreitagsabkommen)* eine neue Grundlage für die Lösung des Konfliktes, dem über 3000 Menschen zum Opfer gefallen waren. Das irische Parlament bestätigte den Verzicht auf den in der irischen Verfassung verankerten Anspruch auf Nordirland. Großbritannien verpflichtete sich im Gegenzug zur Aufhebung eines Gesetzes, das die Teilung Irlands festschrieb. Die nordirische Bevölkerung wählte ein eigenes Parlament. Die IRA erklärte schließlich 2005 das Ende des bewaffneten Kampfes. Nach den Wahlen zum nordirischen Parlament 2007 einigten sich die katholischen und protestantischen Parteien auf eine politische Zusammenarbeit. Der protestantische Politiker I. *Paisley* wurde nordirischer Regierungschef.

nordische Kombination [die], Ski-Wettbewerb, der sich aus 15-km-Langlauf und Skispringen zusammensetzt.

Nordkap: Die Mitternachtssonne ist im Sommer auch um Mitternacht über dem Horizont sichtbar.

Nordkap [das], ein 307 m hohes, steil zum Nordmeer abfallendes Vorgebirge auf der norwegischen Insel Mageröy (unter 71°10'21" nördlicher Breite). Es galt bei seiner Entdeckung als Nordspitze Europas und wird als solche heute immer noch von zahlreichen Touristen besucht, obwohl Knivskjellodden auf der gleichen Insel um gut 1 km nördlicher liegt.

Nordkorea → Korea.

Nordlicht [das] → Polarlicht.

Nord-Ostsee-Kanal [der], ein Kanal von Kiel bis Brunsbüttel, an der Elbmündung, die kürzeste Verbindung zwischen Nordsee und Ostsee. Der 98,7 km lange Kanal ist die meistbefahrene künstliche Wasserstraße der Erde.

Nordpol [der], der eisbedeckte nördliche Endpunkt der Erdachse und Mittelpunkt der Arktis im Nordpolarmeer. Am Nordpol gibt es nur eine Himmelsrichtung: Süden. Polartag und Polarnacht dauern jeweils ein halbes Jahr (Sonnenaufgang am 21. 3., Sonnenuntergang am 23. 9.). Der Nordpol wurde 1909 von R. E. *Peary* erstmals erreicht.

Nordpolarmeer [das], *Nördliches Eismeer,* die Wasserfläche der Arktis, ein Nebenmeer des Atlantischen Ozeans, fast ganz von Land umgeben (von Sibirien,

Nordpolarmeer: Das Meereis, im Mittel zwischen 2,5 und 3,5 m dick, gibt nur im Sommer offene Wasserflächen in Küstennähe frei.

Alaska, dem nordkanadischen Inselarchipel, Grönland, Spitzbergen und Franz-Josef-Land). Im Winter ist es von einer geschlossenen Eisdecke überzogen. Im Sommer werden die Randmeere z.T. eisfrei und bieten der Schifffahrt Durchfahrtmöglichkeiten.

Nordrhein-Westfalen, das bevölkerungsreichste Bundesland Deutschlands, Hauptstadt ist *Düsseldorf.* 1946 wurde es aus den früheren Provinzen Rheinland

Nordrhein-Westfalen: Burg Hülshoff im Münsterland, das Geburtshaus der Dichterin Annette von Droste-Hülshoff

und Westfalen gebildet, im Jahr 1947 kam Lippe dazu. Zu Nordrhein-Westfalen gehört das Ruhrgebiet, eines der größten Industriegebiete in Europa. Nordrhein-Westfalen ist 34 083,52 km² groß und hat 18 Mio. Einwohner.

Nordsee [die], ein Nebenmeer des Atlantischen Ozeans, zwischen den Britischen Inseln und dem europäischen Festland; 580 000 km² groß und im Durchschnitt 94 m tief. Im Norden besteht eine breite Öffnung zum Atlantik, im Süden über den *Ärmelkanal* nur eine schmale Verbindung. Ein Teilgebiet ist das *Skagerrak* im Südosten, das über das *Kattegat* mit der Ostsee verbunden ist. Außerdem besteht eine Verbindung über den → Nord-Ostsee-Kanal. Die Nordsee ist durch große Unterschiede zwischen Ebbe und Flut gekennzeichnet. Der Salzgehalt beträgt etwa 3,5%. Bedeutend ist die Nordsee für die Wirtschaft durch ihre reichen Fischbestände sowie durch Erdöl- und Erdgasvorkommen.

Nordstrand, eine der → Friesischen Inseln.

Nord-Süd-Konflikt, das politische, wirtschaftliche und soziale Spannungsverhältnis zwischen den Industrieländern der nördlichen Halbkugel und den Entwicklungsländern Asiens, Afrikas und Lateinamerikas.

Norm [die, lat., »Regel«], allgemein eine Regel, ein Maßstab, auch eine Vorschrift, eine geregelte Größe, eine vorgeschriebene Form, z. B. Leistungsnorm. In Technik und Wirtschaft haben Normen einen großen Nutzen, weil gleiche Größen und Formate bei Produkten verschiedener Hersteller die Beschaffung von Ersatzteilen, die Lagerhaltung oder die Kombination und Austauschbarkeit von Produkten vereinfachen.

Normalnull, Abkürzung NN, die für Höhenmessungen auf der Erdoberfläche verwendete Bezugsfläche, abgeleitet vom mittleren Meeresniveau. Die meisten Staaten haben ihre eigenen »nationalen« Pegel. Deutschland benutzt seit 1879 die Höhe des mittleren Wasserstandes des Amsterdamer Pegels.

Normandie [nɔrmã'di], eine historische Landschaft in Nordfrankreich. Sie wurde nach den Normannen benannt, die die Gegend im 9. Jh. eroberten.

Normannen: Die Bildstickereien des berühmten Bayeuxteppichs aus dem 11. Jh. schildern u. a. die Vorbereitungen zum Eroberungszug Herzog Wilhelms von der Normandie nach England und seinen Sieg über König Harald bei Hastings (1066).

Normannen [Pl.], *Nordmannen, Wikinger,* Nordgermanen aus Dänemark, Norwegen und Schweden, die Ende des 8. Jh. als Seefahrer die europäischen Küstengebiete bedrohten, landeinwärts zogen und bedeutende Städte wie Aachen, Köln, Mainz und Paris plünderten. Um 910 begründete eine Gruppe der Normannen das Herzogtum der Normandie, andere Normannen setzten sich in England fest, besiedelten die Färöer, die Orkney- und Shetland-Inseln, Island, Grönland, Russland und kamen um 1000 an die Küste Nordamerikas.

Ländersteckbrief
Norwegen

Fläche:	385 155 km²
Einwohner:	4,6 Millionen = 12 je km²
Hauptstadt:	Oslo
Religion:	evangelisch-lutherische Kirche
Amtssprache:	Norwegisch
Währung:	1 Norwegische Krone = 100 Öre

Norwegen, Staat in Nordeuropa.

Landesnatur: Hinter der reich gegliederten atlantischen Fjordküste mit ihrem Schärengürtel erhebt sich der größte Teil des Festlands zu einer gebirgigen Hochfläche (*Fjell*, 1000–2000 m ü. M.). Nur die Südküste wird von einem größeren Tiefland eingenommen. An der Küste ist das Klima ozeanisch mild und feucht, auf dem Hochland nimmt es kontinentaleren Charakter an.

Bevölkerung: Die Bevölkerung (zu 96% Norweger) gehört vorwiegend der lutherischen Staatsreligion an und konzentriert sich zu fast ⅔ an der Südküste.

Wirtschaft: Eine wirtschaftlich große Rolle spielen Viehzucht, Seefischerei und Waldnutzung. An Bodenschätzen finden sich Schwefelkies, Eisen-, Kupfer-, Titan-, Zink- und Bleierze. Aus der Nordsee werden bedeutende Erdöl- und Erdgasmengen (55% der Gesamtausfuhr) gefördert. Die Industrie umfasst besonders Schiffbau, Holz-, Metall-, Papier-, Textil-, Nahrungsmittel- und Elektroindustrie. Der Tourismus ist ein bedeutender Wirtschaftszweig. – Das Verkehrsnetz ist nur im Süden dicht. Die Küstenschifffahrt spielt eine große Rolle. Die Handelsflotte umfasst 19 Mio. BRZ. Haupthäfen sind Oslo, Bergen, Stavanger und Narvik. Wichtigster Flughafen ist Oslo/Fornebu.

Norwegen: Die typisch bunt angestrichenen Holzhäuser gibt es auch auf den Lofoten, einer norwegischen Inselgruppe.

Geschichte: Der erste Alleinherrscher Norwegens war *Harald Schönhaar* im 9. Jh. *Olaf I. Trygvasson* sowie *Olaf II., der Heilige*, christianisierten das Land. *Haakon IV. Haakonsson* (1217–1263) konnte die Königsmacht endgültig festigen. 1319 wurde Norwegen in Personalunion mit Schweden regiert, 1380 in Personalunion mit Dänemark. Königin *Margarete* vereinigte 1397 die drei Reiche Norwegen, Dänemark und Schweden in der *Kalmarer Union*. Die dänischen Könige blieben bis 1814 auch Könige von Norwegen. Norwegen behielt den Status einer dänischen Provinz. 1814 kam Norwegen an Schweden. 1905 wurde die Union mit Schweden aufgelöst und Norwegen damit unabhängig. Der dänische Prinz Karl wurde zum König gewählt und regierte als *Haakon VII.* bis 1957. Norwegen blieb während des Ersten Weltkriegs neutral. Im Zweiten Weltkrieg wurde Norwegen 1940–1945 von deutschen Truppen besetzt. 1949 trat Norwegen der NATO bei. Norwegen ist Gründungsmitglied der UN und Mitglied des Nordischen Rats. Den Beitritt zur EU lehnte die Bevölkerung 1972 und 1994 ab. Staatsoberhaupt ist seit 1991 König *Harald V.*, Ministerpräsident seit 2005 J. *Stoltenberg*. – Norwegen ist eine konstitutionelle Erbmonarchie auf parlamentarisch-demokratischer Grundlage. Nach 1945 wurde das Land meist sozialdemokratisch regiert.

Nostalgie [die], die Sehnsucht nach Vergangenem.

Nöstlinger, Christine, * 1936; österreichische Schriftstellerin. In ihren Kinder- und Jugendbüchern beschreibt sie u. a. die Alltagswelt und die Sorgen von Kindern, z. B. »Wir pfeifen auf den Gurkenkönig«, »Das Austauschkind«, »Geschichten vom Franz«.

Nostradamus, eigentlich *Michel de Notre-Dame*, * 1503, † 1566; französischer Astrologe. Nostradamus war der Leibarzt *Karls IX.* Er wurde bekannt durch seine geheimnisvollen Prophezeiungen bis in das Jahr 3000 n. Chr. (»Centuries«).

Notare [Pl.], Juristen, die vor allem für Beurkundungen zuständig sind, z. B. bei einer Adoption, bei Grundstücksverkäufen oder bei Testamenten.

Note [die], **1.** in der Musik ein Zeichen, das die Höhe und Dauer eines Tons angibt. **2.** eine Bewertung in Wort oder Zahl (Zensur). **3.** ein Geldschein, Banknote. **4.** eine offizielle (diplomatische), schriftliche Mitteilung.

Notebook ['nɔutbuk], tragbarer, zusammenklappbarer Kleincomputer mit Akku oder Netzanschluss und flachem Flüssigkristallbildschirm.

Notenbank [die], eine meist staatliche Bank, die berechtigt ist, Banknoten auszugeben. Sie reguliert den Geld- und Kreditverkehr eines Landes. Diese Aufgabe obliegt seit 2002 in Deutschland und Österreich als Mitgliedern der EU der Europäischen Zentralbank; in der Schweiz der Schweizerischen Nationalbank.

Nötigung [die], allgemein das Drängen eines anderen zu einem bestimmten Verhalten (Handlung, Duldung oder Unterlassung). Rechtswidrig ist die mit Gewalt oder Drohung verbundene Nötigung.

Novalis, eigentlich *Friedrich Freiherr von Hardenberg*, * 1772, † 1801; deutscher Schriftsteller. Er war neben L. *Tieck* der wichtigste Dichter der deutschen Frühromantik. In seinem Roman »Heinrich von Ofterdingen« schuf er das Sinnbild von der »blauen Blume«, die für romantische Sehnsucht und Liebe steht.

Novelfood ['nɔvəlfu:d, das, engl., »neuartige Lebensmittel«], Lebensmittel, die gentechnisch verändert wurden oder auf Basis gentechnisch veränderter Stoffe hergestellt wurden. So hat man z. B. Mais oder Tomaten genetisch verändert, um sie resistent gegen Schädlinge oder haltbarer zu machen. In der *EU* gelten für die Zulassung des Novelfood strenge Vorschriften, es muss als solches gekennzeichnet sein. Auch → Gentechnologie.

Novelle [die, ital., »Neuigkeit«], in der Literatur eine kürzere Erzählung, meist in Prosa, in deren Mittelpunkt eine außerordentliche Begebenheit steht. Bedeutende Novellen in deutscher Sprache schrieben u. a. H. von *Kleist*, G. *Keller*, C. F. *Meyer*, Th. *Storm* und S. *Zweig*.

Novemberrevolution [die], der politische Umsturz im Deutschen Reich im November 1918, der die Monarchie am Ende des Ersten Weltkriegs beseitigte und zur Entstehung der *Weimarer Republik* führte.

Novize [der], ein Mönch in seiner Probezeit, vor dem Ablegen des Ordensgelübdes.

NSDAP, Abkürzung für **N**ational**s**ozialistische **D**eutsche **A**rbeiter**p**artei, → Nationalsozialismus.

Was ist … Nucleinsäure

Nucleinsäuren sind lange Kettenmoleküle, die in den Zellen aller Lebewesen und in Viren vorkommen. Es gibt zwei Arten von Nucleinsäuren: Desoxyribonucleinsäure (Abkürzung DNS, englisch DNA) und Ribonucleinsäure (Abkürzung RNS, englisch RNA). Die DNA ist der Stoff, aus dem die Erbanlagen oder Gene der Lebewesen und einiger Viren (DNA-Viren) bestehen. RNA ist in verschiedenen Formen an der Übersetzung der genetischen Information der DNA in Proteine (Eiweiße) beteiligt. Lediglich bei einigen Viren (RNA-Viren) ist RNA auch Träger der genetischen Information.

Desoxyribonucleinsäure: Die Bausteine der DNA sind die Nucleotide. Sie bestehen jeweils aus dem Zucker Desoxyribose, einem Phosphorsäurerest und einer der vier Basen Adenin (A), Guanin (G), Cytosin (C) und Thymin (T). Sie sind die Buchstaben des genetischen Codes und ihre Reihenfolge ergibt die verschlüsselte genetische Information, nach der die benötigten Proteine von der Zelle aus Aminosäuren hergestellt werden. Je drei Basen (Triplett) bilden ein Codewort, das einer Aminosäure entspricht. Dabei gibt es verschiedene Codewörter für jede der zwanzig Aminosäuren, aus denen die Proteine bestehen. Einige Codewörter dienen als Startsignal für den Anfang eines Proteins und als Stoppsignal, das das Ende eines Proteins markiert.

Die räumliche Struktur der DNA entspricht einer »Doppelhelix«: Sie besteht aus zwei Ketten von Nucleotiden, deren Basen einander zugewandt und über Wasserstoffbrücken verbunden sind und die schraubenförmig umeinander gewunden sind wie eine verdrillte Strickleiter. Dabei können sich nur die jeweils zueinander passenden (komplementären) Basen Adenin und Thymin sowie Cytosin und Guanin paaren, so dass die Basenfolge eines Stranges die des anderen (komplementären) Stranges bedingt. Dies ist die Voraussetzung für die identische Verdopplung (Reduplikation) der Erbsubstanz vor jeder Zellteilung und ihre unveränderte Weitergabe von Zellgeneration zu Zellgeneration. Aber auch Veränderungen der Erbsubstanz können auftreten durch → Mutationen.

Ribonucleinsäure: RNA entspricht in ihrer Struktur der DNA und zeigt dasselbe Paarungsverhalten, enthält aber den Zucker Ribose und anstelle von Thymin stets Uracil (U). Auch bildet sie keine Doppelhelix aus. Sie wird zur Übersetzung der genetischen Information der DNA in Proteine benötigt. Mithilfe der RNA wird zunächst jeweils eine Arbeitskopie eines DNA-Abschnitts (Gens) hergestellt (Transkription). Diese Messenger-RNA (mRNA, Boten-RNA) wandert zu den Ribosomen (→ Zelle) im Zellplasma, wo die Synthese von Proteinen aus Aminosäuren stattfindet. Jede einzelne Aminosäure wird von einer speziellen Transfer-RNA (tRNA) herbeitransportiert. Jede tRNA besitzt eine spezifische Andockstelle (Anticodon), die einem entsprechenden Codon auf der mRNA gegensätzlich ist. Nacheinander lagern sich die beladenen tRNA-Stränge gemäß der Vorlage an die mRNA an und die mitgeführten Aminosäuren werden zu einer Kette verknüpft. Start- und Stopp-Codonen signalisieren jeweils den Anfang oder das Ende der Aminosäurekette.

Nugat [nu:gat, der oder das], *Nougat,* eine Konfektmasse aus gerösteten Nüssen oder Mandeln und Zucker, mit oder ohne Zusatz von Kakao *(auch weißer Nugat).*

Nugget ['nʌgit, das, engl.], ein Stück reines Gold.

nuklear, die Bezeichnung für Erscheinungen, die den Atomkern betreffen. Auch → Atom.

Nuklide, Atomarten, die aus gleicher Massenzahl *(Nukleonenzahl)* und gleicher Ordnungszahl *(Protonenzahl)* bestehen.

Null, Zahlzeichen 0, die Addition/Subtraktion von Null liefert die ursprüngliche Zahl; die Multiplikation mit Null ergibt Null; die Division durch Null ist nicht definiert.

Numerale, das *Zahlwort.* Man unterscheidet: *Grundzahl (Kardinale),* z. B. »drei«; *Ordnungszahl (Ordinale),* z. B. »dritter«; *Multiplikativum,* z. B. »dreifach«; *Distributivum,* z. B. »je drei«; *Zahladverb,* z. B. »dreimal«; *Teilungszahl,* z. B. »Drittel«.

Numerus, Zahlform der Nomina und Verben. Man unterscheidet Singular und Plural.

Numerus clausus [der], eine Zulassungsbeschränkung zum Hochschulstudium, da aus Mangel an Studienplätzen nur eine bestimmte Anzahl von Studierenden in einem Studienfach die Ausbildung beginnen können. Auch → »Genauer betrachtet«.

Numismatik [die], die Münzkunde, die Wissenschaft von den Münzen und ihrer Geschichte.

nummerieren, durchzählen und beziffern.

Nürburgring [der], eine berühmte deutsche Rennstrecke für den Motorsport, an der Nürburg in der Eifel gelegen. Sie besteht seit 1927 und hat seit dem Umbau 2002 einen Grand-Prix-Kurs von 5,149 km Länge mit 14 Kurven.

Nürnberg, eine Stadt in Bayern, an der Pregnitz, 494 000 Einwohner. Nürnberg hat ein z. T. mittelalterliches Stadtbild mit einer Burg aus dem 12. Jh. 1835 wurde die erste deutsche Eisenbahn von Nürnberg nach Fürth gebaut.

Nürnberger Prozesse [Pl.], Kriegsverbrecherprozesse, von den Siegermächten nach dem Zweiten Weltkrieg durchgeführte Prozesse (1945–1950) gegen führende Nationalsozialisten, Angehörige des Oberkommandos der Wehrmacht und andere deutsche Kriegsverbrecher. Der Hauptprozess, der von den Siegermächten gemeinsam durchgeführt wurde, endete mit zehn Todesurteilen und hohen Gefängnisstrafen; drei Angeklagte wurden freigesprochen, *Hitler, Goebbels* und *Himmler* hatten kurz vor Kriegsende Selbstmord verübt. *Göring* entzog sich nach seiner Verurteilung im Nürnberger Prozess der Urteilsvollstreckung. Er tötete sich selbst durch die Einnahme von Gift. Dem Hauptprozess schlossen sich weitere 12 Prozesse vor amerikanischen Militärgerichten an.

Genauer betrachtet …
Numerus clausus

Dieser Begriff heißt auf Latein »geschlossene Zahl« und bedeutet ursprünglich lediglich, dass eine Hochschule für bestimmte Studiengänge nur eine begrenzte Anzahl von Studienplätzen zur Verfügung hat. Da es dann fast immer weniger Plätze als Interessenten gibt, kommt es unter Letzteren zu einer Auswahl. Diese Auswahl wird von der Zentralstelle für die Vergabe von Studienplätzen (ZVS) oder den Hochschulen selbst getroffen, die bis zu 50 Prozent der Plätze nach einem eigenen Auswahlverfahren vergeben können. Der Numerus clausus (NC) wird oft als feststehende Note missverstanden, die erreicht werden muss, um den begehrten Studienplatz zu erhalten. Er zeigt aber lediglich, welches die schlechteste Note war, mit der man im vorhergehenden Semester noch einen Studienplatz bekam. Das kann sich jedoch von Semester zu Semester ändern. Die Abiturnote gilt zwar als wichtigstes Kriterium für die Auswahl, sie ist aber nicht das einzige. Ein weiterer Teil der Studienplätze wird über Wartezeiten vergeben. Intern führen die Hochschulen Auswahlgespräche und berücksichtigen auch die Noten einzelner Schulfächer, geleistete Praktika und die Motivation der Kandidaten. Auch Losverfahren sind an der Tagesordnung. Da viele Studienanfänger sich an mehreren Hochschulen bewerben und mit der Wahl eines Studienortes andere ihnen zugesagte Plätze freimachen, gibt es auch häufig Studienplätze, die im Nachrückverfahren vergeben werden.

Nuss [die], eine Fruchtform, die meist nur einen Samen enthält, mit fester, oft holziger oder ledriger Schale (z. B. Haselnuss, Buchecker, Eichel).

Nussbaum [der], Bezeichnung für die *Walnuss,* die im Mittelmeergebiet und im westlichen Asien heimisch ist und deren essbare Früchte (»Walnüsse«) gar keine Nüsse, sondern Steinfrüchte sind.

Nüstern [Pl.], Nasenlöcher vor allem von Pferden.

Nut [die], in der Technik eine rinnen- oder nischenartige Vertiefung in Balken, Brettern, Wellen u. Ä. zur Befestigung anderer Teile.

Nutria [die], *Sumpfbiber,* ein biberähnliches Nagetier, das in kleinen Kolonien am Wasser lebt. Nutrias werden bis 50 cm groß und haben Schwimmhäute an den Hinterfüßen. Wegen ihres wertvollen Pelzes werden sie in Farmen gezüchtet.

Nylon ['nailɔn, das], Markenname, eine Kunstfaser mit ähnlichen Eigenschaften wie Naturseide. Nylon besteht aus Polyamid und ist besonders reißfest und elastisch.

Nymphen [Pl., griech. nymphe, »Mädchen, Braut«], **1.** in der griechischen Mythologie sind Nymphen weibliche Naturgottheiten, beispielsweise Baumnymphen. **2.** in der Zoologie die Bezeichnung für das Übergangsstadium zwischen *Larve* und *Puppe* bei der Entwicklung einiger Insektenarten. **3.** in der Anatomie der Name für die kleinen Schamlippen der weiblichen → Geschlechtsorgane.

O

O, **1.** 15. Buchstabe des Alphabets (Vokal). **2.** Abkürzung für Osten. **3.** chemisches Zeichen für das Element → Sauerstoff.

Oase [die], ein fruchtbares Gebiet in Wüsten, das durch Grundwasservorkommen, Quellen oder einen Flusslauf mit Wasser versorgt wird. Die Oasen sind seit Jahrhunderten Stützpunkte von Karawanen und bedeutende, stark bevölkerte Handelsplätze.

Oasen sind fruchtbare Inseln in einer lebensfeindlichen Umgebung.

Ob [der], ein Strom in Westsibirien, mit dem Katun 5570 km lang. Der Ob entspringt im Altai und mündet ins nördliche Eismeer.

Obduktion [die], *Autopsie,* die Öffnung und Untersuchung einer Leiche zur Feststellung der Todesursache.

Obelisk [der], ein vierkantiger Steinpfeiler, der sehr hoch ist, nach oben schmaler wird und mit einer pyramidenförmigen Spitze endet. Ursprünglich handelt es sich um ein altes ägyptisches Symbol für die Sonne und für die Fruchtbarkeit.

Oberer See, der größte der nordamerikanischen Großen Seen und der größte Süßwassersee der Erde. Er ist 82 103 km² groß und bis 405 m tief.

Oberflächenspannung [die], eine Erscheinung bei Flüssigkeiten, die darauf beruht, dass sich die Moleküle in Flüssigkeiten anziehen. Im Innern der Flüssigkeit heben sich diese Kräfte gegenseitig auf. An der Oberfläche richten sich die Kräfte nach innen und wollen die Oberfläche möglichst klein halten. Das bewirkt beispielsweise die Kugelform von Tropfen.

Oberhausen, eine Industriestadt im westlichen Ruhrgebiet, an der Emscher, 220 000 Einwohner. 1758 wurde in Oberhausen die erste Eisenhütte des Ruhrgebiets errichtet.

Oberliga [die], eine Amateurspielklasse im deutschen Fußball (vierthöchste Liga).

Oberösterreich, ein österreichisches Bundesland beiderseits der Donau; es grenzt an Bayern, die Tschechische Republik, Niederösterreich, die Steiermark und Salzburg. Landeshauptstadt ist *Linz*.

Der Obelisk auf der Place de la Concorde in Paris war ein Geschenk Ägyptens an Frankreich, er stand zuvor an einem Tempel in Luxor.

Objekt [das], **1.** Gegenstand, Sache, Angelegenheit. **2.** in der Grammatik der Gegenstand eines Satzes, auf den sich die Handlung bezieht.

objektiv, sachlich, unparteiisch, unvoreingenommen. Gegensatz: *subjektiv.*

Objektiv [das], die Linse oder ein Linsensystem bei optischen Geräten, z. B. Fotoapparat, Mikroskop. Das Objektiv befindet sich auf der Seite, die dem Objekt zugekehrt ist. Auf der dem Auge zugewendeten Seite befindet sich das *Okular.*

Oblate [die], eine dünne, aus Weizenmehl gebackene Scheibe, die in der katholischen Kirche als Hostie, in der evangelischen Kirche als Abendmahlsbrot verwendet wird.

Observatorium: Wahrscheinlich diente dieser Rundbau auf der Halbinsel Yucatán den Maya als Observatorium, da kleine Öffnungen im Gebäude in alle Himmelsrichtungen zeigen.

Genauer betrachtet …
Observatorium

Die ersten Observatorien, sogenannte Sonnentürme, bauten die Inkas um 1450 in Peru. Es waren einfache, aber verblüffend genaue Peilanlagen zur Bestimmung der wichtigsten Sonnenpositionen im Laufe des Jahres (z. B. Sommer- und Wintersonnenwende). Sie wurden deshalb auch als Kalenderbauten bezeichnet. Neben ihrer astronomischen Bestimmung hatten sie vor allem kultische Funktionen. Die erste Sternwarte im christlichen Europa wurde 1471 in Nürnberg errichtet. Sie verfügte noch nicht über linsenoptische Geräte, denn bis zur Erfindung des Fernrohrs (1608) war die Astronomie eine Wissenschaft der Beobachtung mit bloßem Auge. Aber sie hatte Instrumente wie Quadranten und Armillarsphären, mit denen Höhe und Standort eines Gestirns bestimmt werden konnten.

obligat, verbindlich, unerlässlich. In der Musik die Bezeichnung für eine Begleitstimme, die nicht weggelassen werden darf.

obligatorisch, vorgeschrieben, verbindlich, z. B. die Teilnahme am Unterricht.

Oboe [die], ein Holzblasinstrument mit näselndem Klang. Eine Form der Oboe ist das *Englischhorn.*

Obolus [der], ursprünglich eine altgriechische Münze; heute ein kleiner Geldbetrag oder Almosen.

Observatorium [das], allgemein eine wissenschaftliche Beobachtungsstätte, meist zur Beobachtung der Sterne *(Sternwarte)* oder des Wetters *(Wetterwarte).* Auch →»Genauer betrachtet«.

Obst [das], die essbaren Früchte und Samen von meist baum- oder strauchartigen Pflanzen. Man unterscheidet: *Kernobst* (z. B. Apfel, Birne), *Steinobst*

(z. B. Kirsche, Pflaume, Pfirsich, Olive), *Beerenobst* (z. B. Erdbeere, Johannisbeere, Weintraube), *Schalenobst* (z. B. Nüsse, Mandeln, Kastanie) sowie die *Kapselfrucht* (Banane) und den *Fruchtstand* (Ananas). Die Obstsorten, die aus südlichen Ländern stammen, bezeichnet man auch als Südfrüchte.

Obst zählt wie Gemüse wegen seines Gehalts u. a. an Vitaminen, Spurenelementen, Fruchtsäuren und Fruchtzucker zu den wertvollsten Nahrungsmitteln.

obszön, unanständig, schamlos.

Ode [die], ursprünglich ein singbares Gedicht. Heute ein feierliches Gedicht mit strengem Strophenbau, aber ohne Reim.

Oder [die], ein großer Strom in Polen und an der heutigen deutsch-polnischen Grenze *(Oder-Neiße-Linie),* 912 km lang. Sie entspringt im Odergebirge und mündet im Stettiner Haff.

Oder-Neiße-Linie [die], eine im Potsdamer Abkommen von den Siegermächten des Zweiten Weltkriegs festgelegte Linie von der Ostsee bis zur tschechischen Grenze. Teilweise verläuft diese Linie entlang der *Oder* und der *Neiße.* Sie wurde 1990 endgültig von Deutschland als Staatsgrenze zu Polen anerkannt.

Ödipus, eine Gestalt der griechischen Sagenwelt. Ödipus war der Sohn des Königs Laios von Theben und seiner Frau Iokaste. Nach einem Spruch des Orakels sollte er seinen Vater töten und seine Mutter heiraten. Daraufhin wurde er von seinen Eltern als Säugling ausgesetzt. Als Jüngling erschlug er den ihm unbekannten Laios auf einer Wanderung, heiratete nichtsahnend Iokaste und wurde so zum König von Theben. Als dort die Pest ausbrach und wiederum das Orakel befragt wurde, erfuhr Ödipus die wahren Zusammenhänge. Er blendete sich selbst und ging in die Fremde.

Odyssee [die], ein Epos des griechischen Dichters *Homer.* Er besingt das Schicksal des *Odysseus.*

Odysseus, eine Heldengestalt der griechischen Sagenwelt, König von Ithaka. Durch eine List des Odysseus konnte die belagerte Stadt Troja erobert werden. Nach zehnjähriger Irrfahrt mit gefahrvollen Abenteuern kehrte er nach Hause zurück; dort musste er die aufdringlichen Freier seiner Frau Penelope bezwingen, die ihn für tot hielten.

Offenbach, Jacques, * 1819, † 1880; französischer Komponist und Theaterdirektor deutscher Herkunft. Er schrieb viele Operetten wie »Orpheus in der Unterwelt« und »Die schöne Helena« sowie die romantisch-fantastische Oper »Hoffmanns Erzählungen«.

Offenbach am Main, eine Industriestadt in Hessen, am Main, 119 000 Einwohner.

Odysseus: Um dem verführerischen Gesang der Sirenen zu entgehen, ließ sich Odysseus am Mast seines Schiffes festbinden.

Offenbarung [die], allgemein eine Erkenntnis. Im Christentum ist es das Kundtun des Willens Gottes in den religiösen Erlebnissen einzelner Menschen.

öffentlicher Dienst, die Tätigkeit der Beamten, Angestellten oder Arbeiter im Dienst von Staat, Ländern, Gemeinden oder in Unternehmen und Anstalten, die von diesen getragen werden.

offerieren, anbieten.

offiziell, amtlich, dienstlich, förmlich, z. B. ein Schreiben; Gegensatz: *inoffiziell.*

Offizier [der], Bezeichnung für einen Führer von Soldaten.

Offsetdruck [der], ein Flachdruckverfahren, bei dem der Druck zunächst auf eine Gummiwalze übertragen wird. Diese überträgt dann das Druckbild auf das Papier.

Ohio [ɔu'haiɔu], größter Nebenfluss des Mississippi, mit seinem Quellfluss Allegheny 2108 km lang.

Ohm, Georg Simon, * 1789, † 1854; deutscher Physiker und Entdecker des nach ihm benannten *Ohm'schen Gesetzes* über die Zusammenhänge von Stromstärke, Spannung und Widerstand des Gleichstroms. Danach ist die Stromstärke I bei bestimmten Leitern der angelegten Spannung U proportional. Ihr Widerstand R=U/I ist konstant. Nach Ohm wurde die Maßeinheit des elektrischen Widerstands (Ω) benannt: 1 Ohm ist der Widerstand zwischen zwei Punkten eines metallischen Leiters, durch den bei der elektrischen Spannung von 1 Volt ein elektrischer Strom der Stärke 1 Ampere fließt.

Ohnmacht [die], eine vorübergehende Bewusstlosigkeit, die aufgrund einer Durchblutungsstörung des Gehirns auftritt.

Ohr [das], das paarige Gehör- und Gleichgewichtsorgan am und im Kopf der Wirbeltiere und des Menschen. Das menschliche Ohr nimmt den Schall mit der *Ohrmuschel* des äußeren Ohrs und dem äußeren *Gehörgang* auf, der durch das *Trommelfell,* ein hauchdünnes, kleines Häutchen, das die Funktion einer Membran hat, abgeschlossen wird. Die Schwingungen des Trommelfells werden in die angrenzende *Paukenhöhle* des Mittelohrs weitergeleitet. Sie steht durch die *Ohrtrompete,* die dem Druckausgleich zwischen Mittelohr und Außenluft dient, mit dem Nasen-Rachen-Raum in Verbindung. Drei Gehörknöchelchen in der Paukenhöhle *(Hammer, Amboss, Steigbügel)* verstärken die Schallwellen um mehr als das Zwanzigfache und leiten sie an das ovale Fenster zwischen Mittel- und Innenohr weiter. Das Innenohr, auch *Labyrinth* genannt, wird von kompliziert gebauten knöchernen Hohlräumen eingenommen, die mit flüssiger Lymphe gefüllt sind. Es besteht aus dem Vorhof, drei *Bogengängen* und der *Schnecke* mit den Sinneszellen im mittleren Schneckenkanal. Die Schallwellen werden im Innenohr zu Flüssigkeitswellen, die durch die Sinneszellen aufgenommen und über den Hörnerv zum Gehirn weitergeleitet werden. Die Bogengänge des Innenohrs sind vor allem für die Aufrechterhaltung des Gleichgewichts zuständig.

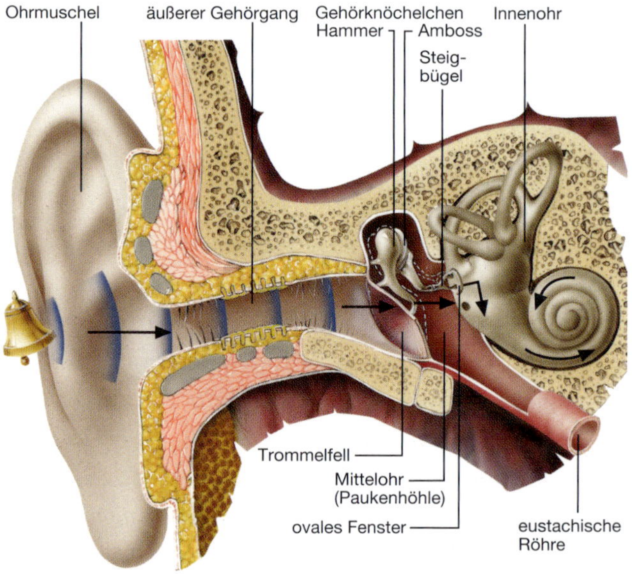

Ohr: Die drei Abschnitte des menschlichen Ohrs sind Innenohr, Mittelohr und äußeres Ohr.

Ohrwürmer besitzen ihren Namen zu Unrecht, da sie nicht – wie man einst vermutete – in die Ohren schlafender Menschen eindringen. Die auffälligen Zangen an ihrem Hinterleib sind völlig ungefährlich.

Ohrwürmer [Pl.], dunkelbraune, bis 1,5 cm große Insekten, die besonders in warmen Ländern vorkommen, mit 7 Arten aber auch in Deutschland vertreten sind. Am Ende des Hinterleibs haben sie Zangen, mit denen sie ihre Flügel entfalten, sich verteidigen oder ihre Beute ergreifen können. Für den Menschen sind sie vollkommen harmlos. Den volkstümlichen Namen »Ohrenkneifer« tragen sie ganz zu Unrecht.

Okapi [das], *Waldgiraffe,* ein pferdegroßes Huftier aus den dichten Regenwäldern Afrikas, das mit den Giraffen verwandt ist, aber einen wesentlich kürzeren Hals hat. Es steht unter Naturschutz.

Okkultismus [der], die Lehre von geheimen, verborgenen Dingen. Heute besonders die Bezeichnung für die sogenannten Geheimwissenschaften: Magie, Spiritismus, Zauberei u.Ä.

Ökologie [die], Teilgebiet der Biologie; die Wissenschaft vom Haushalt der Natur. Die Ökologie beschreibt die Beziehungen der Lebewesen untereinander und zu ihrer Umwelt. Ein Lebewesen wird in vielfältiger Weise von seiner Umwelt beeinflusst. Diese Einflüsse nennt man ökologische Faktoren *(Ökofaktoren)* und teilt sie ein in unbelebte und belebte. Zu den unbelebten Ökofaktoren zählen Licht, Temperatur, Wasserversorgung, Wind, Beschaffenheit des Geländes und des Bodens. Andere Lebewesen beeinflussen einen Organismus als belebte Umwelt. So dienen Insekten Singvögeln als Nahrung, Greifvögel stellen ihrerseits als Fressfeinde eine Bedrohung für Singvögel dar. Der Lebensraum von Tieren und Pflanzen wird als *Biotop* bezeichnet. Betrachtet man ein Biotop und seine Bewohner, lassen sich die vielfältigen Beziehungen der Lebewesen untereinander und zu ihrer Umwelt als → Ökosystem beschreiben.

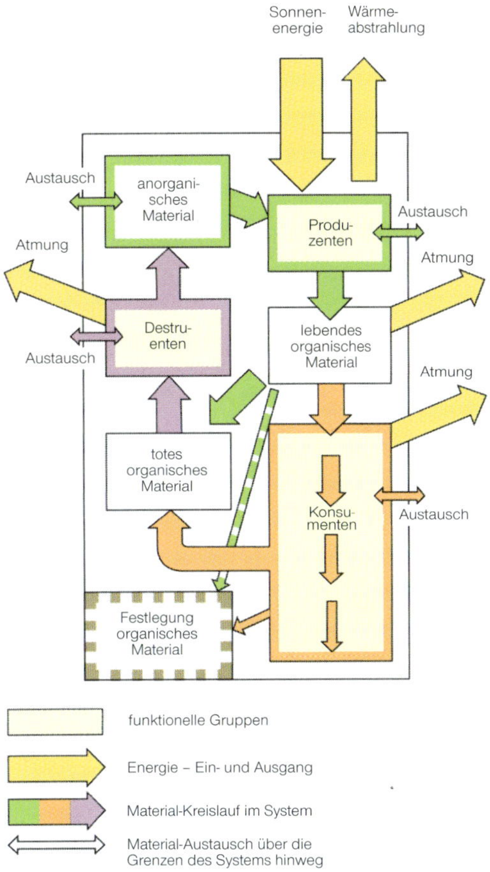

Ökologie: Schema des Stoffkreislaufs in einem Ökosystem: Mit Hilfe von Sonnenenergie und anorganischen Mineralsalzen bauen die Produzenten aus Kohlendioxid und Wasser organisches Material auf, von dem die Konsumenten leben. Destruenten sorgen für den Abbau der toten organischen Substanz. Als offenes System steht das Ökosystem in ständigem Stoffaustausch mit benachbarten Ökosystemen.

ökologisches Gleichgewicht, *biologisches Gleichgewicht*, das bewegliche Gleichgewicht zwischen den Mitgliedern einer Lebensgemeinschaft, bedingt durch die vielfältigen Nahrungsbeziehungen untereinander. Die einzelnen Teile und Faktoren eines Ökosystems sind meist genau aufeinander abgestimmt, sie sind im Gleichgewicht. Wenn sich ein Teil verändert, ändern sich auch die anderen Beziehungen von Umwelt und Lebewesen. Wird z. B. der Boden trockener, werden sich andere Pflanzen ansiedeln, weil sie mit dem trockeneren Boden besser zurechtkommen als die Pflanzen zuvor. In der Folge wechseln auch die Tierarten, da manche der ursprünglichen Arten ihre bisherigen Futterpflanzen nicht mehr finden. Schließlich hat sich nicht nur die Umwelt innerhalb des Ökosystems verändert, sondern auch die Zusammensetzung seiner Bewohner. Diese Veränderung kommt zum Abschluss, wenn sich ein neues ökologisches Gleichgewicht eingestellt hat.

Ökonomie [die], **1.** Wirtschaftlichkeit, Sparsamkeit. **2.** Wirtschaftslehre, Wirtschaftswissenschaft.

Ökosystem [das], das Gefüge aller Organismen, die einen bestimmten Lebensraum *(Biotop)* besiedeln, mit der Gesamtheit der unbelebten Faktoren dieses Lebensraums (z. B. Klima, Wind). Die einzelnen Teile und Faktoren eines Ökosystems sind meist genau aufeinander abgestimmt, sie sind im ökologischen Gleichgewicht.

Oktoberrevolution: Der Sturm auf das Winterpalais in St. Petersburg wurde zum Symbol für den Sieg der russischen Oktoberrevolution.

Man teilt die Lebewesen, die in einem Ökosystem den ökologischen Kreislauf bilden, in drei Gruppen ein: Am Anfang stehen die Pflanzen als *Produzenten* (Hersteller). Die 2. Gruppe bilden Pflanzenfresser und Fleischfresser, sie werden als *Konsumenten* (Verbraucher) bezeichnet, die 3. Gruppe bilden Bakterien, Pilze und Regenwürmer als Abbauer oder *Destruenten*. Die verschiedenen Konsumenten ergeben hintereinander eine *Nahrungskette*. Jeder Bestandteil dieses ökologischen Kreislaufes ist auf den anderen angewiesen.

Oktaeder [das, griech., »Achtflächner«], ein Körper, der von acht kongruenten gleichseitigen Dreiecken begrenzt wird. Ein Oktaeder setzt sich aus zwei quadratischen Pyramiden, die eine gemeinsame Grundfläche haben, zusammen.

Oktant [der], **1.** der achte Teil eines Kreises oder einer Kugel. **2.** ein astronomisches Gerät zur Bestimmung des Standortes auf See.

Oktanzahl [die], eine Maßzahl zur Kennzeichnung der Klopffestigkeit von Motortreibstoffen. Wenn ein Kraftstoff klopffest ist, entzündet er sich beim Verbrennungsvorgang nicht zu früh.

Oktave [die], in der Musik der achte Ton einer Tonleiter vom Grundton aus und auch das Intervall zwischen den beiden Tönen.

Oktoberrevolution [die], die Revolution in Russland durch die Bolschewiken unter der Führung *Lenins* am 25./26. Oktober 1917 in St. Petersburg (nach dem neuen Kalender am 7./8. November). Sie führte zum Sturz der provisorischen bürgerlichen Regierung und zur Errichtung des bolschewistischen Regimes in Russland.

oktroyieren, aufnötigen, aufdrängen, z. B. eine Meinung.

Ökumene [die], weltweite Einigungsbestrebungen innerhalb der christlichen Kirchen.

Ölbaum: Der echte Ölbaum ist ein immergrüner Baum. Im Mittelmeerraum sind seine Oliven ein wichtiges Nahrungsmittel.

Okzident [der], *Abendland,* das Land, in dem die Sonne untergeht; Gegensatz: *Orient.*

Ölbaum [der], *Olivenbaum,* eine alte Nutzpflanze, der charakteristische Baum des Mittelmeerraums. Aus seinen grünen, später schwarzen Steinfrüchten *(Oliven)* wird ein wertvolles Speiseöl, das Olivenöl, gewonnen.

Oldenburg, eine Stadt in Niedersachsen, an der Hunte, 158 000 Einwohner.

Old Shatterhand [ɔuld 'ʃætəhænd], der Held der Indianerbücher von Karl *May,* der weiße Freund des Indianerhäuptlings Winnetou.

Oldtimer [ɔuldtaimə, der, engl., »altmodische Sache«], ein mindestens 30 Jahre altes Auto mit Liebhaber- und Sammlerwert.

Öle [Pl.], chemisch verschiedenartige, meist dickflüssige Stoffe, die leichter als Wasser und nicht in Wasser löslich sind. Man unterscheidet fette Öle, Mineralöle und ätherische Öle. Zu den *fetten Ölen* gehören unsere Speiseöle, die aus Früchten und Samen vieler Pflanzen gewonnen werden (z. B. Olivenöl, Sonnenblumenöl). *Mineralöle* werden aus Erdöl oder Kohle gewonnen (z. B. Schmieröle). *Ätherische Öle* sind in den Blättern, Blüten, Samen und Wurzeln zahlreicher Pflanzen enthalten (z. B. Rosenöl, Lavendelöl, Baldrianöl, Fenchelöl). Es sind flüchtige Duftstoffe, die u. a. zur Herstellung von Parfüm verwendet werden.

Oleander [der], ein immergrüner Strauch aus dem Mittelmeergebiet, der einen giftigen Milchsaft enthält. Er wird bei uns wegen seiner duftenden, meist rosa oder roten Blüten als Kübelpflanze gepflegt.

Oligarchie [die, griech., »Herrschaft weniger«], eine Herrschaftsform, in der eine kleine Gruppe die Machtmittel des Staates in der Hand hält und sie vorwiegend im eigenen Interesse nutzt.

Olive [die], pflaumenähnliche Frucht des Olivenbaums (auch »Ölbaum« genannt). Das Fruchtfleisch einer Olive enthält bis zu 22% Öl *(Olivenöl),* das durch Auspressen gewonnen und als Speiseöl verwendet wird.

Olme [Pl.], Schwanzlurche mit äußeren büschelförmigen Kiemen. In Europa lebt der *Grottenolm* in Höhlen. Er hat eine rosaweiße Haut ohne Farbstoff und zurückgebildete Augen.

Ölpest [die], die Verschmutzung der Gewässer und Böden durch Mineralöl. Ursache hierfür sind Tanker-

Eine Ölpest hat verheerende Folgen für die Natur. Das Gefieder dieser Kormorane ist so mit Öl verklebt, dass sie sich nicht mehr bewegen können.

und Bohrinselunfälle, aber auch das Ablassen des Altöls oder die Tankreinigung auf See. Das Öl bildet auf der Wasseroberfläche einen dünnen Film, der Boden wird vom Öl mehr oder weniger stark durchtränkt. Dadurch gelangt kein Sauerstoff mehr aus der Atmosphäre ins Wasser, und viele Fische ersticken. Das Gefieder der Seevögel verklebt, so dass sie nicht mehr fliegen können und jämmerlich zugrunde gehen.

Ölpflanzen [Pl.], Pflanzen, deren Samen oder Früchte zur Ölgewinnung verwendet werden wie Sonnenblume, Raps, Ölbaum oder Kokospalme.

Olymp [der], ein Berg in Mittelgriechenland mit einer Höhe von 2917 m. Der Olymp galt in der griechischen Sagenwelt als der Sitz der Götter.

Olympia, das altgriechische Heiligtum der Götter Zeus und Hera, im Nordwesten des Peloponnes. Hier fanden nachweislich 776 v. Chr. bis 393 n. Chr. die alle vier Jahre veranstalteten → Olympischen Spiele statt. Heute ist es eine Ruinenstätte.

Olympiade [die], im antiken Griechenland ein Zeitraum von vier Jahren, der Zeitraum zwischen zwei → Olympischen Spielen.

Olympische Spiele, im alten Griechenland die über ein Jahrtausend lang alle vier Jahre in Olympia ausgetragenen sportlichen Wettkämpfe. Sie gehörten neben den Pythischen Spielen in Delphi zu den bedeutendsten Wettspielen zu Ehren der Götter. Seit 776 v. Chr. wurden die Namen der Sieger aufgezeichnet. Die Wettkämpfe umfassten Kurz- und Langstreckenläufe, Fünfkampf (Lauf, Weitsprung, Speewurf, Diskuswurf, Ringen), Allkampf (Ringen und Faustkampf), Pferde- und Wagenrennen. Die Sieger der Olympischen Spiele (»Olympioniken«) erhielten einen Ölbaumkranz, sie wurden festliche bewirtet und hatten das Recht, sich im heiligen Hain von Olympia eine Statue errichten zu lassen. 293 n. Chr. wurden die Spiele vom oströmischen Kaiser Theodosius als »heidnische Feste« verboten. Die neuzeitlichen Olympischen Spiele wurden durch Baron Pierre de *Coubertin* ins Leben gerufen. 1894 wurde das *Internationale Olympische Komitee* (IOK) gegründet. Die ersten

Genauer betrachtet …
Olympische Spiele

Sommerspiele

1896 Athen
1900 Paris
1904 St. Louis
1908 London
1912 Stockholm
1916 Berlin (ausgefallen)
1920 Antwerpen
1924 Paris
1928 Amsterdam
1932 Los Angeles
1936 Berlin
1940 Tokyo (ausgefallen)
1944 London (ausgefallen)
1948 London
1952 Helsinki
1956 Melbourne
1960 Rom
1964 Tokyo
1968 Mexiko
1972 München
1976 Montreal
1980 Moskau
1984 Los Angeles
1988 Seoul
1992 Barcelona
1996 Atlanta
2000 Sydney
2004 Athen
2008 Peking
2012 London

Winterspiele

1924 Chamonix
1928 St. Moritz
1932 Lake Placid
1936 Garmisch-Partenkirchen
1948 St. Moritz
1952 Oslo
1956 Cortina d'Ampezzo
1960 Squaw Valley
1964 Innsbruck
1968 Grenoble
1972 Saporro
1976 Innsbruck
1980 Lake Placid
1984 Sarajevo
1988 Calgary
1992 Albertville
1994 Lillehammer
1998 Nagano
2002 Salt Lake City
2006 Turin
2010 Vancouver

Olympischen Spiele der Neuzeit wurden 1896 in Athen veranstaltet. Seitdem finden sie alle vier Jahre statt, unterbrochen nur durch die Weltkriege (1916, 1940, 1944). Seit 1924 gibt es auch Olympische Winterspiele, die seit 1994 versetzt nach zwei Jahren zwischen den Sommerspielen stattfinden. Zu Beginn der Olympischen Spiele gelobt ein Sportler im Namen aller Teilnehmer fair, ohne Doping und ohne Drogen, zum Ruhme des Sports und zu Ehren der Mannschaft zu kämpfen *(olympischer Eid)*. Das Symbol der Olympischen Spiele sind fünf ineinander verschlungene Ringe, die die fünf Erdteile darstellen. Seit den Olympischen Spielen von 1936 wird die olympische Flamme im Hain von Olympia entzündet. Fackelträger bringen sie zum jeweiligen Austragungsort. Auch → »Genauer betrachtet«.

Ländersteckbrief
Oman

Fläche:	309 500 km²
Einwohner:	2,6 Millionen = 8 je km²
Hauptstadt:	Maskat
Religion:	Islam, Hinduismus
Amtssprache:	Arabisch
Währung:	1 Rial Omani = 1000 Baizas

Oman: Die Landschaft Dofar im Südwesten des Landes war früher ein Zentrum des Weihrauchhandels; im Vordergrund ein Weihrauchbaum.

Oman, Staat in Vorderasien.

Das wüsten- und steppenhafte Land erhebt sich im Nordosten im Hochgebirge Al Hagar (3107 m), im Südwesten im Dofar (1678 m). Dazwischen liegt ein von Wadis (Trockentäler und -flüsse, die nur zeitweise Wasser führen) zertaltes Schichtstufenland. Die Bevölkerung besteht überwiegend aus islamischen Arabern. 26% sind Ausländer. Seit 1970 gehört Oman zu den arabischen Erdölproduzenten (77% der Gesamtausfuhr).

Geschichte: Oman wurde 634 dem Islamischen Reich eingegliedert. Im 16. und 17. Jh. hielten Portugiesen die wichtigen Küstenorte besetzt. *Ahmed Ibn Said* begründete 1744 die noch heute herrschende Dynastie. Im 19. Jh. geriet die Region unter britischen Einfluss. 1970 wurde *Kabus Ibn Said* Sultan. Er leitete eine Modernisierung ein. 1977 räumte Großbritannien seine letzten militärischen Stützpunkte. 1996 erließ der Sultan ein staatliches Grundgesetz und 1997 wurde das Wahlrecht für Frauen eingeführt.

Omen [das], ein gutes oder schlimmes Vorzeichen.

Onanie [die], die geschlechtliche Selbstbefriedigung, → Masturbation.

online ['ɔnlain, engl., »direkt verbunden«], Bezeichnung für die direkte Verbindung zwischen zwei Geräten, z. B. zwischen Computer und Drucker, oder für die Verbindung des Computers mit einem Datennetz, z. B. dem Internet. Gegensatz: *offline.*

Onlinedienste ['ɔnlain-, Pl.], Dienstleistungen, die über eine direkte Verbindung in einem Datennetz, z. B. im Internet, angeboten werden. Zu den Dienstleistungen gehören z. B. *E-Mail* und *Homebanking.*

Ontariosee [der], englisch *Lake Ontario,* der kleinste der Großen Seen in Nordamerika, im Mittel 80 m, bis 244 m tief.

Ontariosee: An seinem Nordufer liegt Toronto, die Hauptstadt der kanadischen Provinz Ontario.

Onyx [der], ein schwarzweiß gestreifter Halbedelstein, ein Quarz.

Opal [der], ein Schmuckstein aus Quarz mit einem schillernden Farbenspiel.

Op-Art ['ɔp aːt, die], Abkürzung für englisch *optical art* (optische Kunst); eine Kunstrichtung besonders der 1960er Jahre. Geometrisch-abstrakte Motive werden musterähnlich wiederholt, wodurch optische Illusionen entstehen. Als führender Künstler dieser Richtung gilt V. *Vasarely.*

Oper: Aufführungsszene der »Zauberflöte« von W. A. Mozart

OPEC, Abkürzung für englisch **O**rganization of the **P**etroleum **E**xporting **C**ountries (Organisation der Erdölexportländer). Die Organisation wurde 1960 gegründet und soll die Erdölpolitik der Mitgliedsländer aufeinander abstimmen.

Open-Air-Festival [ɔupən 'ɛə fɛstivəl, das], eine Großveranstaltung; oft ein Popkonzert, das unter freiem Himmel stattfindet.

Oper [die], ein Bühnenwerk, in dem das dramatische Geschehen überwiegend mit den Mitteln des Gesangs und der Instrumentalmusik dargestellt wird. Die Oper entstand im 16. Jh. in Italien und fand ihren ersten Höhepunkt 1607 in »L'Orfeo« von C. *Monteverdi.* Sie bestand damals aus einzelnen Musiknummern, z. B. aus Rezitativen, Arien, mehrstimmigen Sologesängen, Chören sowie aus instrumentalen Vor- und Zwischenspielen. Die Opernaufführung wurde durch die Ouvertüre eingeleitet. Bekannte Meister der Oper waren W. A. *Mozart,* G. A. *Rossini,* C. M. von *Weber* und G. *Verdi.* Dieses Schema der Aneinanderreihung in der Oper wurde von Richard *Wagner* aufgegeben. Er komponierte den Text in einem durch und schuf damit das Musikdrama. Das Musikdrama wurde auch von Richard *Strauß* gepflegt. Die Opernkomponisten

Genauer betrachtet ...
Oper

Alt:	die tiefere Stimmlage bei Frauen
Arie:	ein Sologesangsstück
Bass:	die tiefere Stimmlage bei Männern
Libretto:	das Textbuch
Opera buffa:	die heitere Oper
Opera seria:	die ernste Oper
Partie:	die Rolle des Sängers in einer Oper
Primadonna:	die erste Sängerin, die die Hauptrolle singt
Rezitativ:	ein Sprechgesang
Singspiel:	Bei dieser Gattung werden die Musiknummern durch längere gesprochene Texte unterbrochen.
Sopran:	die hohe Stimmlage bei Frauen
Tenor:	die hohe Stimmlage bei Männern

des 20. und 21. Jh. suchen nach neuen Möglichkeiten und verwenden Elemente des *Jazz,* der atonalen Musik oder der elektronischen Musik. Bekannte Vertreter sind C. *Orff,* P. *Hindemith,* B. *Britten* und H. W. *Henze.* Auch →»Genauer betrachtet«.

Opiate [Pl.], Arzneimittel, die *Opium* oder Opiumalkaloide, besonders *Morphin,* enthalten. Sie werden als starke Schmerzmittel eingesetzt. Da Opiate zu seelischer und körperlicher Abhängigkeit führen können, unterliegen sie dem Betäubungsmittelgesetz. Sie dürfen nur auf ärztliche Verordnung genommen werden.

Opium [das], der braune, getrocknete Saft von Schlafmohnkapseln, der nach Anritzen austritt. Dieser Saft enthält Alkaloide, besonders das *Morphin,* die in geringen Dosen als Arzneimittel (besonders als starkes Schmerzmittel) verwendet werden. In größerer Dosis wirken sie als Betäubungsmittel und können dann schnell zu seelischer und körperlicher Abhängigkeit führen.

Opossum [das], Beutelratte, die von Nordamerika bis Südamerika vorkommt und die etwa 50 cm lang wird. Das Opossum hat einen langen Greifschwanz, mit dessen Hilfe es gut klettern kann.

Oppenheimer, Robert, * 1904, † 1967; US-amerikanischer Physiker. Oppenheimer leitete 1943–1945 die Entwicklung der Atombombe und gilt als der »Vater der Atombombe«. Als er sich später gegen den Bau der Wasserstoffbombe aussprach, geriet er in den Verdacht, Kontakte zu Kommunisten zu haben und wurde von geheimen Projekten ausgeschlossen. 1963 wurde er rehabilitiert.

Opportunismus [der], die Anpassung an die jeweils herrschende Richtung, um dadurch einen persönlichen Vorteil zu haben.

Opposition [die, lat., »Widerspruch«], allgemein Gegensatz, Widerstand; in der Politik die nicht an der Regierung beteiligten Parteien im Parlament.

Optik [die], die Lehre vom Licht. Die Optik ist ein Zweig der → Physik, der sich mit den sichtbaren elektromagnetischen Wellen (mit hohen Frequenzen und kurzen Wellenlängen) und ihrem Verhalten sowie mit Geräten und Instrumenten, die mit Licht arbeiten oder das Licht beeinflussen, beschäftigt. Licht er-

Das Opossum kann als Bodenbewohner ebensogut leben wie als Kletterer auf Bäumen.

möglicht dem menschlichen Auge das Sehen. Sehen können wir Dinge, die das auf sie fallende Licht reflektieren. Reflektiert eine Oberfläche wenig Licht, so bezeichnen wir sie als dunkel. Schwarz sind darum die Oberflächen, die das Licht völlig aufnehmen (absorbieren). Dabei verwandelt sich ein Teil des Lichts in eine andere Energieform, z. B. in Wärme oder chemische Energie. Darum erwärmen sich beispielsweise dunkle Stoffe im Sonnenlicht viel schneller als helle Stoffe. Der andere Teil des Lichts wird im Stoff gestreut. Durchsichtige Stoffe lassen Licht dagegen ohne besondere Absorption durch. Die stärkste und lebenswichtigste Lichtquelle ist die Sonne. Licht breitet sich mit einer Geschwindigkeit von fast 300 000 km in der Sekunde aus *(Lichtgeschwindigkeit).* Das sichtbare Licht besteht aus Strahlen mit unterschiedlichen Wellenlängen und Frequenzen. Sie erscheinen uns als farbige Lichtstrahlen. Alle verschiedenen Farbstrahlen zusammen erscheinen uns als weißes Licht. Zerlegt man dieses Licht durch Lichtbrechung in seine Bestandteile, erhält man das Spektrum des Lichts in den *Spektralfarben.* Dieser Vorgang lässt sich deutlich bei einem Regenbogen beobachten. Licht breitet sich normalerweise geradlinig aus. Beim Eintritt in einen durchsichtigen Körper oder an der Grenzfläche zweier undurchsichtiger Körper werden Lichtstrahlen jedoch abgelenkt, wenn sie schräg auf die Oberfläche oder auf die Grenzfläche treffen. Stellt man z. B. einen Stab in Wasser, so erscheint er uns im Wasser kürzer und abgeknickt, da das vom Stab reflektierte Licht an der Wasseroberfläche gebrochen (abgelenkt) wird. Dieser Vorgang ist auch bei optischen Linsen von Bedeutung. An ihren gekrümmten, lichtbrechenden Oberflächen werden Lichtstrahlen abgelenkt. *Konkavlinsen* (nach innen gewölbt) zerstreuen Lichtstrahlen, während *Konvexlinsen* (nach außen gewölbt) Lichtstrahlen sammeln.

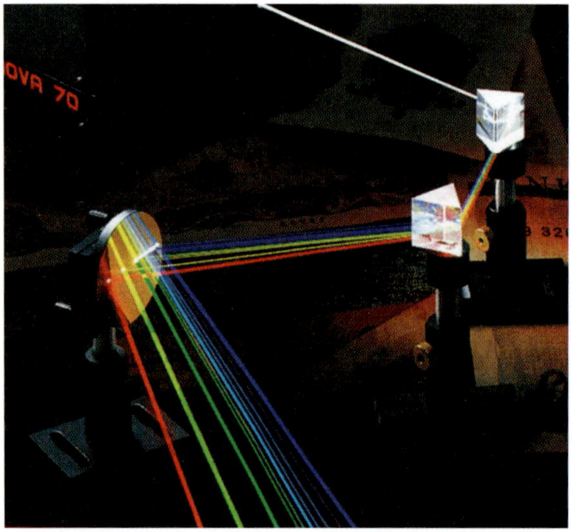

Optik: Mit Hilfe von Prismen lässt sich ein weißer Laserstrahl in die Spektralfarben zerlegen.

optimal, bestmöglich; im Hinblick auf die vorgegebene Situation so gut wie nur möglich.

Optimismus [der], eine heitere Lebenseinstellung, die von der Zukunft immer das Beste erwartet. Gegensatz: *Pessimismus.*

Option [die], die freie Wahl, die Möglichkeit, sich zu entscheiden.

optische Täschung [die], die Verschiedenheit von einem realen, wirklichen Gegenstand und dem, was man glaubt zu sehen. Diese Verschiedenheit beruht auf einer falschen Beurteilung durch das Gehirn beim Sehen oder durch die besondere Bauweise der Augen. Besonders häufig sind optische Täuschungen bei der Beurteilung von geometrischen Figuren, Größen oder Entfernungen.

Opus [das], allgemein ein Werk, Kunstwerk. In der Musik ein Musikstück (Abkürzung op.), das vom Komponisten in der Reihenfolge des Entstehens nummeriert ist (z. B. Walzer op. 7 von Johann Strauß).

Orakel [das], Weissagung; die rätselhafte, mehrdeutige Voraussage von Ereignissen, die in fast allen Religionen bekannt ist. Berühmte Orakel des Altertums waren z. B. das Orakel zu Delphi und das Amon-Orakel in der Libyschen Wüste.

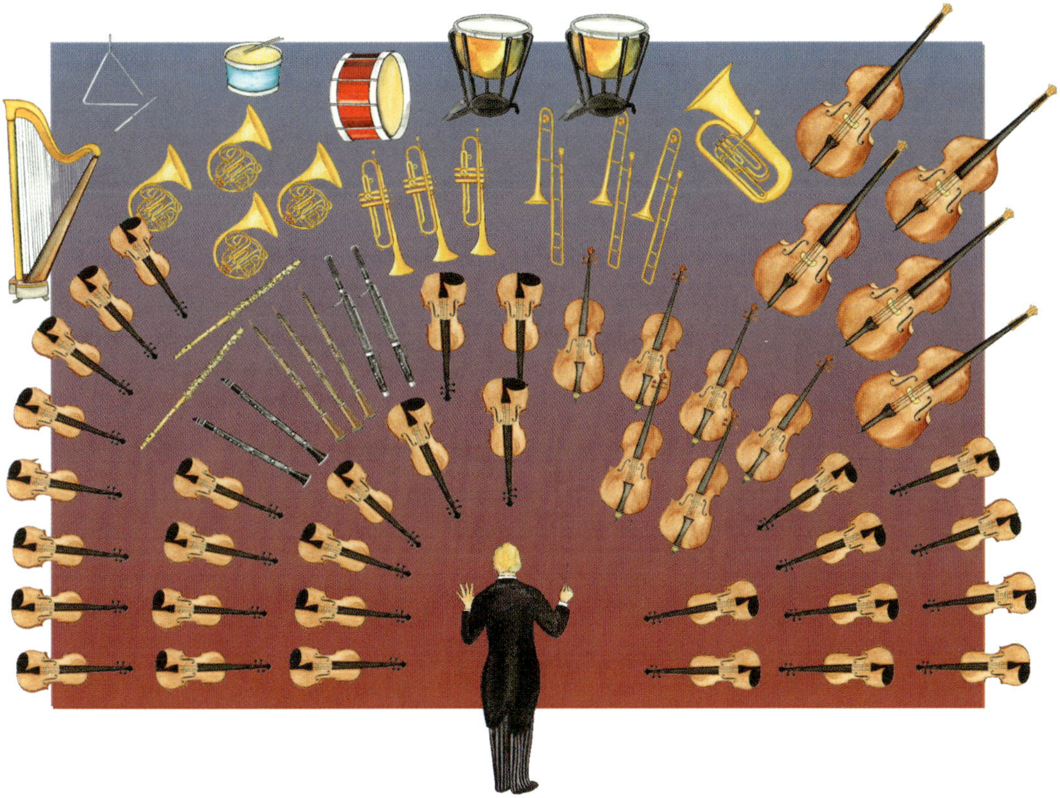

Orchester: Die Anordnung der Musikinstrumente innerhalb eines Orchesters ist vor allem von den akustischen Verhältnissen des Raumes abhängig.

oral, den Mund betreffend, z. B. durch den Mund ein Medikament einnehmen.

Orange [o'rãŋʒə, die], eine süße Zitrusfrucht, → Apfelsine.

Orang-Utan [der], ein → Menschenaffe.

Oratorium [das], eine Komposition für Solostimmen, Chor und Orchester, meist mit religiösem Inhalt. In Aufbau und Gliederung ähnelt das Oratorium der Oper, ist jedoch nicht für szenische Aufführungen bestimmt. Bekannte Meister sind J. *Haydn,* G. F. *Händel,* J. S. *Bach.*

Orbit [der], die Umlaufbahn von Satelliten.

Orchester [das], ursprünglich im griechischen Theater der Platz für den Chor, später der Raum für die Instrumentalisten. Heute versteht man darunter eine größere Gruppe von Instrumentalisten unter der Leitung eines Dirigenten.

Orchideen [Pl.], eine große Pflanzenfamilie, die besonders in tropischen Gebieten verbreitet ist. Die meist zweiseitig symmetrischen Blüten sind häufig recht stattlich, sehr unterschiedlich in der Form, oft bizarr. Die einheimischen Arten wie *Knabenkraut, Frauenschuh, Nestwurz* und *Ragwurz* stehen unter Schutz.

Orden [der], **1.** eine nach bestimmten Regeln lebende weltliche (Ritterorden, Deutscher Orden) oder religiöse Gemeinschaft. Orden sind in fast allen Religionen anzutreffen. Ihre Mitglieder tragen meist als äußeres Kennzeichen eine Ordenstracht. Sie unterwerfen sich bestimmten Lebensformen wie z. B. Ehelosigkeit, Armut und Gehorsam. Sie übernehmen Aufgaben in der Mission oder Krankenpflege. Katholische Orden sind Gemeinschaften von Männern (Mönchen) oder Frauen (Nonnen), die in eigenen Häusern (Klöstern) nach vorgeschriebenen Ordensregeln leben, um religiöse Vollkommenheit zu erlangen. Seit dem Mittelalter wurden von den regierenden Fürsten weltliche Ritterorden zur Stärkung ihrer Macht gegründet. Voraussetzung für die Mitgliedschaft in diesen Orden war ein Adelstitel (z. B. Hosenbandorden). **2.** Auszeichnungen, mit denen ein Staat besondere Verdienste seiner Bürger würdigt. Sie haben die Form eines Kreuzes (z. B. Bundesverdienstkreuz) oder eines Sterns und werden am Band um den Hals oder an die Brust geheftet getragen. In Deutschland werden Orden vom Bundespräsidenten verliehen. Daneben können auch die Bundesländer Orden stiften und verleihen.

ordinär, gemein, gewöhnlich, anstößig.

Orff, Carl, *1895, †1982; deutscher Komponist und Musikpädagoge; seine Musik zeichnet sich durch eingängige Melodik und eine starke Rhythmik aus. Er entwickelte eine elementare Musiklehre in seinem »Schulwerk«. Weitere bedeutende Werke sind: »Carmina Burana«, »Die Kluge«, »Prometheus«.

Organ [das, griech. organon, »Werkzeug«], **1.** einheitlich aufgebauter Körperteil mit bestimmter Aufgabe, z. B. Leber, Lunge, Herz. **2.** die Zeitung eines Vereins oder Verbands oder einer Partei. Verfügt eine Partei über mehrere Zeitschriften, so wird das führende Organ auch Zentralorgan genannt.

Organisation [die], **1.** planvolle Regelung, Einteilung, zweckmäßiges Zusammenwirken. **2.** Aufbau, Gliederung. **3.** Zusammenschluss einer Personengruppe zu einem Zweckverband (z. B. Verein, Gewerkschaft).

organisch, der belebte Teil der Natur. Gegensatz: *anorganisch*.

organische Chemie [die], ein Teilgebiet der Chemie, das sich ausschließlich mit den Verbindungen des Kohlenstoffs befasst.

Organismus [der], das einzelne Lebewesen; auch die Gesamtheit der in einem Lebewesen zusammenwirkenden Organe.

Organizer [ɔːgənaizə, der, engl.], elektronisches Notizbuch, → Personal Digital Assistant.

Orgasmus [der], der Höhepunkt der sexuellen Erregung.

Orgel [die], ein etwa seit dem 8. Jh. in der Kirchenmusik verwendetes kombiniertes Blas- und Tasteninstrument. Die von einem Windwerk (früher Blasebälge, heute motorgetriebene Windturbine) erzeugte Luft wird durch Tastendruck mit den Händen (Manuale) und Füßen (Pedale) in Metall- oder Holzpfeifen geleitet, die dadurch angeblasen und zum Tönen gebracht

Orgel: Im Freiberger Dom befindet sich eine der berühmtesten Orgeln. Sie wurde 1711–1714 von Gottfried Silbermann erbaut.

Orinoco: Pfahlbauten am Ufer des Flusses in Venezuela

werden. Die Pfeifen sind reihenweise zu Registern mit jeweils gleicher Klangart zusammengefasst. Mittlere Orgeln haben 20 bis 30, große mehr als 100 Register mit Tausenden von Pfeifen.

Orient [der], *Morgenland,* der Nahe und Mittlere Osten. Oft wird auch der ganze Raum, der zum islamischen Kulturkreis zählt, zum Orient gerechnet, also auch der Norden Afrikas von Marokko bis Afghanistan in Asien; Gegensatz: *Okzident.*

Original [das], Urform, Urfassung (z. B. Original eines Zeugnisses).

Orinoco [der], ein Fluss im nördlichen Südamerika, 2575 km lang. Er entspringt im Bergland von Guyana und mündet südlich von Trinidad in den Atlantischen Ozean.

Orkan [der], ein sehr heftiger Sturm mit der Windstärke 12.

Orkney-Inseln ['ɔːkni-], eine britische Inselgruppe vor der Nordostspitze Schottlands. Die Bewohner leben von der Schafzucht und vom Fischfang.

Orléans [ɔrle'ã], eine Stadt in Nordfrankreich, an der Loire, 126 000 Einwohner. Orléans wurde 1429 durch die *Jungfrau von Orléans* von der englischen Belagerung befreit.

Ornament [das], eine Verzierung an Gebäuden, Kunst- und Gebrauchsgegenständen, zur Gliederung von Gegenständen oder zur Hervorhebung von Einzelheiten. Ein Ornament besteht meist aus geometrischen Mustern oder sich wiederholenden Einzelmotiven wie Blättern oder Blüten. Am Ornament lässt sich oft ablesen, aus welcher Kunstepoche das Haus beziehungsweise der Gegenstand stammt.

Ornithologie [die], die Wissenschaft von den Vögeln; Vogelkunde.

Orpheus, berühmter Sänger in der griechischen Sagenwelt. Durch die Kraft seiner Musik brachte er den Gott des Totenreiches (Hades) dazu, ihm seine Gattin *Eurydike* zurückzugeben. Da er sich aber auf dem Rückweg aus dem Totenreich entgegen dem Verbot nach Eurydike umsah, verlor er sie wieder.

orthodox, **1.** rechtgläubig, strenggläubig. **2.** starr, unnachgiebig.

orthodoxe Kirchen [Pl.], Ostkirchen, die christlichen Kirchen, die sich aus den Kirchen im Osten des Byzantinischen Reichs entwickelt haben. Sie haben sich 1054 von der römisch-katholischen Kirche abgespaltet. Die Dogmen der katholischen Kirche, wie die Unfehlbarkeit des Papstes, werden von ihnen nicht anerkannt. In den orthodoxen Kirchen nehmen Gottesdienste und besonders die Verehrung der Ikonen einen breiten Raum ein. An der Spitze der einzelnen Kirchen stehen Patriarchen oder Metropoliten.

orthogonal [griech.], rechtwinklig, rechteckig.

Orthographie [die, griech.], *Orthografie,* Rechtschreibung.

Orthopädie [die], ein Fachgebiet der Medizin, das sich mit Erkrankungen des menschlichen Bewegungsapparates beschäftigt, mit den Knochen, Muskeln, Sehnen und Gelenken.

Orwell, George, eigentlich Eric Arthur *Blair,* * 1903, † 1950; englischer Schriftsteller. In seinen weltberühmten Werken »Die Farm der Tiere« und

»1984« beschäftigt er sich kritisch mit dem diktatorischen Staat und mit der totalen Überwachung der Menschen.

Oscar [der], ein Filmpreis in Form einer goldenen Statuette, die seit 1929 in den USA für die besten künstlerischen Einzelleistungen im Film verliehen wird.

Oslo, 1624 bis 1924 Christiania; Hauptstadt und Mittelpunkt von Norwegen, 522 000 Einwohner. Die Stadt liegt am Ende des Oslofjords.

Osmanen [Pl.], der Name für die Türken im Osmanischen Reich, das bis 1918 bestand. Es wurde nach seinem Gründer Sultan *Osman I.* benannt, der 1300–1326 regierte.

Osmium, ein chemisches Element mit dem Zeichen Os. Es ist ein graublaues, sprödes Edelmetall, das schwerste natürlich vorkommende Element auf der Erde. Wegen seines hohen Schmelzpunkts wurde es früher oft für Glühlampenfäden verwendet (heute bevorzugt man Wolfram). Osmium kommt in der Natur in verschiedenen Erzen vor.

Osmose [die], der Durchgang von Flüssigkeiten durch eine halbdurchlässige (semipermeable) Membran, die zwar das Lösungsmittel, nicht aber die darin gelösten Stoffe passieren lässt. Trennt man z. B. durch eine solche Membran Zuckerwasser von reinem Wasser, so herrscht zwischen beiden Flüssigkeiten ein Druckgefälle, und Wasser strömt durch die Membran in die Zuckerlösung ein. Auf diese Weise nimmt hier die Flüssigkeitsmenge zu, und zwar so lange, bis der entstehende Druck, der *osmotische Druck*, dem Druck der hereinströmenden Flüssigkeit das Gleichgewicht hält. Die Osmose ist für den Wasser- und Stofftransport in tierischen und pflanzlichen Organismen von entscheidender Bedeutung, da alle Zellen von halbdurchlässigen Membranen umgeben sind. Außerdem erhält die Osmose den Innendruck in pflanzlichen Zellen. Strömt kein Wasser mehr in die Zellen, welkt die Pflanze.

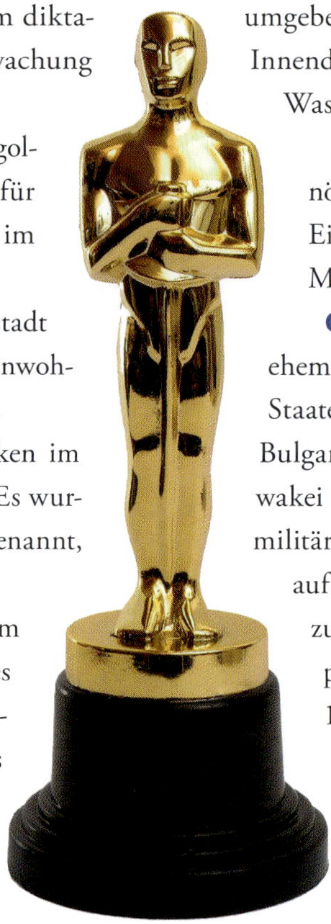

Der Oscar, eigentlich »Academy Award of Merit«, ist der bedeutendste US-amerikanische Filmpreis.

Osnabrück, Stadt in Niedersachsen, nördlich des Teutoburger Waldes, 166 000 Einwohner. Seit dem 13. Jh. war die Stadt Mitglied der Hanse.

Ostblock [der], eine Bezeichnung für die ehemalige Sowjetunion und die kommunistischen Staaten, die sie als Führungsmacht anerkannten: Bulgarien, DDR, Polen, Rumänien, Tschechoslowakei und Ungarn. Diese Staaten hatten sich auf militärischem Gebiet zum Warschauer Pakt und auf wirtschaftlichem Gebiet zum COMECON zusammengeschlossen. Bedingt durch die politischen Umwälzungen in Osteuropa seit 1989 existiert der Ostblock nicht mehr.

Osten, Abkürzung O, eine Himmelsrichtung.

Osterinsel [die], eine chilenische Insel, 3500 km westlich von Chile im Pazifischen Ozean. Die Insel wurde Ostern 1722 von Niederländern entdeckt (daher der Name). Die 2800 Bewohner der Insel sind größtenteils polynesische Ureinwohner, die sich mit Weißen vermischt

Osterinseln: Die gigantischen Figuren wurden wahrscheinlich zu Ehren der Ahnen aufgestellt.

haben. Die vulkanische Insel wurde v.a. bekannt durch die bis 25 m hohen und bis 80 t schweren Figuren (Moai) aus Lavagestein. Sie werden als Götterbilder einer vergangenen Religion gedeutet. Die bildhaften Schriftzeichen, die man u.a. auf hölzernen Brustschilden von Königen fand, konnten bis heute nicht befriedigend entschlüsselt werden.

Ostern, das Fest der Auferstehung Jesu Christi. Es wird als ältestes und höchstes christliches Fest am ersten Sonntag nach Frühlingsvollmond (also dem Sonntag, der auf Vollmond nach dem 21. 3. folgt) gefeiert. Auf die Erinnerung an das Leiden und Sterben Christi (Karwoche) folgen nun Freude und Jubel. Die zahlreichen Osterbräuche hängen mehr mit dem Frühjahrsbeginn als mit dem Osterfest zusammen.

Ländersteckbrief Österreich

Fläche:	83 859 km^2
Einwohner:	8,2 Millionen = 98 je km^2
Hauptstadt:	Wien
Religion:	römisch-katholische Kirche
Amtssprache:	Deutsch
Währung:	1 Euro = 100 Cent

Österreich, Staat in Mitteleuropa.

Landesnatur: Das Staatsgebiet liegt zu ⅔ in den Ostalpen, die im Süden und Osten in Beckenlandschaften (Klagenfurter, Grazer, Wiener Becken) übergehen. Das nördliche Alpenvorland reicht ungefähr bis zur Donau. Im Norden hat Österreich im Mühl- und Waldviertel Anteil an der Mittelgebirgslandschaft des Böhmischen Massivs. Der Osten des Landes mit dem Neusiedler See und Umgebung gehört zur Kleinen Ungarischen Tiefebene. Das Gewässernetz ist größtenteils zur Donau ausgerichtet. Seenreich sind Kärnten und das Salzkammergut. – Österreich hat mitteleuropäisches Übergangsklima mit zunehmend kontinentalen Zügen gegen Osten und alpines Klima in den höheren Gebirgslagen. Gegen Osten nehmen die jährlichen Niederschläge ab. – Nadel- und Nadelmischwald herrschen vor. Die Waldgrenze liegt zwischen 1600 und 1900 m.

Österreich: Die Hofburg beherbergt heute u.a. die Österreichische Nationalbibliothek; im Bild ein Fiaker, wie sie noch heute als Touristenattraktion dienen.

Bevölkerung: Zentren der Besiedlung sind das Alpenvorland, das Wiener Becken und die großen Täler. Die Bevölkerung ist zu 89% deutschsprachig. 74% sind Katholiken, 5% Protestanten, 4% Muslime. Der Anteil der Ausländer liegt bei 8,8%.

Wirtschaft: Die Landwirtschaft deckt rund 90% des Eigenbedarfs. Landwirtschaftliche Zentren sind die Gebiete im Osten mit bedeutendem Weizen-, Hack-

Genauer betrachtet … Österreich

Bundesland	Fläche in km^2	Einwohner in 1000	Hauptstadt
Burgenland	3966	276,4	Eisenstadt
Kärnten	9533	559,4	Klagenfurt
Niederösterreich	19174	1552,8	Sankt Pölten
Oberösterreich	11980	1387,1	Linz
Salzburg	7154	521,2	Salzburg
Steiermark	16388	1190,6	Graz
Tirol	12647	683,3	Innsbruck
Vorarlberg	2601	356,2	Bregenz
Wien	415	1590,2	Wien

frucht- (Zuckerrüben) und Futterpflanzenanbau sowie Obst und Wein. Die Viehzucht übertrifft die Agrarproduktion an Wert; sie herrscht in Gebirgslagen vor. Die Nutzung der Wälder, die fast 40% der Landesfläche bedecken, ist für den Export wichtig. Im Bergbau hat die Erdölförderung größte Bedeutung. Weiterhin gibt es Eisenerzabbau, Magnesit- und Salzgewinnung. Neben Erdöl ist die Elektrizität der wichtigste Energieträger; sie stützt sich zu rund 72% auf Wasserkraft. Von größter wirtschaftlicher Bedeutung ist der ganzjährige Tourismus. Haupthandelspartner ist mit Abstand Deutschland, dann folgen die Schweiz, Italien, Großbritannien, USA.

Verkehr: Trotz der gebirgigen Landesnatur ist das Verkehrsnetz sehr gut entwickelt. Linz ist Haupthafen der Donauschifffahrt. Internationale Flughäfen: Wien-Schwechat, Linz, Salzburg, Graz, Klagenfurt und Innsbruck. Der italienische Hafen Triest an der Adria ist Österreichs wichtigster Seehafen.

Geschichte: Die Keimzelle Österreichs war die im 10. Jh. gebildete bayerische *Ostmark*, die auch *Ostarrichi* genannt wurde. Markgrafen waren 976–1246 die Babenberger, sie wurden 1156 zu Herzögen erhoben. Nach ihrem Aussterben kamen Österreich und die Steiermark vorübergehend unter die Herrschaft des Böhmenkönigs *Ottokar II.* 1278 besiegte Rudolf von *Habsburg* Ottokar bei Dürnkrut und gewann damit Land und Krone Österreichs. Die Habsburger betrachteten das Land fortan als Grundlage ihrer Hausmacht. Sie stellten von 1438 bis 1806 (außer 1742–1745) die Kaiser des römisch-deutschen Reichs. Durch Heiratspolitik gewannen sie die Niederlande, den größten Teil Burgunds, Spanien und das große Kolonialreich in Amerika. 1526 erhielt das Haus Habsburg durch Erbvertrag auch Böhmen, Mähren, Schlesien und Teile Ungarns. 1556 teilte sich die habsburgische Dynastie in die spanische und österreichische Linie.

Unter Kaiser *Rudolf II.*, der 1576–1612 regierte, begann in Österreich die Gegenreformation. Durch die Ausschaltung der protestantischen Stände noch während des Dreißigjährigen Krieges konnte der Weg für den Aufbau einer katholisch-absolutistischen Herrschaft geebnet werden. Mit der Abwehr der Türken vor Wien 1683 und dem Sieg im Türkenkrieg 1714–1718 dehnte Österreich seine Einflusssphäre im südöstlichen Europa aus. Nach dem Spanischen Erbfolgekrieg 1701–1714 musste Habsburg zugunsten der französischen Bourbonen auf das spanische Erbe verzichten. Im Österreichischen Erbfolgekrieg verlor *Maria Theresia* (Regierungszeit 1740–1780) zwar Schlesien an Preußen, doch blieb die österreichische Großmachtstellung in Europa gewahrt. Unter Maria Theresias Regierung wurde die Staatsverwaltung reformiert. Nach den Niederlagen in den Revolutions- und Koalitionskriegen gegen *Napoleon* legte Kaiser *Franz II.* 1806 die römisch-deutsche Kaiserkrone nieder, nachdem er schon 1804 als *Franz I.* die österreichische Kaiserkrone angenommen hatte.

Österreich: Die Region um Kitzbühel, ein bekanntes Wintersportzentrum, lädt im Sommer zum Wandern ein.

Unter *Metternich* war Österreich nach dem *Wiener Kongress* 1814/1815 einer der führenden europäischen Mächte. 1848 wurde in Wien die Revolution blutig niedergeschlagen. Kaiser *Franz Joseph I.* übernahm die Regierung. Im Konflikt mit Preußen um die Vormachtstellung im deutschen Raum musste Österreich im Deutschen Krieg 1866 eine schwere Niederlage hinnehmen und aus dem Deutschen Bund ausscheiden. 1867 entstand die Doppelmonarchie Österreich-Ungarn. Jeder der beiden Staaten erhielt eine Verfassung, und der österreichische Kaiser war zugleich König von Ungarn. In den folgenden Jahren wurde der Vielvölkerstaat von zahlreichen Nationalitätenkonflikten erschüttert. Als der österreichische Thronfolger *Franz Ferdinand* am 28. 6. 1914 in Sarajevo ermordet wurde, brach der Ersten Weltkrieg aus, nach dessen Ende die österreichisch-ungarische Monarchie zerfiel. Deutsch-Österreich erklärte sich zur Republik und wollte dem Deutschen Reich beitreten, doch wurde dies von den Siegermächten des Ersten Weltkriegs verboten. Wirtschaftlich und finanziell war der österreichische Rumpfstaat katastrophal geschwächt. 1934 wurde der österreichische Bundeskanzler E. *Dollfuß* bei einem nationalsozialistischen Putschversuch ermordet. Der neue Bundeskanzler, K. *Schuschnigg*, musste am 11. 3. 1938 sein Amt dem Nationalsozialisten A. *Seyß-Inquart* überlassen. Am 12. 3. 1938 marschierten deutsche Truppen in Österreich ein, am 13. 3. wurde der *Anschluss Österreichs* an das Deutsche Reich vollzogen. Am Zweiten Weltkrieg nahm Österreich auf deutscher Seite teil. Es wurde 1945 von den Truppen der vier Siegermächte besetzt. Die Regierungsgewalt lag zunächst bei den Besatzungsmächten. Am 27. 4. 1945 wurde die Republik Österreich ausgerufen. Mit dem *Staatsvertrag* vom 15. 5. 1955 erhielt Österreich Souveränität und wirtschaftliche Unabhängigkeit und verpflichtete sich zu immerwährender Neutralität.

Die Innenpolitik wurde in den Jahren von 1947 bis 1966 und von 1987 bis 1999 von einer großen Koalition aus ÖVP und SPÖ bestimmt. Sie führte das Land 1995 zur EU-Mitgliedschaft. 2000 bildeten ÖVP und FPÖ eine Regierungskoalition unter Bundeskanzler W. *Schüssel*. Seit 2007 regiert wieder eine große Koalition aus ÖVP und SPÖ (Bundeskanzler: A. *Gusenbauer*, SPÖ). Bundespräsident ist seit 2004 H. *Fischer* (SPÖ). Auch → »Genauer betrachtet«.

Österreichische Volkspartei [die], Abkürzung ÖVP, eine 1945 gegründete konservative Partei in Österreich.

Osttimor: Neben der Landwirtschaft leben die Einwohner auch vom Fischfang.

Österreich-Ungarn, Kurzbegriff für die 1867 geschaffene Österreichisch-Ungarische Monarchie, volkstümlich *Donaumonarchie* genannt. Sie bestand aus dem Kaisertum Österreich und dem Königreich Ungarn. Nach dem Ersten Weltkrieg zerfiel die Doppelmonarchie in die Nachfolgestaaten Österreich, Ungarn und die Tschechoslowakei. Es entstand das »Königreich der Serben, Kroaten und Slowenen« (seit 1929 Jugoslawien). Einige Gebiete fielen an Polen, Rumänien und Italien.

Ostfriesland, Landschaft in Niedersachsen, an der Nordseeküste, zwischen Weser- und Emsmündung. Der Küste sind die Ostfriesischen Inseln vorgelagert, die zu den → Friesischen Inseln gehören.

Ostpreußen, eine ehemalige preußische Provinz mit der Hauptstadt Königsberg. Der nördliche Teil fiel 1945 an die Sowjetunion (seit 1991 Russland), der südliche an Polen. Die Landschaft ist wald- und seenreich (Masurische Seenplatte).

Östrogene [Pl.] → Geschlechtshormone.

Ostsee [die], *Baltisches Meer,* ein Nebenmeer des Atlantischen Ozeans. Das Binnenmeer ist über den Sund, Großen und Kleinen Belt, das Kattegat sowie den Nord-Ostsee-Kanal mit der Nordsee verbunden. Die Ostsee ist rund 420 000 km² groß, durchschnittlich 55 m tief und erreicht eine größte Tiefe von 459 m. Ebbe und Flut sind in der Ostsee kaum zu merken.

Oströmisches Reich, der Osten des Römischen Reichs, das *Byzantinische Reich.*

Ländersteckbrief
Osttimor

Fläche:	18 889 km²
Einwohner:	1 000 000 = 53 je km²
Hauptstadt:	Dili
Religion:	römisch-katholische Kirche
Amtssprache:	Portugiesisch, Tetum
Währung:	1 US-Dollar = 100 Cents

Osttimor, Staat in Südostasien.

Das Land umfasst den östlichen Teil der Kleinen Sundainsel *Timor* und ist im *Ramelan* 2960 m hoch; es herrscht tropisches Monsunklima. Die Bewohner sind vorwiegend Malaien und römisch-katholisch. Sie bauen hauptsächlich Kaffee, Reis und Kokospalmen an. Verschiedene Bodenschätze, u. a. Gold, Chrom und Erdöl, sind noch nicht erschlossen.

Geschichte: Seit 1592 war Osttimor im Besitz von Portugal, das es seit 1951 als Überseeprovinz verwaltete. Nachdem sich Portugal 1975 aus Osttimor zurückzog, besetzte Indonesien das Gebiet, was international aber nicht anerkannt wurde. Die Unabhängigkeitsbewegung *Fretilin* bekämpfte die indonesische Übernahmepolitik. Nachdem sich 1999 die Bevölkerung in einem Referendum für die Unabhängigkeit Osttimors ausgesprochen hatte, eskalierte die Gewalt, so dass die UNO eine Friedenstruppe stationierte und eine Übergangsverwaltung einsetzte. Aus den Präsidentschaftswahlen im April 2002 ging der frühere Unabhängigkeitskämpfer J. A. *Gusmão* (Fretilin) als Sieger hervor. Am 20. Mai 2002 erhielt das Land die volle staatliche Unabhängigkeit. Eine Militärrevolte löste 2006 bürgerkriegsähnliche Unruhen aus. 2007 wurde J. *Ramos-Horta* zum Präsidenten gewählt, J. A. Gusmão wurde Ministerpräsident.

Ost-West-Konflikt, das nach Ende des Zweiten Weltkriegs entstandene Spannungsverhältnis zwischen den beiden Lagern um die »Supermächte« USA und UdSSR. Mit dem Zerfall der politischen Systeme in Osteuropa und der deutschen Wiedervereinigung verlor der Ost-West-Konflikt an Bedeutung.

OSZE, Abkürzung für **O**rganisation für **S**icherheit und **Z**usammenarbeit in **E**uropa, Gemeinschaft aus 56 Staaten; die OSZE ging 1995 aus der Konferenz für Sicherheit und Zusammenarbeit in Europa (KSZE) hervor; die Organisation bemüht sich vor allem um die Beilegung und Bewältigung von Konflikten sowie um die Verbesserung der europäischen Zusammenarbeit. Wichtige Organe der OSZE sind das regelmäßige *Treffen der Staats- und Regierungschefs*, der *Ministerrat*, der *Ständige Rat* und das *Forum für Sicherheitskooperation.*

Oszillograph [der], *Oszillograf,* Schwingungsschreiber, ein Gerät zum Sichtbarmachen und Aufzeichnen schnell veränderlicher elektrischer und mechanischer Schwingungen. Heute wird der *Kathoden-* oder *Elektronenstrahl-Oszillograph* verwendet, bei dem ein Elektronenstrahl abgelenkt und auf dem Bildschirm einer Braun'schen Röhre sichtbar gemacht wird.

Ottawa, seit 1864 Hauptstadt von Kanada, am Ottawa River, 1,1 Mio. Einwohner; ein Wirtschafts- und Kulturzentrum des Landes.

Otter [Pl.], *Wassermarder,* eine Unterfamilie der Marder, die hervorragend an ein Leben im Wasser angepasst ist. Otter haben einen schlanken, walzenförmigen Körper, einen platten, breiten Kopf mit verschließbaren, kleinen Ohren, ein dichtes Fell, Schwimmhäute zwischen den Zehen der Füße und einen breiten Ruderschwanz. Bekannt sind besonders der *Fischotter* und der *See-* oder *Meerotter.*

Ottern [Pl.] → Vipern.

Otto I., *Otto der Große,* *912, †973; seit 936 deutscher König und seit 962 erster deutscher Kaiser. Otto gelang es, die Reichsgewalt nach innen und außen zu sichern. Er übergab einige Herzogtümer an Verwandte, machte die Bischöfe zu Reichsfürsten und belehnte Bistümer und Klöster mit Reichsgütern. Dabei sicher-

Otter: Fischotter haben ausgeprägte Lust an der Bewegung und am Spiel. Sie sind bei uns sehr selten geworden und stehen unter strengem Naturschutz.

te er sich das entscheidende Mitspracherecht bei der Besetzung der hohen kirchlichen Ämter. Otto gewann die Lehnshoheit über Böhmen, 951 die langobardische Krone und erneuerte die Schutzherrschaft über den Kirchenstaat. Im Jahr 962 wurde er in Rom zum Kaiser gekrönt.

Ottomotor [der], ein nach seinem Erfinder, dem deutschen Ingenieur Nikolaus August *Otto,* benannter → Verbrennungsmotor.

Ötzi → Similaun-Mann.

Outing ['autiŋ, das, engl.], Bekanntmachen, Bekennen, Bloßlegen in der Öffentlichkeit; v.a. das Bekanntmachen von Homosexualität.

Output ['aut-, der, engl.], die Ausgabe von Daten aus einem laufenden Rechnersystem, z.B. der Ausdruck auf Papier oder das Brennen einer CD. Gegensatz: *Input.*

Ouvertüre [die], ein instrumentales Einleitungsstück zu größeren Musikwerken wie Oper, Oratorium, Ballettsuite.

Ovation [die], Huldigung, festliche Ehrung, großer Beifall.

Overhead-Projektor ['ɔuvəhɛd, der], *Tageslichtprojektor,* ein Diaprojektor mit sehr hoher Lichtleistung, mit dem Schrift oder Bilder ohne Verdunkelung projiziert werden können. Eine transparente Folie, die auch während der Projektion mit geeigneten Stiften beschriftet werden kann, wird auf eine von unten beleuchtete Glasplatte gelegt. Ein über der Glasplatte angebrachtes Objektiv sammelt die Strahlen und wirft sie über einen Spiegel auf eine Leinwand. Der Overhead-Projektor wird bei Vorträgen und im Unterricht verwendet.

Ovid, Publius *Ovidius Naso,* *43 v.Chr., †17 oder 18 n.Chr.; römischer Dichter. Er verfasste zunächst erotische Dichtungen, später dann Sagendichtung. Ovid wurde 8 n.Chr. von Augustus verbannt.

ÖVP, Abkürzung für → Österreichische Volkspartei.

Oxford, englische Universitätsstadt, an der Themse, 158000 Einwohner. Die im 12.Jh. gegründete Universität von Oxford ist neben Cambridge die bedeutendste in England.

Oxid [das], die chemische Verbindung eines Metalls oder eines Nichtmetalls mit Sauerstoff. Je nach der Anzahl der Sauerstoffatome, die an der Verbindung beteiligt sind, spricht man von Monoxid (1 Atom), Dioxid (2), Trioxid (3) usw. Außerdem geht der Name des Metalls oder Nichtmetalls in die Bezeichnung ein: z.B. Kohlenmonoxid, Schwefeldioxid. Derartige Verbindungen kommen durch den Vorgang der → Oxidation zustande.

Der Ozelot jagt v.a. kleinere Säugetiere, Vögel, Eidechsen und Schlangen.

Oxidation [die], eine der häufigsten chemischen Reaktionen, bei der Sauerstoff aufgenommen oder Wasserstoff entzogen wird. Dabei wird Energie abgegeben. Verläuft die Reaktion sehr heftig unter Flammenerscheinung, so sprechen wir von Verbrennung. Oxidationen sind auch bei biologischen Prozessen (Atmung, Gärung) von großer Bedeutung. Gegensatz: *Reduktion.*

Ozean [der] → Meer.

Ozeanien, die Inselwelt des Pazifischen Ozeans, von den Philippinen nach Osten bis zur Osterinsel und von den Aleuten im Norden bis zum südlichen Polarkreis, insgesamt über 10 000 Inseln. Es handelt sich z. T. um flache Koralleninseln, oft um vulkanische Inseln, die sich mit Gipfeln von 500 m und mehr über das Meer erheben. Sie gliedern sich in drei Gruppen von Inseln: Melanesien, Mikronesien und Polynesien mit Neuseeland und den Hawaii-Inseln. Ozeanien ist im Entdeckungszeitalter in den Gesichtskreis der Europäer getreten und erst vom 18. Jh. an (besonders von James *Cook*) systematisch erforscht worden. Die europäische Forschung traf die Inseln Ozeaniens bereits besiedelt an oder fand Spuren früherer Besiedlung und beachtlicher Kulturen (z. B. Osterinsel).

Ozelot [der], ein in Wald- und Sumpfgebieten Süd- und Mittelamerikas lebendes Raubtier aus der Familie der Katzen. Ozelots erreichen eine Kopf-Rumpf-Länge von 65–100 cm und haben eine Schwanzlänge von 30–45 cm. Das Fell ist gelblich, kräftig schwarzbraun gefleckt und war daher als Pelz sehr begehrt. Sie sind ausgesprochene Nachttiere, die ausgezeichnet klettern können. Da ihr Bestand heute sehr bedroht ist, stehen sie unter Schutz.

Ozon [das], eine unbeständige, gasförmige Verbindung aus 3 Sauerstoffatomen. Das giftige Ozon wird in höheren Luftschichten gebildet und gelangt normalerweise nur in geringen Mengen in erdnahe Schichten. Bei starker Sonneneinstrahlung kann es jedoch auch in niedrigeren Schichten zur Ozonbildung kommen. Verantwortlich hierfür sind z. B. Bestandteile in den Autoabgasen, aus denen durch photochemische Prozesse Ozon entsteht. Dieses kann schon in geringer Konzentration die Schleimhäute reizen und zu Atembeschwerden führen. Ozon wird mit den Waldschäden in Verbindung gebracht, da es auch Pflanzen zu schädigen vermag.

Ozonschicht [die], der Teil der Stratosphäre, der Luftschicht in 20 bis 50 km Höhe, in dem unter Einwirkung ultravioletter Sonneneinstrahlung Sauerstoff (O_2) in Ozon (O_3) umgewandelt wird. Die Ozonschicht ist für die Erde von erheblicher Bedeutung, da sie den größten Teil der lebensfeindlichen UV-Strahlung fernhält. Außerdem spielt sie auch für den Energiehaushalt der Atmosphäre eine bedeutende Rolle. Die Ozonschicht wird durch Fluor-Chlor-Kohlenwasserstoffe (FCKW), die in vielen Ländern immer noch z. B. in Kühlschränken und Klimaanlagen verwendet werden, angegriffen und zerstört. Seit Ende der 1970er Jahre beobachtete man eine Abnahme der Ozonschicht zunächst über der Südpolarregion, später auch über der Nordpolarregion (»Ozonloch« genannt). Mittlerweile wird ein weltweiter Abbau des Ozons in der Ozonschicht beobachtet. Durch die Zerstörung der Ozonschicht gelangt mehr UV-Licht auf die Erdoberfläche, was z. B. beim Menschen vermehrt zu Hautkrebs führen kann.

Ozonschicht: Das Ozonloch ist mittlerweile so groß wie Nordamerika.

P

P, **1.** 16. Buchstabe des Alphabets (Konsonant). **2.** chemisches Zeichen für Element → Phosphor.

Paarhufer [Pl.], eine Ordnung der Huftiere, deren wichtigstes gemeinsames Kennzeichen die besondere Form des Fußskeletts ist: 3. und 4. Finger- und Zehenstrahl tragen das Körpergewicht. 2. und 5. Strahl sind bei den meisten Arten deutlich rückgebildet und nur noch als Afterklauen vorhanden oder fehlen ganz (z. B. bei Giraffen und Kamelen).

Pacht [die], die Überlassung eines Gegenstandes zum Gebrauch und zur Nutzung gegen Zahlung eines Pachtzinses. Im Gegensatz zur Miete (lediglich Gebrauch des Mietgegenstandes, z. B. eines leeren Zimmers) ist bei der Pacht auch die Nutzung (z. B. einer Gastwirtschaft, eines Jagdrechtes, eines landwirtschaftlichen Betriebes) vereinbart.

Pädagogik [die], die praktische und theoretische Lehre von der Erziehung und auch die Erziehung selbst.

Paella [pa'ɛlja, die], ein spanisches Reisgericht, das aus verschiedenen Fleisch- und Fischsorten, Muscheln, Gemüse usw. zubereitet wird.

Paganini, Niccolò, * 1782, † 1840; italienischer Geigenvirtuose und Komponist. Er entwickelte neue, ungewöhnlich schwierige Spieltechniken.

Pakistan: Die Landschaft des von zahlreichen Gebirgsketten durchzogenen Landes besteht überwiegend aus Steppe.

Pagode [die], ein turmartiges Tempelbauwerk in Ostasien, besonders in China und Japan. Es besteht aus mehreren Stockwerken, von denen jedes ein eigenes Vordach hat.

Ländersteckbrief
Pakistan

Fläche:	796 096 km²
Einwohner:	161,2 Millionen = 202 je km²
Hauptstadt:	Islamabad
Religion:	Islam
Amtssprache:	Urdu
Währung:	1 Pakistanische Rupie = 100 Paisa

Pakistan, Staat in Südasien.

Landesnatur: Kerngebiet ist die Tiefebene des *Indus*; sie geht nach Osten in die Wüstensteppe *Thar* über. Den Westen des Landes nehmen die Ostiranischen Randketten und die Sulaimankette ein. Im Nordosten erheben sich das Hochgebirge *Karakorum* (K2, 8611 m) und der nordwestliche Himalaya (im Nanga Parbat 8126 m). Das Klima ist subtropisch, es wird vom Monsun bestimmt.

Bevölkerung: Die Bevölkerung gehört verschiedenen Sprachgruppen an (Pandschabi, Sindi, Urdu, Paschtu u. a.). Der Islam ist Staatsreligion.

Wirtschaft: Dem Export dienen v. a. Baumwolle, Nahrungsmittel, Leder und Teppiche. Die Industrie liefert neben Agrarprodukten v. a. Eisen, Stahl, Maschinen und chemische Produkte. An Bodenschätzen gibt es v. a. Erdgas, Braunkohle und Chrom. – Karachi ist der wichtigste See- und Flughafen.

Geschichte: Pakistan war bis 1947 ein Teil Britisch-Indiens. Nach Abstimmung und Volksentscheid in den überwiegend islamischen Teilen Indiens wurde am 14. 8. 1947 der aus Ostpakistan und Westpakistan (das heutige Pakistan) bestehende Staat Pakistan gegründet. Das Verhältnis zu Indien war von Anfang an durch Grenzstreitigkeiten belastet. 1948 und 1965 kam es zum offenen Kampf um *Kaschmir,* dem später weitere militärische Zusammenstöße folgten. 1956 wurde die *Islamische Republik Pakistan* ausgerufen. Neuer Staatspräsident wurde 1958 Ayub *Khan*, der 11 Jahre autoritär regierte. Mit militärischer Unterstützung Indiens gelang Ostpakistan 1971 die Gründung des Staates Bangladesch. Der Reststaat Pakistan trat 1972 aus dem Commonwealth aus (bis 1989). 1977 wurde der seit 1971 regierende Z. A. *Bhutto* gestürzt; die Macht übernahm eine Militärregierung unter General *Zia ul-Haq*. Bhutto wurde 1979 hingerichtet. 1988 kam Zia bei einem Flugzeugabsturz ums Leben. Zwischen 1988 und 1999 übten Benazir *Bhutto*, eine Tochter des früheren Regierungschefs, bzw. der islamisch orientierte Nawaz *Sharif* das Amt des Premierministers aus. Als Reaktion auf indische Atomwaffentests führte auch Pakistan 1998 solche Tests durch. General P. *Musharraf* stürzte 1999 die Regierung Sharif und ließ sich 2001 als Präsident vereidigen. Verfassungsänderungen gaben ihm zahlreiche Sondervollmachten. Die Außenpolitik stand im Zeichen der Entwicklungen in Afghanistan nach dem Sturz des Talibanregimes sowie des nach wie vor ungelösten Kaschmirkonflikts.

Pakt [der, lat. pactum, »Vertrag«], Abmachung, Bündnis.

Paläontologie [die], die Wissenschaft, die sich mit Versteinerungen *(Fossilien)* von Pflanzen und Tieren beschäftigt und daran das Leben der Vorzeit erforscht.

Paläozoikum [das], das Erdaltertum, → Erdzeitalter (Tabelle).

Palästina [lat., »Land der Philister«], ein Gebiet, das sich von der östlichen Mittelmeerküste bis zum Jordangraben und vom Libanon bis zum Golf von Elat erstreckt. Palästina war bis 1922 nie eine politische Einheit und hatte keine festen Grenzen. Seit dem 10. Jh. v. Chr. bestanden dort jüdische Staatsgebilde. 63 v. Chr. wurde Palästina römisch, 636 eroberten es islamische Araber, seit 1517 gehörte es zum Osmanischen Reich. Ende des 19. Jh. begann die organisierte Einwanderung von Juden nach Palästina (→ Zionismus). Im Ersten Weltkrieg eroberte Großbritannien das Land, das nun britisches Mandatsgebiet wurde. Großbritannien versprach den Juden Unterstützung bei der Errichtung einer »nationalen Heimstätte« in Palästina, während unter den Arabern der Widerstand gegen die jüdische Einwanderung wuchs. 1947 beschloss die UNO die Teilung Palästinas in einen arabischen und einen jüdischen Staat. Die Juden akzeptierten den Plan und gründeten 1948 den Staat Israel, die Araber lehnten ihn ab. Daraus erwuchs der jahrzehntelang andauernde *Nahostkonflikt.* Seit dem 3. Israelisch-Arabischen Krieg (1967) befand sich ganz Palästina unter israelischer Herrschaft. Auf der arabischen Seite forderte die → PLO die »Befreiung« ganz Palästinas, d. h. die Beseitigung des Staates Israel. 1993 schlossen Israel und die PLO als ersten Schritt zu einer dauerhaften Friedenslösung ein Abkommen, in dem sie sich gegenseitig anerkannten und die Errichtung einer begrenzten Selbstverwaltung der Palästinenser in den von Israel besetzten Gebieten vereinbarten. 1994 räumten die israelischen Truppen den Gazastreifen und das Gebiet von Jericho, 1995 begann der Abzug aus den Städten des Westjordanlandes, 1996 wurde ein palästinensischer Selbstverwaltungsrat gewählt.

Gewalttätige Auseinandersetzungen zwischen palästinensischen Extremisten und der israelischen Armee erschwerten die Suche nach einer endgültigen Friedenslösung. Seit 2006 kam es zum blutigen Konflikt zwischen Hamas und Al Fatah.

Palästinenser [Pl.], ursprünglich alle Bewohner → Palästinas, im heutigen Sprachgebrauch meist nur die Arabisch sprechenden Bewohner Palästinas und ihre Nachkommen. Palästinenser leben in Israel, in den von Israel besetzten Gebieten, in arabischen Ländern (dort z. T. in Flüchtlingslagern) und außerhalb der arabischen Welt. Die → PLO versteht sich als Interessenvertreterin aller Palästinenser.

Ländersteckbrief
Palau

Fläche:	490 km^2
Einwohner:	20 000 = 41 je km^2
Hauptstadt:	Melekeok
Religion:	Christentum
Amtssprache:	Englisch, Palauisch
Währung:	1 US-Dollar = 100 Cents

Palau, Staat in Ozeanien.

Der Inselstaat in Mikronesien besteht aus 241 Inseln vulkanischen Ursprungs; die größte Insel ist Babelthuap. Die Hauptausfuhrgüter sind Fisch, Muscheln und Kopra. Von Bedeutung sind die Einnahmen aus dem Tourismus.

Geschichte: Seit 1981 innere Autonomie im Rahmen der US-Treuhandverwaltung; am 1. 10. 1994 Ausrufung der Unabhängigkeit.

Palau: Die meisten kleineren Inseln bestehen aus Korallenkalk, die größeren sind vulkanischen Ursprungs.

Palermo, Hafen und Hauptstadt der italienischen Insel Sizilien, 683 000 Einwohner. Die von den Phöniziern gegründete Stadt erlebte unter Friedrich II. ihre Blütezeit.

Palette [die], **1.** ein meist ovales, dünnes, handliches Holzbrettchen mit Griffloch, auf dem der Maler bei der Arbeit die Farben mischt. **2.** ein hölzerner Untersatz für Stapelgüter, die dadurch mit Gabelstaplern leicht und in größerer Menge transportiert werden können.

Palladio, Andrea, * 1508, † 1580; italienischer Baumeister. Die von ihm erbauten Paläste, Kirchen und Villen stehen in der Tradition antiker Bauten und gelten als Musterbeispiel einer wohlabgewogenen, klassizistischen Architektur.

Palma de Mallorca, Hafen und Hauptort der spanischen Insel Mallorca, 367 000 Einwohner.

Palmen [Pl.], meist baumartige Holzgewächse der Tropen und Subtropen, die an der Spitze einen Schopf aus gefiederten oder gefächerten Blättern tragen. Die *Kokospalme* und die *Ölpalme* sind wichtige Öllieferanten, die *Dattelpalme* liefert zuckerreiche Früchte.

Palmen: Mit rund 3400 Arten sind Palmen in den tropischen und subtropischen Regionen der Erde verbreitet; hier ein Palmenhain auf den Seychellen.

Pamir, »Dach der Welt«, ein Gebirge in Zentralasien, das im *Qungurtagh* 7719 m hoch ist. Vom Pamir gehen mächtige Gebirge aus: *Tian Shan, Kunlun, Karakorum, Hindukusch* und *Himalaya.*

Pampa [die], die argentinische Steppe mit Graswuchs und geringen Baumbeständen; heute wird sie im Interesse von Viehzucht und Getreideanbau vielfach künstlich bewässert.

Pampelmuse [die], eine in Südasien beheimatete Form der Orange mit bitter-aromatischen Früchten. Auch → Zitrusfrüchte.

Pamuk, Orhan, * 1952; türkischer Schriftsteller. In seinen bilderreichen, durchkomponierten Romanen beschreibt er sein Heimatland zwischen Tradition und Moderne. 2006 wurde ihm der Literaturnobelpreis verliehen.

Pan, der griechische Wald- und Weidegott, ein Sohn des Hermes. Er wird halb als Mensch und halb als Gott dargestellt und versetzt die Menschen durch sein plötzliches Erscheinen in »panischen« Schrecken.

Ländersteckbrief Panama

Fläche:	75 517 km^2
Einwohner:	3,3 Millionen = 44 je km^2
Hauptstadt:	Panama-Stadt
Religion:	römisch-katholische Kirche
Amtssprache:	Spanisch
Währung:	1 Balboa = 100 Centésimos

Panama, Staat in Mittelamerika.

Landesnatur: Das Land wird von der Zentralamerikanischen Kordillere (im *Chiriquí* 3477 m) durchzogen, der im Süden und Norden Küstenebenen vorgelagert sind. Tropischer Regenwald überzieht die feuchtheiße atlantische Abdachung, während die Pazifikseite Trockenwald und Savanne trägt.

Bevölkerung: Die zu rund 96% römisch-katholische Bevölkerung besteht zu 65% aus Mestizen; knapp 10% sind Indianer, 13% Schwarze und Mulatten, 12% Weiße.

Wirtschaft: Die Wirtschaft des Landes wird entscheidend durch den *Panamakanal* bestimmt. Die Land-

Panama: Die gleichnamige Hauptstadt ist Endpunkt des Panamakanals an der Pazifikküste und wichtigster Handels- und Industrieort des Landes.

wirtschaft liefert für den Export Zuckerrohr, Bananen, Kaffee und Kakao. Die Fischerei hat große Bedeutung. Wichtig für den Export ist die Weiterverarbeitung von eingeführtem Rohöl. Der Tourismus ist von wachsender Bedeutung. Haupthäfen sind Colón (mit Freihandelszone) und Balboa; internationaler Flughafen *Tocumen*. Panama verfügt über die größte Handelsflotte der Welt (»Billigflagge«).

Geschichte: Seit der Entdeckung durch R. G. *de Bastidas* 1501 war Panama spanisch (bis 1821), dann Teil der Republik Großkolumbien. Von dieser fiel es 1903 ab und wurde selbstständige Republik unter Einfluss der USA, die den Panamakanal bauten und die Souveränität über die Kanalzone erhielten. 1977 einigten sich die USA mit General O. *Torrijos* auf die Überführung des Kanals unter die Hoheit Panamas (endgültig ab 1. 1. 2000). Der Militärmachthaber General M. *Noriega* wurde 1989 durch eine US-amerikanische Intervention gestürzt. In den 1990er Jahren entwickelten sich demokratische Verhältnisse. 2004 wählte die Bevölkerung M. *Torrijos*, einen Sohn des früheren Machthabers, zum neuen Präsidenten.

Panamakanal [der], eine 1914 eröffnete künstliche Wasserstraße zwischen dem Atlantischen und dem Pazifischen Ozean in Mittelamerika. Die Arbeit am Kanal begann 1879 unter F. de *Lesseps,* musste jedoch wegen finanzieller Schwierigkeiten abgebrochen werden. Nach der Abtrennung Panamas von Kolumbien und einer neuen Vertragsgrundlage wurde der 81,3 km lange Kanal mit Hilfe der USA fertiggestellt. Am 31. 12. 1999 wurde der Kanal Panama übereignet.

Panda [der], **1.** *Großer Panda* oder *Bambusbär,* bis 180 cm großes und 110 kg schweres Säugetier aus den Bambuswäldern Chinas, mit typischem schwarzweißem Fell. Der Nahrungsspezialist für Bambusschößlinge ist vom Aussterben bedroht und deshalb streng geschützt. **2.** *Kleiner Panda* oder *Katzenbär,* ein 60 cm großer und 3,7 bis 6,2 kg schwerer Kleinbär, mit rotbraunem Fell und weißer Gesichtsmaske; bewohnt

Panda: Der Große Panda zählt zu den seltensten und gefährdetsten Tieren der Erde.

Emmeline Pankhurst widmete sich dem Kampf für Frauenrechte.

die Eichen-, Rhododendron- und Bambuswälder im Inneren Chinas. Er ist geschützt durch das Washingtoner Artenschutzabkommen.

Pandemie, länderübergreifend oder sogar weltweit auftretende → Epidemie.

Pandschab [das], eine fruchtbare Landschaft in Vorderindien, die nach wechselvoller Geschichte 1947 zwischen Pakistan und Indien aufgeteilt wurde.

Panik [die], eine besonders in großen Menschengruppen plötzlich auftretende Angst.

Pankhurst [ˈpæŋkhəːst], Emmeline, geborene *Goulden*, *1858, †1928; britische Frauenrechtlerin. Sie gründete 1903 eine Vereinigung, die sich teilweise mit radikalen Mitteln für das Frauenwahlrecht einsetzte. Ihre Mitglieder wurden »Suffragetten« genannt.

Panorama [das], Rundsicht, Überschau von einer erhöhten Stelle aus.

Pantheismus [der], eine philosophische Lehre und theologische Auffassung, nach der Gott und die Welt eins sind; Gott ist überall in der Natur. Zu den bedeutendsten Vertretern des Pantheismus zählt der niederländische Philosoph *Spinoza*.

Panther [der], *Panter*, ein schwarzer → Leopard.

Pantoffeltierchen [das], ein bis 0,3 mm großes einzelliges Wimpertierchen, dessen Gestalt an einen Pantoffel erinnert. Es lebt besonders in fauligem Wasser und lässt sich in einer Wasserprobe unter dem Mikroskop beobachten.

Pantomime [die], eine Bühnendarstellung, die ohne Worte, nur mit Mimik und Gebärden, oft auch mit Tanz und Musik eine Handlung gestaltet. »Pantomime« nennt man auch den Darsteller. Die bekanntesten Pantomimen sind M. *Marceau* und S. *Molcho*.

Panzer [der], **1.** eine schützende Körperhülle bei manchen Tieren (z. B. Krokodilen, Schildkröten, Krebstieren). **2.** ein Körperschutz gegen die Wirkung von Waffen. Der Panzer war im Altertum und im Mittelalter ein Teil der Rüstung. **3.** eine zusammenfassende Bezeichnung für gepanzerte Fahrzeuge, meist Kettenfahrzeuge. Die ersten Vorläufer dieser Kriegsfahrzeuge wurden im Ersten Weltkrieg entwickelt.

Papageien [Pl.], eine überwiegend in den Tropen beheimatete Vogelordnung, meist Waldvögel von unterschiedlicher Größe, mit kurzen Beinen und dickem Kopf. Sie haben oft ein farbenprächtiges Gefieder und eine krächzende Stimme. Papageien ernähren sich von Samen, Früchten und Insekten. Sie sind gesellige

Papageien: Der Hellrote Ara erreicht die stattliche Größe von 90 cm und ist damit einer der größten Papageien. Sein Schwanz kann bis zu 60 cm lang sein.

Pappeln: Die Schwarzpappel gilt als sehr schnell wachsender Baum und kann bis zu 30 m hoch werden.

Tiere, die in Scharen weit umherwandern. Papageien sind »sprachbegabt« und können sogar Laute nachahmen. Zu ihnen gehören u.a. die *Kakadus* und die *Wellensittiche.*

Papier [das], durch Verfilzung und Pressen pflanzlicher Fasern hergestellter dünner, blattartiger Werkstoff. Die Grundstoffe werden zunächst zu Brei verarbeitet. Der Papierbrei wird mit Farbe, Füllstoffen, Leim u.a. vermischt, weiter verfeinert, entwässert, auf beheizten Zylindern getrocknet, durch Walzen geleitet und auf große Rollen aufgewickelt oder auf Format geschnitten. Seinen Namen hat das Papier vom ägyptischen *Papyrus.*

Pappeln [Pl.], schnell wachsende, schlanke Laubbäume der nördlichen gemäßigten Zone. In Deutschland heimisch sind die *Zitterpappel* oder *Espe,* deren Blätter beim geringsten Luftzug zittern, und die *Schwarzpappel.*

Paprika [der], *Spanischer Pfeffer,* eine im tropischen Amerika beheimatete Pflanzengattung, die in allen warmen Ländern der Erde angebaut wird. Die Früchte haben unterschiedliche Farbe, Größe und Schärfe und werden als Gemüse- oder Gewürzpaprika verwendet.

Papst [der], das Oberhaupt der katholischen Kirche. Er gilt als der Nachfolger des heiligen Petrus und Stellvertreter Christi auf Erden. Er wird im *Konklave* von den Kardinälen auf Lebenszeit gewählt und ist völkerrechtlich das Oberhaupt des Staates *Vatikanstadt.* Wenn er Lehrsätze in Glaubens- und Sittenfragen verkündet, gelten sie als unumstößlich für alle Katholiken (Unfehlbarkeit des Papstes).

Papua [Pl.], die Urbevölkerung Neuguineas und der benachbarten Inseln. Bei den Papua hielt sich bis ins 19. Jh. eine steinzeitliche Kultur.

Ländersteckbrief
Papua-Neuguinea

Fläche:	462 243 km²
Einwohner:	6,0 Millionen = 13 je km²
Hauptstadt:	Port Moresby
Religion:	protestantische Kirchen, römisch-katholische Kirche, Naturreligionen
Amtssprache:	Englisch, Pidgin, Motu
Währung:	1 Kina = 100 Toea

Papua-Neuguinea, Staat in Ozeanien.

Papua-Neuguinea umfasst den Ostteil von → Neuguinea, die *Admiralitäts-*, *D'Entrecasteaux-*, *Trobriandinseln*, den *Bismarck-* und *Louisiadearchipel* und die

Papua-Neuguinea ist überwiegend gebirgig mit zum Teil noch tätigen Vulkanen.

Inseln *Bougainville* und *Buka*. Die Inseln sind durchweg gebirgig und tragen dichte tropische Regenwälder. Die Bewohner (hauptsächlich Papua) sind vorwiegend Christen. 74% der Erwerbstätigen sind in der Landwirtschaft beschäftigt. Wichtig sind der Abbau und Export von Kupfer, Erdöl, Gold, Silber und Mangan, außerdem von Kaffee, Palmöl und Edelhölzern.

Geschichte: 1975 wurde Papua-Neuguinea als parlamentarische Monarchie im Commonwealth unabhängig. 1988 kam es zum Bürgerkrieg auf der Insel *Bougainville*. 2001 konnte ein Friedensvertrag geschlossen werden.

Papyrus [der], das »Papier« der Ägypter (seit dem 3. Jahrtausend v. Chr.) und der Griechen. Zur Papyrusherstellung wurde das Mark der bis zu 3 m langen Stängel der Papyrusstaude (Riedgras) herausgeschält und kreuzweise übereinandergeklebt.

Parabel [die], **1.** eine einfache Erzählform in Form eines Gleichnisses mit lehrhaftem Hintergrund. **2.** eine axialsymmetrische, nicht geschlossene Kurve; einer der Kegelschnitte. Die Parabel ist die Menge der Punkte, deren Abstände von einer festen Gerade (Leitlinie) und einem festen Punkt (Brennpunkt) gleich sind.

Paracelsus, eigentlich Theophrastus *Bombastus von Hohenheim,* * 1493 oder 1494, † 1541; deutscher Arzt und Naturforscher. Im Gegensatz zu den medizinischen Auffassungen seiner Zeit forderte Paracelsus vom Arzt die Erforschung der Natur und das Sammeln von Erfahrungen am Krankenbett. Neben natürlichen Heilmitteln verwandte er Arzneien aus dem Bereich der Chemie. Als einer der ersten Ärzte trat er für eine einheitliche Betrachtung körperlicher und seelischer Vorgänge ein.

Paradies [das], urzeitlicher oder künftiger Ort der Seeligkeit, nach biblischer Überlieferung der Garten Eden, aus dem Adam und Eva vertrieben wurden.

Papyrus: Die Papyrusstaude ist vom tropischen Afrika bis Kalabrien (Süditalien) verbreitet. Die 1–3 m hohe Wasserpflanze entwickelt eine Blattrosette mit zahlreichen Seitentrieben und erhält dadurch ein schirmartiges Aussehen.

Paradiesvögel [Pl.], auf Neuguinea und in Australien lebende Familie der Singvögel. Die Männchen fallen durch lange Schmuckfedern und prachtvolle Färbung auf. Einige Arten wurden fast ausgerottet.

paradox, widersinnig, unlogisch.

Paraffin [das], ein Gemisch wachsähnlicher Kohlenwasserstoffe, das nicht wasserlöslich ist. Sie wird aus Erdöl oder Braunkohlenteer gewonnen und zur Herstellung von Kerzen und Salben verwendet.

Paragliding [-glaidiŋ] → Gleitschirmfliegen.

Paragraph [der], *Paragraf*, ein fortlaufend nummerierter und mit dem Paragraphenzeichen (§) versehener Abschnitt eines Gesetzes, einer Satzung, eines Vertrages oder eines anderen amtlichen Schriftstücks.

Paraguay: landwirtschaftlicher Betrieb im Departamento Caaguazú

Ländersteckbrief
Paraguay

Fläche:	406 752 km²
Einwohner:	6,3 Millionen = 15 je km²
Hauptstadt:	Asunción
Religion:	römisch-katholische Kirche
Amtssprache:	Spanisch, Guaraní
Währung:	1 Guaraní = 100 Céntimos

Paraguay, Staat in Südamerika.

Das Zentrum nehmen die sumpfigen Savannenniederungen am Fluss Paraguay ein; östlich davon erstreckt sich ein von tropisch-subtropischem Regenwald überzogenes Hügelland; im Westen liegt die mit Trockenwald bestandene Ebene des *Gran Chaco*. Die vorwiegend katholische Bevölkerung besteht zu 90% aus Mestizen, 3% sind Indianer (Guaraní), 2% Weiße. Die Landwirtschaft liefert für den Export Baumwolle, Sojabohnen und Tabak. Die Viehzucht erwirtschaftet Exportüberschüsse. Aus den Wäldern, die 29% der Landesfläche bedecken, werden Quebracho-Extrakte, Edelhölzer und ätherische Öle gewonnen und ausgeführt. Die Hauptstadt Asunción verfügt über einen internationalen Flughafen.

Geschichte: Paraguay wurde im 16. Jh. von Spaniern besiedelt. Seit 1542 gehörte es zum spanischen *Vizekönigreich Peru*. Dann wurde das Gebiet Teil des *Vizekönigreichs Buenos Aires* (bzw. *La Plata*). 1811 wurde es unter J. G. R. *Francia* unabhängig und nahm einen raschen wirtschaftlichen und politischen Aufschwung. 1864–1870 kämpfte Paraguay gegen Argentinien, Brasilien und Uruguay, unterlag und verlor große Teile seines Staatsgebiets. Den *Chaco-Krieg* gegen Bolivien (1932–1935) gewann Paraguay. In der Folge löste eine Diktatur die andere ab, bis General A. *Stroessner* 1954

Fortsetzung → Seite 218

Der Reichstag, das Gebäude des deutschen Bundestages in Berlin

Parlament

Wo das Volk entscheidet

Von Werner J. Patzelt

Auf den ersten Blick scheint es einfach, ein Parlament wie den Bundestag zu verstehen: Da sitzen Abgeordnete in einem großen Raum, dem Plenarsaal. Dort hören sie vielen Rednern zu. Die erklären Vor- und Nachteile einer Entscheidung, die das Parlament zu treffen hat – etwa: Welche Bestimmungen sollen in ein Gesetz? Dabei denken die Abgeordneten gründlich mit und stellen Zwischenfragen, wenn ihnen etwas nicht einleuchtet. Ist alles Nötige gefragt und gesagt, kommt es zur Abstimmung. Die zeigt, was die Mehrheit will. Auf dieser Grundlage wird dann ein Beschluss gefasst. Weil die Abgeordneten Stellvertreter des ganzen Volkes sind, gelten solche Beschlüsse dann für alle im Land.

Ist es wirklich so einfach? Und geht es denn tatsächlich so zu? Meist sitzen doch nur wenige Abgeordnete im Plenarsaal. Oft hören sie dem Redner nicht richtig zu. Mit Zwischenfragen wollen sie ihn in Verlegenheit bringen, mit Zwischenrufen stören. Es geht wohl gar nicht darum, sich dort eine Meinung zu bilden, könnte man glauben.

Als sei es nur eine Show …

Dafür spricht auch, dass meist alle Abgeordneten der einen Partei mit Ja stimmen, die der gegnerischen Partei aber mit Nein – ganz so, als sei die ganze Beratung nur eine Show gewesen!

Und gewiss sind alle Abgeordneten vom Volk gewählt; aber doch nicht als einzelne Mitbürger, sondern als Aushängeschilder ihrer Partei. Sind Parlamente wenigstens Spiegelbilder des Volkes? Bestimmt nicht: Nie gibt es dort Kinder, meist weniger Frauen als Männer – und immer einen übergroßen Anteil von Leuten, die eine höhere Schule besucht haben. Warum ist das so?

Die ersten Parlamente

Früher regierten Könige und Fürsten. Sie hörten bei Entscheidungen auf ihre Berater und die anderen Mächtigen im Land. Das waren die Adeligen, die Kirchenfürsten und die Bürgermeister der großen Städte. Auf deren Meinung und Geld waren Könige und Fürsten angewiesen, wenn sie gut regieren wollten.

Irgendwann erreichten es diese Mächtigen, dass sie von Königen oder Fürsten regelmäßig zu Versammlungen zusammengerufen wurden, auf denen sie ihre Wünsche vorbringen konnten. So entstanden Parlamente. Wann immer nun Könige oder Fürsten von den versammelten Mächtigen Hilfe oder Geld wollten, mussten sie auch deren Wünsche berücksichtigen. Das machte solche Versammlungen immer einflussreicher.

Später verloren Adelige und Kirchenfürsten ihre Macht. Also brauchte man auch ihre Versammlungen nicht mehr. Stattdessen wollte man, dass Leute aus dem ganzen Land ihre Vertreter in die Parlamente schickten. Dazu führte man Wahlen ein. An ihnen durften sich zunächst wieder nur die eher Mächtigen beteiligen: die Reichen. Das hielt man aber bald für ungerecht. Darum bekamen immer größere Teile des Volkes das Wahlrecht. Seit weit über hundert Jahren haben es alle Männer, inzwischen auch alle Frauen.

Für Wahlen aber braucht man Leute, die Kandidaten vorschlagen, ihnen beim Wahlkampf helfen und Vorstellungen davon entwickeln, für welche Ziele sie nach der Wahl im Parlament ein-

Der ehemalige Bundeskanzler Gerhard Schröder (SPD) bei eine Rede im Plenarsaal des Bundestages

treten sollen. So entstanden die Parteien. Gibt es freilich Parteien, ist es sinnvoll, deren Anführer ins Parlament zu wählen: Als Abgeordnete können sie dann in die Tat umsetzen, was sie ihren Wählern als Parteiführer im Wahlkampf versprochen haben. Darum füllen sich die Parlamente mit Parteipolitikern.

Die schließen sich dort zu besonderen Parteigruppen zusammen, den sogenannten »Fraktionen«. Das sind gleichsam Mannschaften, die im Parlament um Abstimmungssiege kämpfen. Also gibt es Leistungsdruck: Man sollte keine Fehler machen, nicht zerstritten sein und starke Anführer haben! Mannschaftsleben unter Leistungsdruck aber mag nicht jeder. Darum will auch nicht jeder ins Parlament. Folglich sind Parlamente keine genauen Spiegelbilder des Volkes. Vertreten sind nur solche Menschen, die Zeit und Lust haben, neben ihrem Beruf auch noch jahrelang in Parteien zu schuften.

Der Kampf um die Regierungsmacht

Was wurde aber aus jenen regierenden Königen und Fürsten, an deren Seite die Parlamente einst entstanden? Die meisten Länder haben sie abgeschafft. Stattdessen wählt oft (nicht in allen Ländern!) das Volk einen Staatspräsidenten, der – wie früher ein König – mit seinen Beratern regiert. In der Regel muss er seine Macht mit dem Parlament teilen, das ebenfalls vom Volk gewählt wird. In Deutschland bestimmt das Parlament auch den Chef der Regierung: den Bundeskanzler. Der muss dann eng mit jenen Fraktionen zusammenarbeiten, die ihn zu ihrem Anführer gewählt haben – und auch wieder abwählen können. Also wird ein kluger Regierungschef die wichtigsten Abgeordneten der Parteien, die ihn unterstützen, zu seinen Ministern machen. Und die anderen Fraktionen? Sie werden »Opposition« genannt und sind die politischen Gegner dieser Regierung und ihrer Parlamentsmehrheit. Klar, dass die Opposition oft Nein zu dem sagt, was die Regierungsmehrheit will: Sie hat eben andere Ansichten als die Regierung und hofft, bei der nächsten Wahl selbst eine Parlamentsmehrheit und dann die Regierungsmacht zu erlangen.

Wofür genau aber sind Parlamente zuständig? Erstens kümmern sie sich in vielen Ländern darum, dass die Regierung überhaupt ins Amt kommt. Zweitens kontrollieren Parlamente die Regierung: Die Abgeordneten passen auf, dass die Regierung möglichst wenige Fehler macht und im Großen und Ganzen das tut, was ihre Wähler wollen. An solcher Kontrolle haben die Abgeordneten großes Interesse, weil alle paar Jahre Wahlen stattfinden, bei denen ein unzufriedenes Volk seine Regierungsmehrheit abwählen und die Opposition an die Macht bringen kann.

Genau darum wird Regierungskontrolle auch unterschiedlich ausgeübt: Die Opposition macht lautstark auf möglichst viele Fehler der Regierung aufmerksam, während die Regierungsmehrheit im Stillen darauf achtet, politische Fehler zu vermeiden und die Leistung schwacher Minister zu verbessern. Drittens beraten und beschließen Parlamente Gesetze, darunter jene Haushaltsgesetze, die der Regierung Geld für ihre Arbeit geben. Viertens vertreten Parlamente das Volk. Zu diesem Zweck verbringen Abgeordnete viel Zeit in ihren Wahlkreisen und in Gesprächen mit Interessengruppen, um stets zu wissen, was wer in der Bevölkerung meint und wünscht. Solches Wissen nutzen sie dann bei der Kontrolle der Regierung und bei der Arbeit an Gesetzen. Auch als

Die Regierungsbank im Bundestag – vorne rechts: Bundeskanzlerin Angela Merkel (CDU)

Volksvertreter müssen sie aber nicht einfach das tun, was ihnen die Leute im Wahlkreis oder Interessenvertreter sagen. Vielmehr bilden sie sich eine eigene Meinung und orientieren sich dabei an den Zielen ihrer Partei.

Hinter verschlossenen Türen

Wie erfüllen Abgeordnete diese Parlamentsaufgaben? Im Fernsehen kann man das nicht nachverfolgen, denn im dort gezeigten Plenarsaal findet nur der geringste Teil der Parlamentsarbeit statt. Die eigentliche Arbeit besteht aus Sitzungen, Gesprächen – und aus Lesen. Weil niemand alle politischen Probleme gleichermaßen gründlich durchschauen kann, spezialisieren sich die Abgeordneten dabei und bilden in den Fraktionen Arbeitsgruppen. Dort wird alles vorberaten, worüber später die Vollversammlung der Fraktion entscheidet. Natürlich müssen die Fachleute aller Fraktionen auch gemeinsam beraten. Das geschieht in den Parlamentsausschüssen. Solche gibt es etwa zur Außen-, Innen- und Wirtschaftspolitik. Also wurde meist in den Fraktionen und Ausschüssen schon gründlich diskutiert, was später im Plenarsaal zur Sprache kommt.

Darum müssen sich die Abgeordneten ihre Meinung auch nicht erst dort bilden, sondern stimmen einfach so ab, wie sie das zuvor verabredet haben. Folglich passiert im Plenarsaal selten Spannendes. Und also sitzen dort auch nur wenige Abgeordnete. Das ändert sich bloß bei als wichtig angekündigten Reden von Regierungsmitgliedern oder bei aktuellen Fragen, die nicht schon vorab geklärt werden konnten.

Trotzdem sind die Plenarberatungen wichtig: Dort wird abschließend entschieden und dem Volk erklärt, warum welche Fraktion zu welcher Entscheidung gekommen ist.

Paris: Eine gläserne Pyramide markiert den Eingang zum Pariser Louvre und setzt einen modernen Kontrast zur barocken Architektur des Museums.

die Regierung übernahm. Er regierte bis zu seinem Sturz 1989 diktatorisch. 1992 verabschiedete das Parlament eine demokratische Verfassung. 2003 wurde N. *Duarte Frutos* zum Präsidenten gewählt.

Parallele [die], in der Geometrie eine Gerade, die im gleichen Abstand zu einer gegebenen Geraden verläuft. Im übertragenen Sinne versteht man darunter auch einen vergleichbaren Fall, eine vergleichbare Erscheinung.

Parallelogramm, ein Viereck mit 2 Paar parallelen Seiten. Im Parallelogramm sind die gegenüberliegenden Seiten und Winkel gleich. Sonderfälle: *Rechteck,* mit 4 rechten Winkeln; *Rhombus,* mit 4 gleichen Seiten; *Quadrat,* mit 4 rechten Winkeln und gleichen Seiten.

Parameter, in Gleichungen und Funktionen eine Hilfsvariable, die in der Regel für einen konstanten, jedoch nicht näher bestimmten Zahlenwert steht.

Parapsychologie [die], die Lehre von den außerhalb unserer Sinneswahrnehmung auftretenden (übersinnlichen) Erscheinungen, z. B. Hellsehen, Telepathie (Gedankenübertragung). Dieser Zweig der Psychologie ist umstritten.

Parasiten [Pl.] → Schmarotzer.

Parenthese [die], eine Randbemerkung, ein Einschub in eine vorhandene Satzkonstruktion, die meist in Klammern oder zwischen Gedankenstrichen eingeschlossen wird.

Parfüm [das], *Parfum,* die Lösung von natürlichen oder künstlichen Duftstoffen in Alkohol. Parfüme wurden bereits in der Antike hergestellt.

Paria, in Indien Bezeichnung für Angehörige aller unteren Kasten und für Kastenlose. Paria üben Berufe (Straßenfeger, Totengräber) aus, die nach hinduistischer Vorstellung als unrein gelten und leben oft unter menschenunwürdigen Bedingungen. Im übertragenen Sinne gilt der Begriff für rechtlose, von der Gesellschaft ausgestoßene Menschen.

Paris, Hauptstadt Frankreichs, an der Seine, 11,2 Mio. Einwohner (mit Vororten). Paris ist der politische, wirtschaftliche und kulturelle Mittelpunkt des Landes. Die Stadt ist Sitz wichtiger internationaler Organisationen, sie hat viele Hochschulen, Museen (z. B. Louvre, Centre Georges Pompidou) und berühmte Bauten (z. B. gotische Kathedrale Notre-Dame, Arc de Triomphe, Eiffelturm). Westlich von Paris, in Versailles, liegt das Schloss der französischen Könige.

paritätisch [lat. paritas, »Gleichheit«], gleichberechtigt, gleichwertig. Unter einer *paritätischen Mitbestimmung* versteht man eine gleichberechtigte Mitbestimmung von Arbeitnehmern und Arbeitgebern in einem Betrieb.

Parlament [das], die Volksvertretung als Organ des Staates. Das vom Volk gewählte Parlament ist ein Wesensmerkmal jeder Demokratie. Aufgaben und Befugnisse des Parlaments sind in der Verfassung geregelt. Das britische Parlament ist Vorbild aller demokratischen Verfassungen. Bereits im 14. Jh. entwickelte sich dort mit dem House of Lords (Oberhaus) und dem House of Commons (Unterhaus) ein Zweikammersystem, dem das Recht der Bewilligung von Steuern zuerkannt wurde. Auch das französische Parlament geht bis ins Mittelalter zurück. Das erste deutsche Parlament war 1848/1849 die Frankfurter Nationalversammlung (Einkammersystem). Siehe auch ZEIT-Beitrag → »Parlament: Wo das Volk entscheidet«, Seite 214–217.

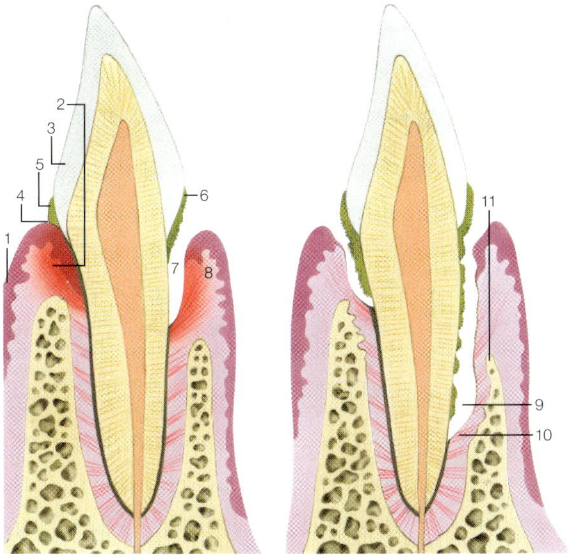

Parodontose: Normalerweise ist das Zahnfleisch (1) über das Saumepithel (2) mit dem Zahnschmelz (3) fest verbunden. Nur die Zahnfleischfurche bleibt frei (4). Hier kann sich leicht Zahnstein bilden (5). Schiebt der Zahnstein sich tiefer in die Spalte hinein (6), trennt er das Zahnfleisch vom Schmelz. Es bildet sich eine Zahnfleischtasche (7); das durch Bakterien, Zahnstein u.a. gereizte Zahnfleisch entzündet sich (8). Wird der Zahnstein nicht entfernt, greift der Prozess auf die Zahnwurzeln über (9). Die Ablagerungen zerstören Wurzelzement und -dentin und verdrängen die Haltefasern des Zahns (10). Der Kieferknochen wird abgebaut (11) und bildet eine Knochentasche. Der Zahn fällt aus.

Parodie [die], eine verzerrende (verspottende, komische) Umgestaltung eines literarischen oder musikalischen Werkes.

Parodontose [die], *Paradentose,* Rückbildungserscheinungen an Kieferknochen und am Zahnfleisch, die zu Zahnausfall führen können. Am Anfang einer Zahnbetterkrankung steht meist eine Zahnfleischentzündung.

Partei [die, von lat. pars, »Teil, Richtung«], ein Zusammenschluss von Menschen ähnlicher politischer oder weltanschaulicher Überzeugung. Ihr Ziel ist es, ihre Vorstellungen in der Öffentlichkeit zu vertreten und damit Einfluss auf politische Entscheidungen zu nehmen, die in den Gemeinden, Kreisen, Ländern (Kantonen) und Staaten zu treffen sind. In modernen Demokratien gibt es stets mehrere Parteien *(Mehrparteiensystem),* die unterschiedliche politische Richtungen und Ziele vertreten. Erhält eine Partei bei der Wahl die Mehrheit der Stimmen, kann sie die Regierung bilden. Ihre unterlegenen Gegner bilden dann im Parlament die Opposition. Je nach Ausgang der Wahl können sich Parteien auch zu Regierungskoalitionen zusammenschließen. Wenn es nur eine Partei gibt, die behauptet, den wahren Volkswillen zu verkörpern *(Einparteiensystem),* handelt es sich meist um eine Diktatur. Siehe auch ZEIT-Beitrag →»Parteiendemokratie: Wozu Parteien gut sind«, Seite 220–223.

Partei des Demokratischen Sozialismus, Abkürzung PDS, die 1990 umbenannte Nachfolgepartei der → Sozialistischen Einheitspartei Deutschlands (SED). 2005 änderte die Partei ihren Namen in *Die Linkspartei. PDS.* → *Die Linke.*

Partikel, nicht flektierbares Wort (u.a. alle Konjunktionen und Präpositionen).

Partisan [der], ein Angehöriger einer militärischen Widerstandsgruppe.

Partitur [die], eine übersichtliche Zusammenstellung aller Stimmen eines Musikstückes in Notenschrift, wobei in verschiedenen Notensystemen die gleichzeitig erklingenden Noten untereinanderstehen.

Partizip [das], *Mittelwort,* Wortart zwischen Verb und Adjektiv. Im Deutschen gibt es zwei Typen: 1. für die Gegenwart, z. B. »singend« *(Partizip Präsens);* 2. für die Vergangenheit, z. B. »gesungen« *(Partizip Perfekt).*

Parzival, Held der Artussage. Nach zahlreichen Abenteuern wurde Parzival in den Kreis des walisischen Königs Artus aufgenommen und schließlich König über das Reich des Grals. Das Versepos wurde, nach der Vorlage des altfranzösischen Versromans von Chrétien de Troyes, um 1200–1210 von *Wolfram von Eschenbach* verfasst. Richard Wagner griff den Stoff auf und schuf daraus die Oper »Parsifal«.

Bedrucktes Papier gehört zum Wahlkampf, auch in Plakatform. Am Ende geht es dabei um die Frage: Wer hat die besten Kandidaten?

Parteiendemokratie

Wozu Parteien gut sind

Von Hans-Peter Bartels

Manchmal kann man sie gar nicht übersehen, dann springen sie einem geradezu ins Auge: die Parteien mit ihren Kandidaten. Sie stellen an jeden Laternenmast Plakate, auf denen meist freundlich blickende Damen und Herren zu sehen sind, die sich dieses Mal zur Wahl stellen. Und in der Fußgängerzone haben Parteimitglieder und Kandidaten kleine Infostände aufgebaut mit Broschüren und Flugblättern, Luftballons und Sonnenschirmen. Auf den roten steht »SPD«, auf den schwarzen »CDU«, auf den gelben »FDP«, auf den grünen »Bündnis 90/Die Grünen«. Auf anderen roten kann auch »Die Linke« stehen. So heißen die wichtigsten demokratischen Parteien in Deutschland. Wenn also Plakate, Kandidaten und Infostände auf der Straße stehen, kann man ziemlich sicher sein, dass Wahlkampf ist.

Ein friedlicher Kampf

Acht oder sechs Wochen vor dem Tag X geht es meist richtig los. Und es gibt eine Menge Tage X, nämlich Wahlen zum Bundestag und zum Landtag, es gibt Kommunalwahlen und extra Oberbürgermeisterwahlen und, nicht zu vergessen: die Wahl zum Europäischen Parlament. Im Durchschnitt kann jeder Bürger einmal im Jahr an so einer Wahl teilnehmen. Warum aber heißt es, Parteien machen Wahl»kampf«, wenn es doch bloß darum geht, Kreuze zu machen und mit seiner Stimme dafür zu sorgen, dass die Partei, die einem am besten gefällt, möglichst viele Sitze im Parlament bekommt? Weil es tatsächlich eine Art Kampf ist, ein Kräftemessen darum, in welche politische Richtung die Stadt, das Bundesland oder ganz Deutschland gesteuert werden soll.

Wollen wir höhere Steuern?

Ein paar Beispiele für solche Richtungsentscheidungen: Soll es wegen des Klimawandels mehr Kernenergie geben, oder bleiben wir lieber beim Atomausstieg? Wollen wir höhere Steuern oder lieber weniger Geld für Leute, die arbeitslos werden? (Die Steuern braucht man zum Beispiel, um Arbeitslosenhilfe zu bezahlen.) Mehr Geld ausgeben für Familien oder lieber für die Rentner? Soll der Rat einer Stadt ein Einkaufszentrum auf der grünen Wiese mit vielen Parkplätzen genehmigen oder besser in der Innenstadt? Um solche Art Fragen geht es in den Parlamenten (und Gemeindevertretungen und Ratsversammlungen), die von den Bürgern direkt gewählt werden.

Zivilisierter und netter als in unserer Parteiendemokratie kann man diesen Kampf um die politische Macht gar nicht austragen. Früher war das auch in Deutschland viel gefährlicher, zum Beispiel damals, am Anfang und am Ende der Weimarer Republik (1919 bis 1933), als es bewaffnete Bürgerkriegsgruppen und Straßenschlachten gab. Und anderswo auf der Welt ist dieser Kampf oft noch immer brutal und blutig. Dass jeder sich mit Gleichgesinnten zu einer Partei zusammenschließen kann, dass es ein Parlament gibt und dass die Wahlen dann frei und fair sind – das alles musste erkämpft werden.

Bei den Revolutionen von 1789 (Frankreich), 1830 und 1848 ging es genau um diese Freiheit zur Demokratie, um die Entmachtung von Königen und Fürsten, die den Menschen befehlen konnten, was sie wollten. Als in Deutschland 1933 die Nationalsozialisten mit Hitler an die Macht kamen, verboten sie nach und nach alle anderen Parteien, verfolgten Andersdenkende, sperrten sie ein, trieben sie aus dem Land ins Exil und brachten viele Menschen in Konzentrationslagern und Gefängnissen um. Das ist lange, aber noch nicht allzu lange her.

Für die Menschen in Ostdeutschland kam nach dem Zweiten Weltkrieg immer noch keine politische Freiheit. In der sowjetisch besetzten Zone, die später zur DDR (Deutschen Demokratischen Republik) wurde, gab es keine freien Wahlen, sondern recht bald eine kommunistische

Die Parteizentrale der CDU in Berlin heißt Konrad-Adenauer-Haus, nach dem ersten deutschen Bundeskanzler

Diktatur. Schon in der DDR-Verfassung stand, dass die SED (Sozialistische Einheitspartei Deutschlands) stets die Führung im Staat haben musste. Damit war es erst 1989 vorbei. An diese Zeit können sich viele Menschen in Ost- und Westdeutschland heute noch gut erinnern.

Nur eine Partei – meine!

Obwohl die Bürger früher viel weniger zu sagen hatten und obwohl man im 20. Jahrhundert weltweit schreckliche Erfahrungen mit den Diktaturen der Nationalsozialisten und der Kommunisten gemacht hatte, wird trotzdem nicht immer gut von der parlamentarischen Demokratie, den Parteien und den sogenannten »Politikern« gesprochen. (Politiker sind diejenigen, die gewählt worden sind, von einer Mehrheit, was ja eigentlich gut ist.) Parteienverachtung und »Politikverdrossenheit« sind nicht neu, und es gibt sie beinah überall. Man darf solch schlechte Meinungen von der Demokratie in einer demokratischen Gesellschaft natürlich haben, sie sind nicht schön, aber jeder kann denken, was er will. Der berühmte britische Premierminister Winston Churchill (1940 bis 1945; 1951 bis 1955) soll dazu einmal gesagt haben: Die Demokratie ist die schlechteste Regierungsform – außer allen anderen, die schon einmal ausprobiert worden sind.

Bei manchen Leuten also gelten Parteien prinzipiell als anrüchig: Sind denn nicht Neutralität und Überparteilichkeit viel besser? Ist es nicht peinlich, sich vor wildfremden Leuten zur Wahl zu stellen? Hat das Streiten um eine Sache nicht immer etwas hässlich Rechthaberisches? Und wenn zum Schluss in Parteien oder zwischen Parteien um des lieben Friedens willen Kompromisse gemacht werden, sind die dann nicht meist »faul«?

Die Antworten lauten: Nein, nein, nein und nein. Demokratie, die Herrschaft des Volkes, braucht Mitbürger, die auch Verantwortung übernehmen wollen. Niemand muss, aber ohne geht es nicht. Jeder darf. Und allein richtet man in einem Volk von 80 000 000 Menschen wenig aus. »Streiten« kann man auch diskutieren nennen. Genau dafür sind Parteien da: für die ständige Diskussion, jeden Tag, zu jedem Thema, das einem wichtig erscheint. Jeder kann eintreten, jeder kann mitreden, Vorsitzende wählen und Kandidaten aufstellen, selbst eine Aufgabe übernehmen oder für ein Parlament kandidieren.

Den sogenannten »Parteienstreit« zwischen den Parteien, das böse »Parteigezänk« – das kann nur schlimm finden, wer selbst immer recht haben will und meint, es sollte besser nur eine ein-

Gerhard Schröder war Bundeskanzler von 1998 bis 2005. Wahlkämpfe sollen ihm viel Spaß gemacht haben

Auf dem Parteitag diskutieren die Delegierten darüber, mit welchen Argumenten ihre Partei werben soll

zige Partei geben, seine! Parteien müssen sich über die unterschiedlichen Meinungen in aller Öffentlichkeit auseinandersetzen. Und sie müssen bereit sein, sich zusammenzusetzen und Kompromisse zu machen, wenn sie allein zum Beispiel nicht die Mehrheit im Bundestag haben.

Wer hat die besten Argumente?

Parteien muss es in der Demokratie immer im Plural geben: mehr als eine. Das nennt man Parteienpluralismus. Und das passt zu unserer pluralistischen Gesellschaft. Unser Volk ist bunt und vielfältig. Wer behauptet, er wisse genau, was »der Bürger« will, weil alle Bürger angeblich das Gleiche wollten, und er selbst sei ja ein Bürger, ist ein Spaßvogel – oder ein Gegner der Demokratie (die man dann ja auch gar nicht brauchen würde, wenn alle immer der gleichen Meinung wären). Die Menschen sind verschieden. Sie haben unterschiedliche Interessen, die einen glauben dies und die anderen etwas anderes. Sie sind unterschiedlich klug, ihre Herkunft und Erfahrung, ihre Wünsche, Ängste und Hoffnungen sind niemals genau gleich. Deshalb gibt es unterschiedliche Parteien, sie vertreten jeweils einen Teil des Ganzen (von lateinisch *pars:* »Teil«, deshalb »Partei«).

Die Wahlkämpfe zwischen den Parteien sind dazu da, dass diejenigen, die sich engagieren, für ihre Ansichten werben. Wer hat die besseren Argumente? Wer hat die besseren Kandidaten? Die Mittel sind friedlich, auch wenn manche das lächerlich finden: bedrucktes Papier, Fernsehdebatten, überall kleine Informationsveranstaltungen oder große Open-Air-Kundgebungen. Die Konkurrenz der Parteien wird am Ende entschieden von allen Bürgern, die zur Wahl gehen. Sie haben das Recht, sich zu irren und nach vier Jahren eine andere Partei zu wählen – oder selbst eine zu gründen.

Abbildungsnachweis

akg-images, Berlin: 14, 30, 32/Lessing, 43/Electa, 58, 62, 74, 104/British Library, 124/Lessing, 137, 153 r./Lessing, 166 l., 167, 210 l.; **alamy, Abingdon:** 82/Leslie Garland Picture Library, 217/Vario Images, 221/Vario Images; **amnesty international, Bonn:** 92; **Associated Press GmbH, Frankfurt:** 223/Häntzschel; **Dr. Gisela Benecke, Gütersloh:** 211; **Cinetext, Frankfurt:** 31, 114; **Coherent GmbH, Rödermark:** 192; **Corbis GmbH, Düsseldorf:** 135; **Corbis-Bettmann, New York:** 11, 26, 56/UPI, 91/UPI, 113/UPI, 115, 116, 117, 133, 169, 172 l., 186, 187 r./Reuters; **Deutsch Nauruische Gesellschaft:** 150 u.; **Document Vortragsring e.V., München:** 97 r./Matthäi-Latocha, 155/Kremnitz, 164/Matthäi-Latocha, 172 r./Matthäi-Latocha, 173/Matthäi-Latocha; **dpa Picture-Alliance-GmbH, Frankfurt:** 33/Schulze, 70/Lystseva, 72/Carstensen, 80, 123/Angel, 132/Landov, 140/Müller/KPA, 149/Wechsler/Okapia, 151/Perrey, 168/Sica, 170/Abaca, 194/Thieme, 220/Schwintowski, 222/Moucha; **FiberCore Jena GmbH, Jena:** 19; **fotolia.com:** 22/Santhorant, 23/Young; **IFA-Bilderteam GmbH, Ottobrunn:** 181 l.; **IFA-Bilderteam, Ottobrunn:** 12 r./Pölking, 15/Aberham, 17/Maier, 29/Stadler, 44/Diaf, 47/Danegger, 50/Fuste Rage, 53 r./TPC, 53 l./Fuste Rage, 54 l./BCI, 60/Fuste Raga, 68/Jung, 77/Renz, 85 r./Nägele, 88/BCI, 97 l./Jon Arnold Images, 102/Pölking, 108/Jon Arnold Images, 109/Jon Arnold Images, 112/Jon Arnold Images, 122 r./Hollweck, 136/Gottschalk, 145/Mohr, 146/Nägele, 156/Jon Arnold Images, 162/Jon Arnold Images, 181 r./Eich, 197/Comnet, 207/Jupiterimages GmbH, 209 l./Fuste Raga, 210 r./Fischer; **Interfoto, München:** 83/Karger-Decker; **istockphoto.com:** 25/Phillips, 95/Hoerold, 101/shaunl; **laif, Köln:** 90/Ulutuncok, 93/Zauritz, 215/Plambeck; **Mauritius Images, Mittenwald:** 13/Westend61, 24 l./Pacific Stock, 46 l./AGE, 51/Beck, 52/Mayer, 66 r./De Foy, 66 l./Oxford Scientific, 69 r./Kinne, 69 l./Photononstop, 84 r./Vidler, 98/SuperStock, 100 l./SuperStock, 118/O'Brien, 127 l./Otte, 129/Vidler, 143/AGE, 159/AGE, 160/Merten, 174 l./IPS, 176, 183 r./Mattes, 183 l./Rosenfeld, 189/Torino, 195/Pigneter, 196 u./Kord, 201/Motycka, 205/O'Brien, 209 r./Bloom, 212 r./Garden Picture Library; **McDonald's Corporation, Oak Brook:** 70, 73; **Melzer Verlag, Dreieich:** 99; mev, Augsburg: 174 r.; **NASA, Washington:** 89, 203/Goddard Space Flight Center; **Plaza & Janes, S.A., Barcelona:** 75; RCS Libri & Grandi Opere SpA Milano / Il mondo degli animali: 127 r., 139; **Sertürner Arzneimittel GmbH, Gütersloh:** 187 l.; shutterstock.com: 24 r./Verinciuc, 38/Mounsey, 96/Mielcarek, 153 l./van Vuren, 182/Rahle, 185 l./Siloto, 190 l./Marianad, 191/Hill, 196 o./Uhrig, 218/Mattox; **TopFoto, Kent:** 12 l., 18, 21, 28/Ann Ronan/HIP, 34/Pölking, 36/Roger-Viollet, 39/Roger-Viollet, 46 r., 48/Sprague, 54 r./Roger-Viollet, 78/Pölking, 106/Roger-Viollet, 122 l./Sprague/TIW, 126, 144/Ann Ronan/HIP, 152, 158/Ann Ronan/HIP, 165, 166 r., 171/Roger-Viollet, 175/Roger-Viollet, 190 r./Hoban, 199/AAAC, 200/Etchar/TIW, 202/Wendler, 213, 214; **Wissen Media Verlag GmbH, Gütersloh:** 20, 81, 134, 142, 147, 193/Rita Reiser.

Einband: ESA, Darmstadt: Satellit/NASA; IFA-Bilderteam GmbH, Ottobrunn: Fußballspieler; laif, Köln: ICE/Glaescher, Reichstag/Langrock/ZENIT; mev, Augsburg: Beduinen; TopFoto, Kent: Löwen/Pölking